UNIVERS DES LETTRES

sous la direction de Fernand Angué

GUSTAVE

TROIS

UN CŒUR SIMPLE

LA LEGENDE DE SAINT JULIEN L'HOSPITALIER

HERODIAS

avec

une biographie chronologique de G. Flaubert,
une étude historique et critique de l'œuvre,
l'analyse méthodique des Trois Contes,
des notes, des questions

par

Raymond DECESSE
Agrégé des Lettres
Professeur de Première
au Lycée Jacques-Decour

BORDAS

BORDAS
PARIS BRUXELLES MONTREAL

Printed in France

I.S.B.N. 2-04-009691-4
(I.S.B.N. 2-04-001151-X; I.S.B.N. 2-04-009846-1 1res publications)

GUSTAVE FLAUBERT

Peinture anonyme, musée de Rouen

L'ÉPOQUE DE FLAUBERT

L'histoire		Les lettres et les arts
Mort de Napoléon. Ministère de Villèle.	**1821**	Mort de Joseph de Maistre. Naissance de Baudelaire. Chateaubriand ambassadeur à Berlin.
Loi sur la presse. Conspirations militaires.	**1822**	Vigny, *Poèmes.* Hugo, *Odes.* Mariage de Victor Hugo. Naissance d'Edmond de Goncourt. Naissance de Dostoïevski. Delacroix, *la Barque du Dante.*
Guerre d'Espagne.	**1823**	Naissance de Renan. Lamartine, *Nouvelles Méditations.* Stendhal, *Racine et Shakespeare* (1re éd.). Fondation de *la Muse française.* W. Scott, *Quentin Durward.*
Élection de la « Chambre retrouvée ». Mort de Louis XVIII. **Avènement de Charles X**	**1824**	Mort de Byron en Grèce. Fauriel, *Chants populaires de ... Grèce.* Disgrâce de Chateaubriand. Fondation du *Globe*, journal libéral et romantique.
	1825	Stendhal, *Racine et Shakespeare* (2e éd.). A. Thierry, *Histoire de la conquête de l'Angleterre.* Lamartine, *Dernier Chant du pèlerinage d'Harold.* Mort de Paul-Louis Courier.
	1826	Hugo, *Bug-Jargal.* Hugo, *Odes et Ballades.* Vigny, *Cinq-Mars.* Vigny, *Poèmes antiques et modernes.* Chateaubriand, *Œuvres complètes* (28 vol.).
Bataille de Navarin.	**1827**	Formation du Second Cénacle, autour de Victor Hugo. Mort de Beethoven. Michelet : traduction de la *Scienza Nuova* de Vico. Hugo, *Cromwell.* Hugo, *Préface de « Cromwell ».*

LA VIE DE FLAUBERT (1821-1880)

1821 (**12** décembre). Naissance de Gustave Flaubert à Rouen, **17**, rue de Lecat, dans l'appartement de l'Hôtel-Dieu que son père occupe en qualité de chirurgien en chef.

La famille paternelle est champenoise. De génération en génération on y suit la même route : on étudie à Alfort, et puis on exerce l'art vétérinaire dans un coin du pays natal. Le Dr ACHILLE-CLÉOPHAS FLAUBERT (**1784-1846**) a été le premier à s'en écarter.

Il a fait de brillantes études à Paris où il a été l'élève de Thénard, et de Dupuytren qui l'a fait nommer à Rouen. Il y a organisé une véritable École de Médecine.

La famille maternelle est normande. On y trouve des ecclésiastiques et des gens de loi, mais aussi des armateurs et des marins. Par sa grand-mère, Flaubert a le sentiment d'être apparenté aux pirates Vikings, aux conquérants de l'Italie et du Canada, aux Chouans et même aux « Peaux-Rouges ». C'est en tous cas un monde d'humeur libre et aventureuse, un monde riche aussi, et proche de la bonne société d'ancien régime. Mais le grand-père est médecin, et d'une lignée de médecins.

1824 Naissance de CAROLINE. Avec elle se ferme le cercle familial dont Flaubert restera toujours le prisonnier.

Au centre, le Dr Flaubert, le « grand patron » dont nous avons le portrait dans *Madame Bovary :*

> Il appartenait à la grande école chirurgicale sortie du tablier de Bichat, à cette génération, maintenant disparue, de praticiens philosophes qui, chérissant leur art d'un amour fanatique, l'exerçaient avec exaltation et sagacité!
> [...] Dédaigneux des croix, des titres et des académies, hospitalier, libéral, paternel avec les pauvres et pratiquant la vertu sans y croire, il eût presque passé pour un saint si la finesse de son esprit ne l'eût fait craindre comme un démon. Son regard, plus tranchant que ses bistouris, vous descendait droit dans l'âme et désarticulait tout mensonge à travers les allégations et les pudeurs. Et il allait ainsi, plein de cette majesté débonnaire que donnent la conscience d'un grand talent, de la fortune, et quarante ans d'une existence laborieuse et irréprochable.

Chez lui, le père est d'abord un homme très occupé, sujet à de violentes colères, qui ne comprend pas toujours les siens, que ses enfants admirent et redoutent. Sa personnalité, son succès étouffent son entourage. Son caractère où l'insatisfaction se mêle à l'orgueil, ses idées, combinaison de scientisme et de libéralisme, le modèlent.

La mère (**1794-1872**) est, elle aussi, fermée à la morale et à la religion traditionnelles. Elle semble plus intelligente que sensible, bien qu'elle soit fort impressionnable. Après la mort de son mari et de sa fille, elle manifestera des tendances à la neurasthénie. Elle a l'abord froid, l'humeur vive, et Flaubert craindra toujours de la contrarier.

Ministère de Martignac.	1828	Sainte-Beuve, *Tableau historique et critique de la poésie au XVIe siècle.* Naissance de Taine. Naissance d'Ibsen. Naissance de Tolstoï. Eugène Deschamps, *Préface des Études françaises et étrangères.* Hugo, *Amy Robsart.*
Ministère de Polignac.	1829	Hugo, *les Orientales.* A. Dumas, *Henri III et sa Cour.* Balzac, *les Chouans.* Sainte-Beuve, *Vie, Poésies et Pensées de Joseph Delorme.* Mérimée : premières nouvelles. Vigny, *Othello.* Chateaubriand ambassadeur à Rome.
Prise d'Alger. Les Ordonnances. Révolution de Juillet. **Louis-Philippe,** roi des Français.	1830	Musset, *Contes d'Espagne et d'Italie.* Hugo, *Hernani.* Lamartine, *Harmonies poétiques et religieuses.* Auguste Comte, *Cours de philosophie positive.* *Le Globe* devient l'organe du saint-simonisme. Lamennais fonde *l'Avenir.* Stendhal, *le Rouge et le Noir.*
Émeutes à Lyon.	1831	Hugo, *Notre-Dame de Paris.* Hugo, *les Feuilles d'automne.* Stendhal consul à Civitta-Vecchia. Balzac, *la Peau de hagrin.*
Choléra à Paris. Émeutes à Paris.	1832	Balzac, *le Colonel Chabert.* George Sand, *Indiana.* Vigny, *Stello.* Hugo, *ie Roi s'amuse* (interdit aussitôt). Mort de Gœthe.
Loi Guizot sur l'enseignement primaire.	1833	Edgar Quinet, *Ahasvérus.* Balzac, *Eugénie Grandet.* Musset, *les Caprices de Marianne.*
Insurrections et répression.	1834	Lamartine, *Des Destinées de la poésie.* Lamennais, *Paroles d'un croyant.* Musset, *Lorenzaccio.* Balzac, *le Père Goriot.*
Attentat de Fieschi.	1835	Vigny, *Chatterton.* Musset, *Nuits de Mai* et de *Décembre.* Hugo, *les Chants du crépuscule.*

Elle se consacre tout entière aux siens; en particulier à l'éducation de ses deux plus jeunes enfants, Gustave et Caroline, qu'une grande affection unit. Pour l'aîné, ACHILLE (né en 1812), le bon élève, le successeur désigné du père, celui qu'on donne en modèle, Gustave ne l'aime guère. Il est, du reste, loin de la maison, au Collège et à l'École de Médecine.
La famille vit de la vie de l'hôpital, côtoyant la douleur et la mort, dans le silence morne des grands bâtiments. Un **spectacle** qui attire particulièrement les enfants, c'est celui **de la dissection :** *L'amphithéâtre de l'Hôtel-Dieu donnait sur notre jardin. Que de fois, avec ma sœur, n'avons-nous pas grimpé au treillage, et suspendus entre la vigne, regardé curieusement les cadavres étalés. Le soleil donnait dessus, les mêmes mouches qui voltigeaient sur nous et sur les fleurs allaient s'abattre là, revenaient, bourdonnaient!* [...] *Je vois encore mon père levant la tête de dessus sa dissection et nous disant de nous en aller* (lettre du 7-8 juillet 1853).
Mais les Flaubert ne forment pas un groupe morose. Ils cultivent les arts : peinture et musique. Ils aiment la bonne chère et connaissent des poussées de joie énorme. Leur langage est parfois truculent, d'une grossièreté rabelaisienne, en général familier, incorrect ou provincial.

1830 Sur le billard paternel, Gustave, avec sa sœur et ses amis, joue de petites pièces. Il en compose à l'occasion. Il annonce son intention d'écrire.

1831 (?) Flaubert entre, comme pensionnaire, en Huitième au Collège de Rouen. Il commence l'étude du latin.
La vie du Collège est rude. Les salles de classe n'ont pas de tables : on écrit sur ses genoux. Les dortoirs ne sont pas chauffés. La discipline est ferme. Surtout, Flaubert a le sentiment que ni ses maîtres, ni ses camarades ne le comprennent, qu'ils ne rendent pas justice à sa supériorité, qu'ils entravent ses aspirations. Il souffre comme ont souffert tous les garçons de son âge trop sensibles et trop fiers. Il réagit par une révolte latente, par l'hostilité contre sa ville et contre l'ordre établi (voir les lettres à Chevalier, 12 juillet et 14 août 1835, 24 mars 1837) :
Je fus au Collège dès l'âge de dix ans et j'y contractai de bonne heure une profonde aversion pour les hommes. Cette société d'enfants est aussi cruelle pour ses victimes que l'autre petite société, celle des hommes (*Mémoires d'un Fou*, chap. 3).

1834 Flaubert entre en Cinquième où il a deux professeurs avec qui il sympathise : Chéruel, qui lui donne la passion de l'histoire, et Gourgaud qui lui fait composer ses premières narrations.

1835 Il fonde une revue littéraire, manuscrite, *Art et Progrès*.
Premières œuvres conservées : narrations et discours historiques, destinés à Gourgaud.
Frédégonde, drame romantique (perdu).

	1836	Chateaubriand, *Essai sur la littérature anglaise*.
		Lamartine, *Jocelyn*.
		Musset, *Lettre à Lamartine*.
Ministère Molé.		Musset, *Nuit d'Août*.
		Musset, *Lettres de Dupuis et Cotonet*.
		Dickens, *les Aventures de M. Pickwick*.
Coup de force manqué de Louis-Napoléon à Strasbourg.		Gogol, *le Revizor*.
		Fondation de *la Presse*, le premier journal populaire.
		Michelet est écarté de la Sorbonne et de l'École Normale par Guizot.
		Lamennais se sépare de l'Église.
		Mort d'Ampère.
Mariage du duc d'Orléans avec la princesse Hélène de Mecklembourg.	**1837**	Naissance d'Henry Becque.
		Balzac, *Histoire de la grandeur et de la décadence de César Birotteau*.
		Hugo, *les Voix intérieures*.
		Lamartine, *Lettre à Félix Guillemardet*.
		Mérimée, *la Vénus d'Ille*.
		Musset, *Un Caprice*.
		Musset, *Nuit d'Octobre*.
		Stendhal : début des *Chroniques italiennes*.
	1838	Naissance de Villiers de l'Isle-Adam.
		Hugo, *Ruy-Blas*.
		Lamartine, *la Chute d'un ange*.
		Musset, *l'Espoir en Dieu*.
		Musset, *Dupont et Durand*.
		Stendhal, *Mémoires d'un touriste*.
		Edgar Poe, *les Aventures d'Arthur Gordon Pym*.
		Rachel entre à la Comédie-Française.
Ministère Soult.	**1839**	Naissance de Sully-Prudhomme.
		Naissance de Cézanne et de Sisley.
Tentative d'insurrection de Barbès et de Blanqui.		A. Dumas, *Mlle de Belle-Isle* (drame).
		Balzac, *Béatrix*.
		Lamartine, *Recueillements poétiques*.
		Stendhal, *la Chartreuse de Parme*.
		Vigny, *la Colère de Samson*.
		Louis Blanc, *l'Organisation du travail*.
		Lamartine est élu député de Mâcon.
		Mérimée voyage en Corse et revient par Civita-Vecchia où il voit Stendhal.
		George Sand revient de Majorque avec Chopin.
		Baudelaire est exclu de Louis-le-Grand (pour fraude?)

1836 A Trouville, où il passe comme à l'ordinaire une partie de ses vacances, il fait la connaissance de MAURICE SCHLÉSINGER, un homme d'affaires d'une vulgarité joyeuse, et de sa compagne ÉLISA. Ils occuperont une grande place dans la vie et dans l'œuvre de Flaubert (en particulier, sous le nom d'Arnoux, dans la seconde *Éducation sentimentale*).

En octobre, il entre en Troisième. Il y aura des prix d'histoire et d'histoire naturelle, qu'il étudie sous la direction de Pouchet, avec qui il restera lié.

C'est durant cette année de Troisième que se resserrent ses relations avec ALFRED LE POITTEVIN (dont la sœur Laure, amie de Caroline, sera la mère de Maupassant). Il a cinq ans de plus que Flaubert. La qualité, l'originalité de son esprit attirent et marquent. Son goût de la spéculation métaphysique, son pessimisme vont pousser plus encore le jeune homme vers les régions désolées de l'existence.

1837 *Le Colibri*, petite revue de Rouen dont Le Poittevin est un des rédacteurs, publie deux œuvres de Flaubert :

Bibliomanie, un conte romantique dont le héros assassine pour se procurer un livre précieux.

Une leçon d'histoire naturelle : genre commis, une « physiologie » comme on en fait beaucoup alors.

Ce que Flaubert écrit à partir de ce moment est parfois encore historique, mais il s'agit plus souvent de contes philosophiques ou fantastiques.

Les élèves du Collège créent un personnage, LE GARÇON, une sorte d'Ubu, un être hilare et hurleur qui parodie le bourgeois et le bouscule, un farceur scatologue dont la seule évocation met en joie les initiés et fournit d'innombrables thèmes plaisants ou satiriques.

Décembre : *Passion et Vertu*, conte philosophique.

1838 (juin). *Mémoires d'un fou*, œuvre autobiographique.

Octobre. Flaubert entre en rhétorique. Le voici — enfin — externe. C'est l'année où s'épanouit sa jeunesse, tentée par l'amour et par la gloire, tentée par la mélancolie, dans un milieu de jeunes gens en qui les rêves d'action politique ou révolutionnaire se mêlent aux désirs et à la poésie :

[Nos rêves] *étaient superbes d'extravagance, expansions dernières du romantisme arrivant jusqu'à nous, et qui, comprimées par le milieu provincial, faisaient dans nos cervelles d'étranges bouillonnements.* [...] *On n'était pas seulement troubadour, insurrectionnel et oriental, on était avant tout artiste; les pensums finis, la littérature commençait; et on se crevait les yeux à lire au dortoir des romans, on portait un poignard dans sa poche comme Antony, on faisait plus : par dégoût de l'existence, B... se cassa la tête d'un coup de pistolet* [...]*; nous méritions peu d'éloges, certainement! mais quelle haine de la platitude! quels élans vers la grandeur! quel respect des maîtres!* (Préface aux *Dernières Chansons* de Bouilhet.)

Traité de Londres. Thiers démissionne. Guizot au pouvoir. Retour des cendres de Napoléon Ier.	**1840**	Naissance de Daudet et de Zola. Naissance de Claude Monet. Hugo, *les Rayons et les Ombres.* Mérimée, *Colomba.* George Sand, *le Compagnon du Tour de France.* Sainte-Beuve, *Histoire de Port-Royal.* Augustin Thierry, *Récits des temps mérovingiens* (éd. définitive). Lermontov, *Un héros de notre temps.* Edgar Poe, *Contes extraordinaires.* Cabet, *Voyage en Icarie.*
Convention sur le droit de visite. Campagne pour la « Réforme ».	**1841**	Naissance de Renoir. Balzac, *Une ténébreuse affaire.* Lamartine, *la Marseillaise de la paix.* Musset, *Souvenir.* Hugo est reçu à l'Académie.
Loi sur les chemins de fer.	**1842**	Naissance de Hérédia et de Mallarmé. Mort de Stendhal. Balzac, *Avant-Propos* de *la Comédie humaine.* Aloysius Bertrand, *Gaspard de la nuit.* Hugo, *le Rhin.* Edgar Quinet, *le Génie des religions.* Scribe, *le Verre d'eau.* E. Sue, *les Mystères de Paris.* Gogol, *les Ames mortes.*
	1843	Hugo, *les Burgraves.* Ponsard, *Lucrèce.* Mort de Léopoldine Hugo à Villequier. Michelet, *Des Jésuites.* Vigny, *la Mort du loup.* Nerval voyage en Orient. Chateaubriand va à Londres saluer le comte de Chambord. Lamartine se présente comme un des chefs de l'opposition.
Guerre avec le Maroc. Difficultés avec l'Angleterre au sujet de l'affaire Pritchard.	**1844**	Naissance de Verlaine et d'Anatole France. Mort de Nodier. Balzac, *Modeste Mignon.* Balzac, *les Paysans* (1re partie). Chateaubriand, *la Vie de Rancé.* Dumas, *les Trois Mousquetaires.* George Sand, *Jeanne.* Vigny, *la Maison du berger.* Michelet interrompt son *Histoire de France* au tome VI. Sainte-Beuve est élu à l'Académie.

1839 *Smarh :* ébauche de *la Tentation de saint Antoine.*
Décembre : Flaubert, élève de philosophie, est mis à la porte du Collège pour indiscipline. Il préparera seul son baccalauréat.

1840 Il est reçu bachelier le 23 août.
Aussitôt, on le récompense par une grande sortie, sous la direction d'un ami du Dr Flaubert, le Dr FLOQUET (qui deviendra membre des Académies des Sciences et de Médecine). Pendant deux mois on visite les Pyrénées, puis la Corse. Flaubert prend des *Notes de voyage.*
A son retour, il se met avec passion au grec et au latin, qui l'ennuyaient tant au Collège. Il lit beaucoup.

1841 Pour des raisons qui nous échappent, Flaubert passe cette année dans sa famille. On le destine pourtant au Droit, qu'il se prépare à étudier sans enthousiasme. « Ce que je veux être? Rien, suivant en cela la maxime du philosophe qui disait : *cache ta vie et meurs* » (lettre du 14 janvier 1841).
Première inscription à la Faculté le 10 novembre.

1842 En juillet, Flaubert vient à Paris, pour y passer son premier examen; mais les études juridiques l'ennuient. D'ailleurs il se refuse énergiquement à « faire carrière ». Fin août, il part pour Trouville, soit qu'il n'ait pu se présenter faute d'un certificat d'assiduité, soit qu'il ait été refusé.
Il termine *Novembre,* sa première grande œuvre, où il analyse son adolescence à la façon de Rousseau et de Chateaubriand, y découvrant que le vrai bonheur, c'est de jouir de soi, dans la vie ou dans l'art.
Il revient à Paris pour la rentrée, s'installe, et se fait recevoir à son premier examen le 28 décembre.

1843 Il commence la première version de *l'Éducation sentimentale,* roman de sa vie d'étudiant.
Dans ses lettres à sa famille, cette vie apparaît pauvre et laborieuse. En fait, elle est coûteuse et agitée. Il rend de fréquentes visites au Dr Floquet, aux Collier dont il a fait la connaissance l'été précédent à Trouville, à d'autres aussi. Dans l'atelier du sculpteur Pradier, il rencontre des hommes célèbres et de joyeux amis. Chez les Schlésinger, il se trouve dans un milieu trouble, où il se complaît. Pour ses études, il les prend en haine. Le 21 août, il échoue à son second examen. Sa décision semble prise : il sera écrivain.

1844 Ses études sont interrompues.
En janvier (?), dans la voiture qui le ramène d'un voyage à Pont-l'Évêque, il est terrassé par une **crise nerveuse épileptiforme.** D'autres attaques se produisent dans les semaines suivantes. Durant de longs mois, Flaubert sera soigné. Au bout de deux ans, les crises s'espaceront suffisamment, mais jamais il ne pourra se dire guéri. En mai, le Dr Flaubert achète une propriété à **Croisset,** aux portes de Rouen.

Événements	Année	Littérature
Débats à la Chambre à la suite de l'affaire Pritchard.	**1845**	Baudelaire, *Salon de 1845.* Dumas, *le Comte de Monte-Cristo.* Théophile Gautier, *España.* Mérimée, *Carmen.* George Sand, *le Meunier d'Angibault.* Thiers, *Histoire du Consulat et de l'Empire.* Burnouf, *Introduction à l'histoire du bouddhisme.* Hugo est nommé Pair de France. Mérimée est reçu à l'Académie. Renan renonce aux ordres et quitte Saint-Sulpice.
	1846	Balzac, *la Cousine Bette.* Banville, *les Stalactites.* Michelet, *le Peuple.* Musset, *Mimi Pinson.* G. Sand, *la Mare au diable.* Cousin, *Du vrai, du beau, du bien.* Littré, *De la philosophie positive.* Dostoïevski, *les Pauvres Gens.* Feuerbach, *l'Immortalité du point de vue de l'anthropologie.* Courbet, *l'Homme à la pipe* (refusé au Salon). Chateaubriand se blesse, et reste paralysé. Vigny reçu à l'Académie d'une manière qu'il juge offensante.
Campagne des « Banquets ». Reddition d'Abd-el-Kader.	**1847**	Naissance de Paul Alexis. Mort de Ballanche. Mort de Mendelssohn. Balzac, *le Cousin Pons.* Louis Blanc, *Histoire de la Révolution.* Champfleury, *Chien-Caillou.* Lamartine, *Histoire des Girondins.* Mérimée, *Histoire de don Pèdre Ier, roi de Castille.* Michelet, *Histoire de la Révolution* (I). George Sand, *François le Champi.* Vigny, *la Bouteille à la mer* (publié en 1854). Thackeray, *la Foire aux vanités.* *Un Caprice* de Musset est joué à la Comédie-Française. Balzac, à Paris et en Ukraine, prépare son mariage avec Mme Hanska. Mort de Mme de Chateaubriand. Lamartine, *Discours* de Mâcon.

Cette maladie, et la retraite à Croisset qui en est la conséquence, ont, en un sens, « sauvé » Flaubert. Elles l'ont écarté des tentations de la vie facile et du succès, des obligations d'une carrière et de la société, de l'amour et du bonheur. Elles l'ont ramené à ses tendances profondes vers la solitude, le travail de soi sur soi, la pensée et l'art.

1845 (janvier). Flaubert achève la première *Éducation sentimentale*. C'est l'histoire de deux amis, un rêveur qui échoue dans la médiocrité, et un réaliste qui réussit.

Mars : mariage de Caroline avec Émile Hamard. Flaubert (qui aime beaucoup sa sœur, la sait de santé fragile et n'a que peu d'estime pour le fiancé) a vu ce mariage avec inquiétude.

Au début d'avril, les Flaubert partent tous pour l'Italie : Gênes, Milan. Ils reviennent par la Suisse et sont de retour à Croisset le 15 juin. C'est à **Gênes** que se trouve le tableau de **Breughel,** *la Tentation de saint Antoine*, qui serait à l'origine du roman (lettre du 5 juin 1872).

Durant cette période, Flaubert consacre son temps à l'étude (grec, anglais, latin, littérature orientale).

1846 Le 15 janvier **meurt le Dr Flaubert.** Le 23 mars, c'est **Caroline** qui est **emportée par une fièvre puerpérale,** après avoir mis au monde une fille qui porte le même prénom qu'elle, et que sa grand-mère va élever.

En plaçant ma vie au-delà de la sphère commune, en me retirant des ambitions et des amitiés pour exister dans quelque chose de plus solide, j'avais cru que j'obtiendrais, sinon le bonheur, du moins le repos! Erreur! Il y a toujours en nous l'homme, avec toutes ses entrailles, et les attaches puissantes qui le relient à l'humanité. Personne ne peut échapper à la douleur (lettre du 5 avril 1846).

Aux affections qui s'éloignent (et Le Poittevin qui se marie est « perdu », lui aussi), d'autres se substituent sans les remplacer : des amis, MAXIME DU CAMP, qu'il a connu à Paris en 1843, Louis BOUILHET, son ancien camarade de Collège, resserrent leurs liens avec lui; en juillet commence sa liaison avec **Louise Colet**, qu'il a connue chez Pradier.

1847 L'hiver se passe à Rouen, dans un appartement qu'on a loué près de l'Hôtel-Dieu, où Achille a recueilli — en partie et non sans mal — la succession paternelle. A la belle saison, on revient à Croisset. Flaubert travaille à *la Tentation de saint Antoine*. Il accumule les documents, étudie, compile. La création littéraire prend chez lui une nouvelle forme : elle est d'abord un mode de vie — d'une vie déplacée, intégrée dans un milieu reconstitué avec la patience et l'érudition du savant. L'œuvre écrite en est le moindre bénéfice. Avec Du Camp, il fait, sac au dos et à pied, un **voyage** de 3 mois (mai-juillet) **à travers la Bretagne.** Dans cette liberté vagabonde, il trouve une sorte d'épanouissement, un moyen en tout cas d'échapper aux fadeurs quotidiennes. Le rêve du voyage va l'habiter pour toujours.

Février : émeutes à Paris. **La République est proclamée** Révolutions en Europe. Juin : émeutes. Décembre : Louis-Napoléon, président de la République. **Karl Marx publie le « Manifeste communiste ».**	1848	Naissance de J. K. Huysmans et d'Octave Mirbeau. Naissance de Gauguin. Mort de Chateaubriand. Publication en feuilleton des *Mémoires d'outre-tombe.* Émile Augier, *l'Aventurière.* George Sand, *la Petite Fadette.* Michelet, *l'Amour.* Taine est reçu premier à l'École normale. Renan, premier à l'agrégation de philosophie. Artistes et écrivains sont engagés dans la bataille politique : Lamartine, membre du Gouvernement. Hugo, député, inspire *l'Événement*, journal fondé par ses fils. Michelet, privé de sa chaire par la monarchie, y est réintégré par la République. Sand fonde *la Cause du peuple.* Baudelaire et Leconte de Lisle ont pris parti pour la Révolution.
Expédition à Rome pour rétablir le pouvoir du Pape. Élection d'une Assemblée législative. Juin : manifestations révolutionnaires.	1849	Mort d'Edgar Poe. Mort de Chopin. Lamartine, *Histoire de la Révolution de* 1848. Lamartine, *Raphaël.* Musset, *On ne saurait penser à tout.* Vigny, *les Destinées*, poème. Sainte-Beuve commence ses *Causeries du Lundi.* Renan écrit *l'Avenir de la science* (publié en 1890). Dickens, *David Copperfield.* Courbet obtient une médaille au Salon.
Loi Falloux.	1850	Naissance de Guy de Maupassant. Naissance de Pierre Loti. Mort de Gay-Lussac. Mort d'Arvers. Lamartine, *Toussaint Louverture* (drame). Mérimée, *H*(enry) *B*(eyle). Michelet, *la Femme.* Musset, *Carmosine.* Kierkegaard, *l'École du christianisme.* Wagner, *Lohengrin.* George Sand s'est retirée à Nohant. Lamartine fait son second voyage en Orient. Balzac se marie le 14 mars en Ukraine, et rentre à Paris pour y mourir le 18 août.

Au retour, les deux amis se mettent à rédiger le récit de leur aventure, l'un écrivant les chapitres pairs, l'autre les impairs. Cela nous vaut, du côté de Flaubert, *Par les champs et par les grèves*, qui ne sera publié qu'en 1885. Il découvre les affres du style : « Quelle drôle de manie que celle de passer sa vie à s'user sur des mots et à suer tout le jour pour arrondir des périodes ! » (lettre d'octobre 1847).

1848 Flaubert accueille la chute de Louis-Philippe avec indifférence. Dans les quelques occasions où il se trouve mêlé à la vie politique, il oscille de l'ironie au dégoût.
Rien ne m'a plus donné un absolu mépris du succès, à considérer à quel prix on l'obtient! (lettre de décembre 1847).
Mars : **rupture avec Louise Colet.** Leur première liaison aura duré vingt mois, vingt mois orageux, où l'on s'est écrit beaucoup plus qu'on ne s'est rencontré, auxquels nous devons un extraordinaire monument psychologique et littéraire (*Correspondance*, tome II).
Avril (3) : mort d'Alfred le Poittevin, le seul homme à qui Flaubert ait été attaché autant qu'à son propre père. C'est sous son influence qu'il va rédiger la première *Tentation.*

1849 Après les années de maladie (1844-1845), les années de deuil (1846-1849) auront été, elles aussi, très dures. Ce passage de la jeunesse à la maturité va s'achever sur un **grand voyage en Orient.**
Il n'avait pu ni se détacher de sa famille ni s'y fondre. La neurasthénie de sa mère, la présence encombrante de la petite Caroline, la folie de son beau-frère Hamard, les difficultés matérielles (relatives) dues à la mort du père, tout l'irritait. Et la colère passée, tout lui commandait de se rapprocher de sa mère et de reprendre la chaîne. Il aura beaucoup de mal à obtenir d'elle l'autorisation de départ, et l'argent nécessaire (plus de 27.000 F à une époque où Félicité gagnait 100 F. par an). Mais le voyage va lui permettre de conquérir son indépendance et de rentrer à Croisset en la conservant.
La première *Tentation de saint Antoine* qu'il écrivait depuis le 24 mai 1848 n'était pas achevée. Il veut la terminer avant de partir et travaille avec acharnement jusqu'au 12 septembre. Il convoque alors Bouilhet et Du Camp pour en faire lecture. Leur verdict est inattendu, consternant : Flaubert doit renoncer à une manière lyrique où l'abondance et la verve charrient le pire avec le meilleur. Et **Bouilhet** lui **propose un sujet,** celui de **« Madame Bovary ».** Là encore, le voyage va être l'entracte utile qui donnera le temps et le courage de discipliner et d'unifier.
Octobre (29) : Du Camp et Flaubert quittent Paris pour l'Égypte, où ils arrivent le 15 novembre.

1850 Ils vont rester en **Égypte** jusqu'au 17 juillet, et visiter le pays en tous sens. Flaubert donne à son compagnon l'impression de se désintéresser des paysages et des monuments, de se replier sur lui-même pour rêver à la Normandie détestée. Et il est vrai que, pour lui,

	1851	Naissance d'Henry Céard et de Léon Hennique.
		Baudelaire, *les Limbes* (11 poèmes).
		Labiche, *Un chapeau de paille d'Italie.*
		Lamartine, *Geneviève : histoire d'une servante.*
Coup d'État du 2 décembre		Murger, *Scènes de la vie de bohême.*
		Hugo part pour l'exil.
	1852	Naissance de Paul Bourget.
		Dumas fils, *la Dame aux camélias.*
		Théophile Gautier, *Émaux et Camées.*
		Hugo, *Napoléon le Petit.*
		Leconte de Lisle, *Poèmes antiques.*
		Hugo s'installe à Jersey.
Proclamation de l'Empire		Musset est élu à l'Académie.
		Renan soutient sa thèse.
Napoléon III épouse Eugénie de Montijo.	**1853**	Naissance de Van Gogh.
		Gobineau, *Essai sur l'inégalité des races humaines.*
Haussmann préfet de la Seine.		Hugo, *les Châtiments.*
		Michelet achève l'*Histoire de la Révolution.*
		Nerval, *Sylvie.*
		George Sand, *les Maîtres Sonneurs.*
		Taine, *les Fables de La Fontaine.*
		Mérimée traduit *le Revizor* de Gogol.
		Wagner, *la Tétralogie.*
		Mérimée est nommé Sénateur de l'Empire.
Guerre de Crimée.	**1854**	Naissance de Rimbaud.
		Mort de Lamennais.
		Augier, *le Gendre de M. Poirier.*
		Ed. et J. de Goncourt, *Histoire de la société pendant la Révolution.*
		Nerval, *les Filles du feu.*
		Vigny, *la Bouteille à la mer.*
		Baudelaire commence à traduire les *Histoires extraordinaires* de Poe.
		Lamartine renonce à sa seconde revue, *le Civilisateur* (1852-1854).
	1855	Mort de Nerval.
		Champfleury, *les Bourgeois de Molinchart.*
		Maxime du Camp, *Chants modernes.*
Prise de Sébastopol.		Dumas fils, *le Demi-Monde.*
		Leconte de Lisle, *Poèmes et Poésies.*
		Renan, *Histoire des langues sémitiques.*
		George Sand, *Histoire de ma vie.*
		Hugo, expulsé de Jersey, s'installe à Guernesey.
Exposition Universelle.		Courbet a son exposition personnelle.

voyager, c'est beaucoup plus éprouver que voir. Pourtant il voit bien : ses œuvres le montreront.
D'Égypte, ils passent en **Syrie** et en **Palestine,** mais renoncent à gagner la Mésopotamie et la Perse. Les inquiétudes de Mme Flaubert pour la santé de son fils comme pour sa petite-fille, à laquelle l'oncle s'est maintenant attaché, expliquent cette conduite. Une fois de plus, sa famille pèse sur Flaubert.
Ils reviennent par la **Turquie** (12 novembre) et la **Grèce** (19 décembre) où Flaubert montre beaucoup plus d'enthousiasme : *Quels hommes que ces Grecs! Quels artistes!* [...]. *On a beau dire, l'art n'est pas un mensonge* (lettre du 24 décembre).

1851 Par Patras (9 février), Flaubert gagne l'**Italie** *:* Naples, Rome, Venise. Il est de retour en juin, vingt mois après son départ.
Maintenant commence pour lui la maturité. Il la ressent comme une usure :

Mes cheveux s'en vont [...] *j'éprouve par là le premier symptôme d'une décadence qui m'humilie et que je sens bien. Je grossis, je deviens bedaine et commence à faire vomir. Peut-être bien que bientôt je vais regretter ma jeunesse* (lettre de février 1851).
Mais cette maturité est aussi une période de stabilisation, morale et matérielle. **Il s'installe à Croisset,** entre sa mère et sa nièce. Il y occupe une position meilleure : on l'y traite en écrivain, on règle le train de la maison sur son travail.
Ce travail naît d'un état et d'un choix. Il se sait condamné à la solitude et l'accepte. Alors que Du Camp, dès son retour, s'est mis à faire carrière et le presse amicalement de se joindre à lui, il refuse avec assez de brutalité pour briser les liens qui les unissaient. Il se veut le serviteur de l' « Art », et il sait en être le galérien :

Quel lourd aviron qu'une plume, et combien l'idée, quand il faut la creuser avec, est un dur courant! (lettre d'octobre 1851).
18 septembre : il commence « Madame Bovary ».
De temps en temps, il vient à Paris. C'est ainsi qu'il se trouve assister au coup d'État de décembre.

1852 Toute l'année se passe à travailler au roman. La **correspondance avec Louise Colet,** avec qui il a renoué en juillet 1851, nous permet de suivre ses efforts :

Toute la valeur de mon livre [...] *sera d'avoir su marcher droit sur un cheveu, suspendu entre le double abîme du lyrisme et du vulgaire (que je veux fondre dans une analyse narrative)* (20 mars).
J'ai fait, depuis que tu m'as vu, vingt-cinq pages en six semaines. [...]. *Je les ai tellement travaillées, recopiées, changées, maniées, que pour le moment je n'y vois que du feu* (24 avril).
Mais l'ami indispensable, c'est Bouilhet. A Rouen, à Croisset où il a « son » pavillon, plus tard à Paris, Bouilhet n'écrit pas une page sans la proposer au jugement de Flaubert, et chaque page de Flaubert est écoutée, critiquée, refaite devant Bouilhet et avec Bouilhet.

Traité de Paris.	**1856**	Mort d'Augustin Thierry. Banville, *Odelettes.* Hugo, *les Contemplations.* Lamartine commence son *Cours familier de littérature* (1856-1869). Michelet, *l'Oiseau.* Taine, *Essai sur Tite-Live.*
	1857	Baudelaire, *les Fleurs du mal.* Champfleury, *Préface* du Réalisme. Th. Gautier, *l'Art.* Lamartine, *la Vigne et la Maison.* H. Monnier, *Mémoires de Joseph Prudhomme.* Renan, *Études d'histoire religieuse.* George Sand, *les Beaux Messieurs de Bois-Doré.* La foule se presse aux obsèques de Béranger. Musset meurt dans l'indifférence générale.
Attentat d'Orsini. Le « Groupe des 5 » se constitue.	**1858**	Dumas fils, *le Fils naturel.* Th. Gautier, *le Roman de la momie.* Taine, *Essais de critique et d'histoire* (I). George Eliot, *Scènes de la vie cléricale.*
Guerre d'Italie.	**1859**	Naissance de Bergson. Mort de Marceline Desbordes-Valmore. Louise Colet, *Lui, roman contemporain* (Flaubert y figure sous le nom de *Léonce*). George Sand, *Elle et Lui.* Ed. et J. de Goncourt, *l'Art du XVIII*[e] *s.* Hugo, *la Légende des siècles* (I). Renan, *Essais de morale et de critique.* Villiers de l'Isle-Adam, *Premiers Poèmes.* Darwin, *De l'origine des espèces.* Lamartine fait connaître Mistral. Manet refusé au Salon.
Annexion à Paris des communes périphériques. Libéralisation du régime.	**1860**	Naissance de Jules Laforgue. Baudelaire, *les Paradis artificiels.* Labiche, *le Voyage de M. Perrichon.* Sainte-Beuve, *Chateaubriand et son groupe littéraire* (cours professé en 1848-1849). Série d'auditions de Wagner à Paris.
Victor-Emmanuel, roi d'Italie. Guerre de Sécession aux États-Unis.	**1861**	Baudelaire, *les Fleurs du mal* (2e éd.). Ed. et J. de Goncourt, *Sœur Philomène.* Dostoïevski, *Humiliés et Offensés.* George Eliot, *Silas Marner.*

1853 Flaubert sert (entre **1852** et **1854** sans doute) de « boîte aux lettres » à Victor Hugo exilé (pour éviter que sa correspondance ne soit interceptée, le poète l'envoie ou la fait recevoir par l'intermédiaire de ses amis).
Août : vacances à Trouville, où il retrouve ses chers « fantômes » :

Ce voyage m'a fait repasser mon cours d'histoire intime. J'ai beaucoup rêvassé sur ce théâtre de mes passions. Je prends congé d'elles et pour toujours, je l'espère (lettre d'août 1853).

1854 Flaubert travaille toujours à *Madame Bovary*, longuement, lentement :

Ce livre m'éreinte; j'y use le reste de ma jeunesse. Tant pis, il faut qu'il se fasse! (lettre d'avril 1854).

Jusqu'au début de **1856**, il ne s'interrompra guère que pour quelques courts séjours à Paris, ou durant ses maladies.
Au cours de cette année, **il rompt, pour la seconde fois, avec Louise Colet.** Il la renverra sans ménagements lors d'une tentative qu'elle fera pour se réconcilier avec lui au début de 1855.

1856 (avril). Après cinquante-six mois de travail acharné, **« Madame Bovary » est terminée.** Du Camp, avec qui Flaubert a renoué, prend le manuscrit pour la *Revue de Paris* dont il est le co-directeur. Le roman y sera publié à partir du 1er octobre.
Mai : Flaubert se remet à *la Tentation*, qu'il élague et ordonne (quelques fragments en seront donnés à *l'Artiste*, la revue de Théophile Gautier). Il prépare une *Légende de saint Julien l'Hospitalier* par de grandes lectures sur le Moyen Age.
Le succès qu'il pressent semble le griser. Il est prêt à faire ce métier d'auteur qui provoquait autrefois ses sarcasmes. **Il veut habiter Paris,** au moins une partie de l'année. Il y loue un appartement, **boulevard du Temple,** qu'il quittera en 1869 pour la **rue Murillo.**
Les difficultés vont le rappeler à lui-même : la *Revue de Paris* voudrait couper dans son texte ce qu'elle appelle des longueurs ou des obscénités; les confrères griffent ou plaisantent; les lecteurs protestent contre l'immoralité des situations et des peintures.

1857 (7 février). Flaubert, qui a été **traduit devant le Tribunal correctionnel** pour avoir écrit une œuvre attentatoire aux mœurs et à la religion, est **acquitté.** S'il n'a pas été condamné, c'est à cause de la situation sociale de sa famille et parce qu'il a trouvé des protecteurs à la Cour et jusque chez les Bonaparte. Mais le procès l'a ému :

J'ai fort envie de m'en retourner, et pour toujours, dans ma campagne et dans mon silence, et là, de continuer à écrire pour moi, pour moi seul (lettre du 10 février).

Quand, trois mois après, *Madame Bovary* paraît en volume, le succès public est considérable. La critique est plus réticente. A ce moment, Flaubert s'est remis au travail sur un sujet moins dangereux et plus à son goût, un sujet « oriental » qui lui permette de s'évader dans un monde assez inconnu pour qu'il en dispose à son gré, assez célèbre

Guerre du Mexique. Bismarck au pouvoir.	1862	Naissance de Barrès. Bouilhet, *Dolorès*. Hugo, *les Misérables*. Leconte de Lisle, *Poésies barbares*.
Progrès de l'opposition.	1863	Mort de Vigny. Augier, *le Fils de Giboyer*. Fromentin, *Dominique*. Th. Gautier, *le Capitaine Fracasse*. Littré, *Dictionnaire de la langue française*. Renan, *Vie de Jésus*. Tourgueneff, *Pères et Enfants*. Salon des Refusés, et scandale du *Déjeuner sur l'herbe* (Manet).
Loi sur la grève. Comité des forges. Première Internationale. Le *Syllabus*.	1864	Naissance de Jules Renard. Erckmann-Chatrian, *l'Ami Fritz*. Hugo, *William Shakespeare*. Taine, *Introduction à l'histoire de la littérature anglaise*. Vigny, *les Destinées* (posthume). Zola, *Contes à Ninon*.
Assassinat de Lincoln.	1865	Mort de Delacroix. Mort de Proudhon. Claude Bernard, *Introduction à l'étude de la médecine expérimentale*. Ed. et J. de Goncourt, *Germinie Lacerteux*. Ed. et J. de Goncourt, *Henriette Maréchal*. Hugo, *Chansons des rues et des bois*. Taine, *Nouveaux Essais de critique et d'histoire*. Manet expose *Olympia*.
Sadowa.	1866	George Sand, *Dernier Amour* (dédié à Flaubert). Verlaine, *Poèmes saturniens*. Dostoïevski, *Crime et Châtiment*. Premier *Parnasse contemporain*.
Exposition Universelle.	1867	Mort de Baudelaire et d'Ingres. Zola, Préface de *Thérèse Raquin* (2e éd.). Karl Marx, *le Capital*. Discours libéraux de Sainte-Beuve au Sénat.
Lois libérales sur la presse et les réunions.	1868	Daudet, *le Petit Chose*. Rochefort publie le journal *la Lanterne*. Manet expose le *Portrait de Zola*.
Empire parlementaire. Inauguration du canal de Suez. Concile du Vatican.	1869	Mort de Lamartine et de Sainte-Beuve. Hugo, *l'Homme qui rit*. Lautréamont, *les Chants de Maldoror*. Verlaine, *les Fêtes galantes*.

pour parler à l'imagination : ce sera *Salammbô*. Selon son habitude, le romancier rassemble une forte documentation avant d'écrire.

1858 (fin avril). Flaubert part pour visiter la **Tunisie** et l'**Est-Algérien,** les régions où doit se dérouler son roman. Il est de retour au début de juin.

Cinq années vont maintenant s'écouler, qui semblent avoir été les plus calmes de sa vie. **A Croisset,** l'atmosphère est moins pesante. La petite Caroline sait faire sourire sa grand-mère et intéresser son oncle. Les seuls gros ennuis sont matériels. Flaubert, personnellement, n'a que 2 000 francs de revenus annuels. *Madame Bovary* lui a rapporté en tout 3 300 francs. Mais sa mère se charge de toutes les dépenses de Croisset où la vie est large : on y occupe, en général, cinq serviteurs.

La tâche de l'écrivain se poursuit, toujours difficile. Pourtant le sujet lui convient mieux. Il peut s'y livrer — sinon s'y abandonner — à son goût du style comme à son génie lyrique. Avec Bouilhet, il a de bonnes séances de « gueuloir » où chacun écoute et corrige les œuvres de l'autre.

Le bruit fait par *Madame Bovary* lui a attiré de nouveaux correspondants, et l'a rapproché de la vie littéraire de Paris, où il séjourne périodiquement. Il est lié avec Théophile Gautier, le bon maître, avec les Goncourt. Il fréquente le salon d'Apollonie Sabatier.

1862 (avril). Flaubert termine **« Salammbô »,** qui lui aura demandé cinq ans de travail. Le roman paraît en novembre. La vente est bonne, mais les critiques sont déconcertés.

1863 En collaboration avec Bouilhet et d'Osmoy, il travaille à une féerie, *le Château des cœurs*, qu'il ne réussira jamais à faire jouer. Il éprouve le besoin de faire aboutir enfin un de ses projets majeurs : *la Tentation, Bouvard et Pécuchet*, ou *l'Éducation sentimentale*, qu'il finira par choisir. Ce temps perdu à une œuvrette, cette hésitation traduisent de l'inquiétude devant une grande entreprise, mais sont aussi le fait d'un homme qui se disperse.

C'est que *Salammbô* a achevé de le poser. Il se mêle davantage au monde des auteurs. Il participe aux Dîners Magny depuis leur fondation. Il a de nouveaux amis : Sainte-Beuve, Taine et Renan, Sand, Tourgueneff...

1864 Le succès mondain vient le chercher. Le prince Napoléon, qui l'avait déjà protégé lors du procès de *Madame Bovary*, le reçoit au Palais-Royal. La princesse Mathilde le fait venir rue de Courcelles, l'impératrice l'invite aux Tuileries. Il est maintenant quelqu'un dont on demande la protection.

Cependant la vie familiale se défait à nouveau. **Caroline se marie** (en avril 1864) avec un importateur de bois, ERNEST COMMANVILLE. Mme Flaubert, seule à Croisset, mal portante, retombe dans sa neurasthénie. Son fils, « hypocondriaque » lui-même, s'ennuie

8 mai : plébiscite. 19 juillet : guerre. 4 septembre : proclamation de la **République**	1870	Mort d'Alexandre Dumas père et de Jules de Goncourt. Mort de Lautréamont et de Mérimée. Henry Becque, *Michel Pauper.* Taine, *De l'intelligence.* Verlaine, *la Bonne Chanson.* Hugo revient à Paris. Renan est réintégré au Collège de France.
Commune **Traité de Francfort** Thiers, président de la République.	1871	Naissance de Proust et de Paul Valéry. Herbert Spencer, *Premiers Principes* (trad.). Zola, *la Fortune des Rougon.* Zola, Préface des *Rougon-Macquart.* *Le Parnasse contemporain,* II (on y lit un fragment de l'*Hérodiade* de Mallarmé). Mallarmé nommé professeur à Paris. Courbet en prison. Hugo élu député de Paris. Rimbaud se lie à Verlaine.
	1872	Mort de Théophile Gautier. Bouilhet, *Dernières Chansons* (posthumes). Daudet, *Tartarin de Tarascon.* Dumas fils, *la Femme de Claude.* Hugo, *l'Année terrible.* Leconte de Lisle bibliothécaire du Sénat.
Mac-Mahon président. Échec de la restauration.	1873	Naissance de Péguy. Tristan Corbière, *les Amours jaunes.* Leconte de Lisle, *les Érinnyes.* Rimbaud, *Une Saison en enfer.* Zola, *le Ventre de Paris.* Le *Tombeau de Théophile Gautier.* Verlaine, à Bruxelles, tire sur Rimbaud. Il est condamné à 2 ans de prison. Triomphe de l'École impressionniste : Monet, *les Coquelicots ;* Degas, *Danseuses,* etc.
Élections municipales républicaines.	1874	Mort de Michelet. Barbey d'Aurevilly, *les Diaboliques.* Daudet, *Fromont jeune et Risler aîné.* Gobineau, *les Pléiades.* Hugo, *Quatre-vingt-treize.* George Sand, *Ma sœur Jeanne.* Verlaine, *Art poétique* (publié en 1884). Verlaine, *Romances sans paroles.* Mallarmé rédige seul une revue, *la Dernière Mode.* Rimbaud et Germain Nouveau en Angleterre.

quand il n'est pas absorbé dans les lectures qu'il fait pour *l'Éducation sentimentale*, et il voyage souvent.

1866 Flaubert est nommé chevalier de la Légion d'Honneur à la demande de la princesse Mathilde dont il est maintenant l'un des familiers. Il ne cache pas son admiration pour l'impératrice, *l'Ange*, comme il l'appelle. Mais cette sympathie ne s'étend pas jusqu'à l'empereur. Il se sent lié à la société de l'Empire, non à sa politique.
Une vie aussi mondaine — et l'habitude de ne pas compter — coûtent cher. Flaubert, qui ne peut faire payer ses dettes par sa mère qu'au prix de longues plaintes et de reproches, emprunte. Puis il prend le parti commode de laisser ses fonds au mari de sa nièce et de lui demander de l'argent quand il en a besoin.
Son intimité se resserre avec les Goncourt, Gautier, le « père » Beuve, Sand et Tourgueneff qui viennent le voir à Croisset. Ce sont de bonnes consolations dans une existence toujours laborieuse, et souvent morose, même si elle ne refuse pas les plaisirs faciles.

1869 (mai). **« L'Éducation sentimentale »** est terminée. Elle aussi, dans sa deuxième version, aura demandé cinq années. Mais Flaubert a le sentiment d'avoir atteint un sommet, d'avoir pu enfin traiter son sujet, exprimer sa vérité. Il en attend beaucoup. Le roman paraît en novembre, et l'échec est à peu près total. Flaubert, qui s'est remis à *la Tentation*, en restera consterné, paralysé.
Juillet : Bouilhet meurt. Flaubert perd son plus vieil ami, un conseiller sûr et fidèle. La mort de Sainte-Beuve, en octobre, si elle le touche moins, contribue à l'assombrir.

1870 Cette mort qui l'assiège (il perd encore Duplan et Jules de Goncourt), les difficultés de la succession financière et littéraire de Bouilhet, dont il a pris la charge, l'empêchent de travailler régulièrement à *la Tentation.*
Juillet : la guerre provoque chez lui des réactions désordonnées et de nouvelles crises nerveuses. Il a « animalement » envie de se battre. Il voit venir avec crainte la prédominance des peuples non latins. Croisset doit être abandonné aux Prussiens.

1871 La déchéance de Napoléon III ne fait pas oublier à Flaubert ses amitiés : il va, à Bruxelles, rendre visite à la princesse Mathilde. Mais pour le reste (acceptation des conditions allemandes, Commune, réaction religieuse et conservatrice), il mêle tout dans une détestation exaspérée d'homme blessé dans son honneur et dans sa vie.
Avril : il retrouve Croisset avec joie et se remet au travail « violemment » : « Pour ne plus songer aux misères publiques et aux miennes, je me suis replongé avec furie dans *Saint Antoine* », écrit-il à Sand.

1872 Mais le poids des choses ne s'allège pas. Il y a l'interminable succession de Bouilhet. Il faut faire démarches sur démarches pour obtenir qu'on joue ses pièces, qu'on édite ses *Dernières Chansons* avec une préface de Flaubert, qu'on lui élève un monument à Rouen. Il y a, de nouveau, les deuils : le 6 avril, **sa mère meurt.** « Ma vie est

Événements	Année	Lettres et arts
Amendement Wallon. Lois constitutionnelles.	1875	Mort de Carpeaux et de Corot. Hugo, *Actes et Paroles.* Zola, *la Faute de l'Abbé Mouret.* Bizet, *Carmen.* Mallarmé publie sa traduction du *Corbeau* d'Edgar Poe, illustrée par Manet.
Élections législatives : majorité républicaine.	1876	Mort de Fromentin et de George Sand. Mort de Louise Colet. Daudet, *Jack.* Huysmans, *Marthe, histoire d'une fille.* Mallarmé, *l'Après-Midi d'un faune.* Sully-Prudhomme, *le Zénith.* Taine, *les Origines de la France contemporaine* (1876-1893). Rimbaud s'engage dans l'armée hollandaise. Gustave Moreau expose *l'Apparition* (de la tête de saint Jean-Baptiste à Salomé).
Crise du 16 mai. Victoire des républicains.	1877	Mort de Courbet. Daudet, *le Nabab.* Goncourt, *la Fille Élisa.* Hugo, *la Légende des siècles* (II). Hugo, *l'Art d'être grand-père.* Zola, *l'Assommoir.* Hartmann, *Philosophie de l'inconscient.* Tourgueneff, *Terres vierges.*
Exposition universelle. Congrès de Berlin.	1878	Mort de Claude Bernard. Henry Becque, *la Navette.* Hugo, *le Pape.* Jules Vallès, *l'Enfant.* Nietzsche, *Humain, trop humain.* Zola achète une villa à Médan. La République célèbre le centenaire de Voltaire.
Démission de Mac-Mahon, remplacé par Jules Grévy. Retour du gouvernement à Paris.	1879	Anatole France, *Jocaste et le Chat maigre.* Goncourt, *les Frères Zemganno.* Hugo, *la Pitié suprême.* Huysmans, *les Sœurs Vatard.* Loti, *Azyadé.* Ibsen, *Maison de poupée.* Strindberg, *la Chambre rouge.* Charpentier fonde *la Vie moderne.*
Amnistie des condamnés de la Commune.	1880	Naissance de Guillaume Apollinaire. *Les Soirées de Médan :* six nouvelles dont *Boule de Suif* de Maupassant. 28 mars : réunion à Croisset de Daudet, Goncourt, Maupassant, Zola et Charpentier autour de Flaubert.

complètement bouleversée. Il va falloir m'en refaire une autre. Cela est dur à cinquante ans! » (lettre du 16 avril). Cette solitude de vieux garçon, Caroline ne fera pas beaucoup pour l'alléger. Elle aime pourtant bien son vieil oncle, quand il la gâte ou lui est utile. Et il revient avec amertume sur son passé : « J'étais né avec toutes les tendresses pourtant! Mais on ne fait pas sa destinée, on la subit. J'ai été lâche dans ma jeunesse, *j'ai eu peur* de la vie! Tout se paye », écrira-t-il à George Sand en 1874. A défaut d'un fils, il a un disciple, le neveu d'Alfred le Poittevin, **Guy de Maupassant,** à qui il apprend le « métier » (voir Maupassant, *Pierre et Jean*, préface).

1873 L'hiver est difficile. Flaubert, malade, ne peut s'occuper sérieusement ni de sa *Tentation*, pourtant presque terminée, ni de *Bouvard et Pécuchet*, à quoi il pense à nouveau depuis la guerre, et qui doit être le roman du recommencement.

Au printemps, il passe quelques jours à Nohant. Il voyage beaucoup. Il semble se remettre. Il s'occupe à refaire une pièce de Bouilhet, *le Sexe faible;* il se met à une comédie politique, *le Candidat.*

Auprès de son nouvel éditeur, Charpentier, il trouve des raisons d'espérer. On lui fait de meilleurs contrats. On l'admire, et les jeunes auteurs de la maison (dont Zola) le traitent en maître.

187 Mais les échecs se succèdent. *Le Candidat*, joué en mars au Vaudeville, est un four, et tous les théâtres refuseront *le Sexe faible. La Tentation de saint Antoine*, publiée en avril, est encore plus mal accueillie que *l'Éducation sentimentale* en 1869. Flaubert se sent rejeté :

Je gêne; et je gêne encore moins par ma plume que par mon caractère, mon isolement (naturel et systématique) étant une marque de dédain (lettre du 1er mai 1874).

1875 Ruine de son neveu Commanville à qui il avait laissé l'administration de ses biens. Pour sauver sa nièce, Flaubert fait ce qu'elle lui demande, vend sa dernière ferme, rachète les créances les plus pressantes, prend des engagements qu'il sait ne pouvoir tenir, en fait prendre à ses amis. Lui qui a toujours dépensé sans vouloir compter, il doit s'attendre à la pauvreté, avec toutes les gênes et les humiliations qu'elle entraîne.

Le présent est atroce et l'avenir lamentable. Enfin, c'est un bouleversement complet de mon existence [...]. *J'avais tout sacrifié depuis ma jeunesse à la tranquillité de mon esprit. Elle est détruite à tout jamais* (lettre du 18 août).

Septembre : malade, incapable de continuer *Bouvard et Pécuchet*, Flaubert part pour Concarneau, auprès du naturaliste Pouchet. Il reprend **« la Légende de saint Julien l'Hospitalier ».**

1876 Il écrit **« Un Cœur Simple »,** puis **« Hérodias ».**

Je me sens remâté. La sacro-sainte littérature a recommencé à me plaire (lettre du 17 juin).

1877 Les **« Trois Contes »** paraissent chez Charpentier. Le succès public est honorable, sans plus; mais Flaubert a une assez bonne critique. Il se remet aussitôt à *Bouvard et Pécuchet*.

1879 Il se fracture le péroné et est immobilisé pour trois mois.
Les affaires de Commanville n'ont cessé de se dégrader. Loin de payer à Flaubert l'intérêt de son argent, on lui fait signer de nouveaux billets, solliciter des prêts ou des délais. On lui emprunte même sur ses droits d'auteur. C'est un supplice constamment renouvelé, qui explique l'amertume, l'état d'exaspération où on le trouve.
Il doit se résoudre à solliciter pour lui-même. Jules Ferry le nomme, en mai, conservateur adjoint de la Mazarine, aux appointements de 3 000 francs, mais sans obligation de service. En octobre, il lui fera accorder en outre une pension de 3 000 francs. Pour Flaubert, c'est une honte autant qu'un soulagement.

1880 (janvier). Un hebdomadaire publie *le Château des cœurs* en feuilletons illustrés. Belle occasion de s'irriter : comme on respecte peu son œuvre ! Il a une meilleure raison de se mettre en colère quand Maupassant est accusé d'avoir écrit un poème qui outrage « les mœurs et la morale publique » :
Quand on écrit bien, on a contre soi deux ennemis : le public [...] *et le gouvernement* [...]. *Les gouvernements ont beau changer* [...] *l'esthétique officielle ne change pas!* (lettre du **16** février, publiée par *le Gaulois*).
Avril : il espère avoir terminé *Bouvard et Pécuchet* à la fin de 1880. Pendant des années, il aura multiplié recherches et études à leur intention, travail dérisoire pour une œuvre dérisoire de grotesque triste. Mais il avait besoin de finir par quelque chose qui fût, non peut-être le meilleur de lui-même, mais le plus authentique. Il lui fallait dire son échec, son dégoût, se bien regarder pour rire une dernière fois. Et pourtant il s'épuisait : « Il est temps que la fin de mon livre arrive, sinon ce sera la mienne », écrivait-il le **7** avril.
Un mois plus tard, le **8** mai, il meurt brusquement dans sa bibliothèque de Croisset.

FLAUBERT : L'HOMME

Portrait physique. Dans son enfance et dans son adolescence, Flaubert était **très beau.** Les témoignages de Mme Tennant et de Maxime du Camp confirment le sien propre, qu'il donnait avec quelque complaisance : *J'étais splendide, je peux le dire maintenant, et assez pour attirer les yeux d'une salle de spectacle entière, comme cela m'est arrivé à Rouen, à la première représentation de* Ruy Blas.
La trentaine venue, il grossit (voir p. **17**, **1851**), perd ses cheveux et ses dents. Sa main droite, brûlée au cours d'un traitement médical trop énergique, reste marquée. Il est fort myope. Dans le monde, le lorgnon qu'il ne « braque » qu'occasionnellement ne lui évite pas

Flaubert jeune
crayon de Delaunay
« *Votre fils, c'est Apollon !* »
(le docteur Cloquet
à Mme Flaubert)

Clichés Ellebé, Rouen

L'Hôtel-Dieu de Rouen
où naquit Flaubert
(voir p. 5)

toujours les maladresses. Avec toutes ces disgrâces, que l'abus de l'alcool et du tabac, une vie trop studieuse aussi, accuseront vite, il garde belle allure.

« Je suis haut de cinq pieds huit pouces [1,84 m], j'ai des épaules de portefaix », écrit-il à Mlle de Chantepie, en 1857. C'est à peu près la façon dont les Goncourt le voient à la même époque :

« Un grand garçon, ravagé, mais puissant, un tempérament de bronze [...] l'œil bleu, profond, pénétrant; des moustaches de Mantchou qui s'en va-t-en-guerre; une forte voix militaire et haute. »

Portrait moral. Dans ses dernières années, ses amis l'appellent *l'excessif*. Lui-même se surnomme *Polycarpe*, en mémoire d'un saint qui répétait toujours : « En quel siècle vivons-nous! » Ajoutons son inaptitude à gérer ses propres affaires, et nous avons un premier aperçu de l'homme : inadapté, hypersensible, misanthrope. Mais il faut descendre plus profond pour le connaître.

Il est essentiellement **lucide**, donc **pessimiste,** et le regard inquisiteur qu'il porte sur les objets revient toujours au sujet. Il est mécontent de lui-même avant de l'être des autres. Il a pourtant été l'ami passionné de ses amis, la victime et parfois la dupe de ses proches. Une extraordinaire aptitude à tisser des liens avec les êtres ou les lieux auprès desquels il vit, ne serait-ce que quelques jours, lui fait craindre tout changement, tout nouveau contact. De ces affections, il accepte de payer le prix le plus élevé, tant qu'il croit être payé de retour. Après, il ne sait pas se détacher, il faut qu'il brise.

« Être bête, égoïste, et avoir une bonne santé, voilà les conditions voulues pour être heureux », a-t-il écrit.

Il n'était pas bête, il n'était pas en bonne santé, il a voulu du moins être **égoïste.** A une époque où, dans les milieux intellectuels, on se persuade qu'il importe d'abord d'améliorer l'état politique et social, il refuse ce *credo*. Il veut vivre chez lui, pour lui. Mais aussi a-t-il posé comme une grande règle morale qu'il est « permis de tout faire, si ce n'est faire souffrir les autres ». Ce qui menace sa retraite l'irrite — et qu'on n'y devine pas, qu'on n'y respecte pas sa supériorité l'exaspère!

De la solitude naît l'**orgueil :** il n'en est pas la cause. L'orgueil de Flaubert, c'est d'abord un malaise physique, une névropathie antérieure à la grande crise de 1844. « Je redoute plus le grincement d'une porte que la trahison d'un ami! » écrivait-il à la princesse Mathilde. Il ne pouvait rien être, il a voulu n'être rien, et il en a été malheureux. Il lui est arrivé de croire que les choses auraient pu être autres, qu'il était capable d'agir, qu'il avait été lâche devant la vie. Mais, à l'ordinaire, il préférait s'applaudir de ce qu'il appelait son choix. « Il y a une maxime d'Épicure qu'il faudrait se rappeler : si tu cherches à plaire, te voilà déchu. » Et dans ses dernières lettres, il essayait cette formule : « Les honneurs déshonorent, le titre dégrade, la fonction abrutit. »

Il y avait aussi en lui **un « saltimbanque »,** qui aimait ce qui brille, or ou clinquant, qui avait besoin de crier, de gesticuler quand il était ému, d'appeler les autres à participer à son plaisir. Il se trouvait happé par le grotesque, partout où le moindre trait l'esquissait, même dans l'amour, même quand il se regardait dans une glace pour se raser. Le mépris des autres devenait une camaraderie dans l'ignoble ou dans le bas, et il s'y vautrait longuement. On s'est étonné quelque fois de le trouver, dans ses lettres et dans sa vie, de si mauvaise compagnie. Il n'en rougissait pas. Cela encore était dans sa nature : « L'ignoble me plaît, c'est le sublime d'en bas. Quand il est vrai, il est aussi rare à trouver que celui d'en haut. »

Il aspirait pourtant à un ordre, et le détruisait à mesure qu'il se formait. Il tâtonnait dans une existence visqueuse, à la limite de l'écœurement devant un monde intérieur qui se vidait. Il était assuré qu'il faudrait toujours tout recommencer, et se battre contre soi-même, furieux et épuisé.

A le fréquenter, on est amené à dire de lui ce qu'il en a dit en 1850 : « Je crèverai à soixante ans avant d'avoir une opinion sur mon compte ! »

Flaubert à Croisset. C'est à Croisset qu'il faut aller pour rencontrer Flaubert. Les Goncourt lui ont rendu leur première visite en octobre 1863. Voici ce qu'ils ont vu :

Une jolie habitation à la façade Empire, placée à mi-côte, aux bords de la Seine, qui a là une grandeur de lac et, aujourd'hui, un peu des vagues de la mer.

Nous voici dans ce cabinet de travail obstiné et sans trêve, dans ce cabinet témoin de tant et de si grands labeurs, et d'où sont sorties *Madame Bovary* et *Salammbô.* Deux fenêtres donnent sur la Seine, et laissent voir la grande eau, et les bateaux qui passent. Trois fenêtres s'ouvrent sur le jardin, où une superbe charmille semble étayer la colline, qui monte toute droite derrière la maison. Des corps de bibliothèque en bois de chêne, à colonnes torses, placées entre ces trois fenêtres, se relient à la grande bibliothèque qui fait tout le fond de la pièce. Des boiseries blanches, et, sur la cheminée, une pendule paternelle en marbre jaune, couronnée par un buste d'Hippocrate en bronze. Aux côtés de la cheminée, une mauvaise aquarelle, le portrait d'une langoureuse et maladive Anglaise, que Flaubert a connue à Paris, dans sa jeunesse, et puis encore des dessus de boîtes, à dessins indiens, encadrés comme des gouaches, et l'eau forte de Calot, une *Tentation de saint Antoine :* les images conseillères du talent du Maître [...]

Une perse gaie, de façon ancienne et un peu orientale, à grandes fleurs rouges, garnit les portes et les fenêtres. Dans un coin se dresse un divan-lit, recouvert d'une étoffe turque, et sur lequel sont empilés des coussins. Au milieu de la pièce, la table de travail, une grande table ronde au tapis vert, et où l'écrivain trempe sa plume dans un encrier, qui est un crapaud.

Et çà et là, sur la cheminée, sur la table, sur les planchettes des bibliothèques, et accroché à des appliques ou fixé aux murs, un bric à brac des choses d'Orient [...]

Cet intérieur, c'est l'homme, ses goûts, son talent. Un intérieur tout plein d'un gros Orient, et où perce un fonds de barbare dans une nature artiste.

Quelques années après, Maupassant a, lui, l'avantage de voir Flaubert au travail :

Enfoncé dans son fauteuil de chêne à haut dossier, la tête rentrée entre ses fortes épaules, il regardait son papier de son œil bleu, dont la pupille, toute

petite, semblait un grain noir toujours mobile. Une légère calotte de soie, pareille à celle des ecclésiastiques, couvrant le sommet du crâne, laissait échapper de longues mèches de cheveux bouclés par le bout et répandus sur le dos. Une vaste robe de chambre en drap brun l'enveloppait tout entier; et sa figure rouge, que coupait une forte moustache blanche aux bouts tombants, se gonflait sous un furieux afflux de sang. Son regard ombragé de grands cils sombres courait sur les lignes, fouillant les mots, chavirant les phrases, consultant la physionomie des lettres assemblées, épiant l'effet comme un chasseur à l'affût.
Puis il se mettait à écrire, lentement, s'arrêtant sans cesse, recommençant, raturant, surchargeant, emplissant les marges, traçant des mots en travers, noircissant vingt pages pour en achever une, et, sous l'effort pénible de sa pensée, geignant comme un scieur de long.
Quelquefois, jetant dans un grand plat d'étain oriental rempli de plumes d'oie soigneusement taillées la plume qu'il tenait à la main, il prenait la feuille de papier, l'élevait à la hauteur du regard, et, s'appuyant sur un coude, déclamait d'une voix mordante et haute. Il écoutait le rythme de sa prose, s'arrêtait pour saisir une sonorité fuyante, combinait les tons, éloignait les assonances, disposait les virgules avec science comme les haltes d'un long chemin.

Croisset a disparu avec son maître. Comme si le cauchemar qui le hantait n'avait attendu que sa mort pour se réaliser, dès 1881 la maison devenait une usine. La charmille (le gueuloir!) où il ne se promenait jamais sans se comparer à ces Messieurs de Port-Royal était écourtée. Seul subsiste le pavillon du bord de l'eau.

FLAUBERT : SON ART

Flaubert, on l'a dit, est « entré en littérature » comme d'autres « entrent en religion ». Il a consacré beaucoup de son temps à méditer sur ses fins, qui sont artistiques. Mais ce que nous en recueillons doit être interprété. La correspondance, écrite à la fin d'une nuit de travail, se ressent parfois de la fatigue. L'écrivain y est soucieux de s'affirmer, mais aussi de s'adapter à son lecteur. On y trouve, énoncée comme un dogme, telle solution à la difficulté du moment. Il y a une date et un contexte, etc.
L'ordre qui a été donné aux citations que l'on va lire n'a été adopté que pour la commodité des étudiants, et ne vise pas à former, d'une matière peu homogène, un corps doctrinal.

Place de l'artiste

1. « Un artiste qui serait vraiment artiste et pour lui seul, sans préoccupation de rien, cela serait beau! » (A Maxime du Camp, avril 1846).

2. « Tu peindras le vin, l'amour, les femmes, la gloire, à condition que tu ne sois ni ivrogne, ni amant, ni mari, ni tourlourou. Mêlé à la vie, on la voit mal; on en souffre ou on en jouit trop. L'artiste, selon moi, est une monstruosité, quelque chose hors nature. Tous les malheurs dont la Providence l'accable lui viennent de l'entêtement qu'il a à nier cet axiome » (A sa mère, 15 décembre 1850).

3. « L'humanité nous hait, nous ne la servons pas et nous la haïssons, car elle nous blesse. Aimons-nous donc *en l'Art* comme les mystiques s'aiment *en Dieu* et que tout pâlisse devant cet amour. Que toutes les autres chandelles de la vie (qui toutes puent) disparaissent devant ce grand soleil » (A Louise Colet, 14 août 1853).

4. « N'en est-il pas de la vie d'artiste, ou plutôt d'une œuvre d'art à accomplir, comme d'une grande montagne à escalader? [...] On part, mais à chaque plateau de la route, le sommet grandit, l'horizon se recule; on va par les précipices, les vertiges et les découragements, il fait froid ! et l'éternel ouragan des hautes régions vous enlève en passant jusqu'au dernier lambeau de votre vêtement; la terre est perdue pour toujours, et le but, sans doute, ne s'atteindra pas. [...] Quelquefois, pourtant, un coup des vents du ciel arrive et dévoile à votre éblouissement des perspectives innombrables, infinies, merveilleuses ! A vingt mille pieds sous soi on aperçoit les hommes, une brise olympienne emplit vos poumons géants, et l'on se considère comme un colosse ayant le monde entier pour piédestal » (A Louise Colet, 16 septembre 1853).

Sa formation

5. « Il faut se méfier de tout ce qui ressemble à de l'inspiration et qui n'est souvent que du parti pris et une exaltation factice, que l'on s'est donnée volontairement, et qui n'est pas venue d'elle-même; d'ailleurs on ne vit pas dans l'inspiration : Pégase marche plus souvent qu'il ne galope, tout le talent est de savoir lui faire prendre les allures qu'on veut, mais pour cela ne forçons pas ses moyens, comme on dit en équitation. Il faut lire, méditer beaucoup, toujours penser au style et écrire le moins qu'on peut, uniquement pour calmer l'irritation de l'Idée qui demande à prendre une forme et qui se retourne en nous jusqu'à ce que nous lui en ayons trouvé une exacte, précise, adéquate à elle-même. Remarque que l'on arrive à faire de belles choses à force de patience et de longue énergie » (A Louise Colet, 13 décembre 1846).

6. « Sais-tu ce que tu devrais faire? [...] prendre l'habitude religieuse, tous les jours, de lire un classique pendant au moins une bonne heure » (A Louise Colet, 17 janvier 1852).

7. « Personne n'est original au sens strict du mot. Le talent, comme la vie, se transmet par infusion et il faut vivre dans un milieu noble, prendre l'esprit de société des maîtres » (A Louise Colet, 6 juin 1853).

8. « Les beaux fragments ne sont rien. L'unité, l'unité, tout est là ! L'ensemble, voilà ce qui manque à tous ceux d'aujourd'hui, aux grands comme aux petits : mille beaux endroits, pas une œuvre ! » (A Louise Colet, 14 octobre 1846).

9. « Les perles ne font pas le collier, c'est le fil ! » (A Louise Colet, 1er janvier 1852).

10. « Tu me permettras dans ma critique d'avoir toujours en vue *l'intention générale*, l'effet d'ensemble à produire » (A Ernest Feydeau, décembre 1858).

Mais se former n'est pas exactement cultiver sa personnalité : l'œuvre se fait aussi contre l'artiste :

11. « A me voir d'aspect, on croirait que je dois faire de l'épique, du drame, de la brutalité de faits, et je ne me plais au contraire que dans les sujets d'analyse, d'anatomie, si je peux dire. Au fond, je suis l'homme des brouillards, et c'est à force de patience et d'étude que je me suis débarrassé de toute la graisse blanchâtre qui noyait mes muscles. Les livres que j'ambitionne le plus de faire sont justement ceux pour lesquels j'ai le moins de moyens » (A Louise Colet, 27 juillet 1852).

A l'époque où il écrit *Madame Bovary*, son « pensum », Flaubert revient souvent sur la nécessité de lutter contre soi-même. Il la présente parfois comme une mutilation, parfois comme la recherche d'un équilibre. Dans sa symétrie rigoureuse, cette dernière affirmation devait tenter les commentateurs qui, depuis Faguet, s'en sont beaucoup servi pour expliquer l'œuvre entière :

12. « Il y a en moi, littérairement parlant, deux bonshommes distincts : un qui est épris de *gueulades*, de lyrisme, de grands vols d'aigle, de toutes les sonorités de la phrase et des sommets de l'idée; un autre qui fouille et creuse le vrai tant qu'il peut, qui aime à accuser le petit fait aussi puissamment que le grand, qui voudrait vous faire sentir presque *matériellement* les choses qu'il reproduit; celui-là aime à rire et se plaît dans les animalités de l'homme » (A Louise Colet, 16 janvier 1852).

L'homme et l'œuvre. Par réserve naturelle, par dégoût d'une certaine forme de romantisme et par principe d'art, Flaubert s'est toujours refusé à se manifester dans ses romans :

13. « L'Art n'est pas fait pour peindre les exceptions, et puis j'éprouve une répulsion invincible à mettre sur le papier quelque chose de mon cœur. Je trouve même qu'un romancier n'a pas le droit d'exprimer son opinion sur quoi que ce soit. Est-ce que le Bon Dieu l'a dite, son opinion? Voilà pourquoi j'ai pas mal de choses qui m'étouffent, que je voudrais cracher et que je ravale. A quoi bon les dire en effet! Le premier venu est plus intéressant que M. G. Flaubert, parce qu'il est plus général et par conséquent plus typique » (A George Sand, 5-6 décembre 1866).

Mais l'impersonnalité n'est pas l'impassibilité :

14. « Les personnages imaginaires m'affolent, me poursuivent, — ou plutôt c'est moi qui suis dans leur peau. Quand j'écrivais l'empoisonnement de Madame Bovary j'avais si bien le goût d'arsenic dans la bouche, j'étais si bien empoisonné moi-même que je me suis donné deux indigestions coup sur coup, — deux indigestions réelles car j'ai vomi tout mon dîner » (A Taine, novembre 1866).

La réalité

15. « Une invincible curiosité me fait me demander, malgré moi, quelle peut être la vie du passant que je croise. Je voudrais savoir son métier, son pays, son nom, ce qui l'occupe à cette heure, ce qu'il regrette, ce qu'il espère, amours oubliées, rêves d'à présent, tout, jusqu'à la bordure de ses gilets de flanelle, et la mine qu'il a quand il se purge » (*Notes de voyage*, I, p. 80).

La lecture est une autre forme de l'observation. Flaubert se « documente » toujours minutieusement mais, de ces « documents », il ne reste souvent rien ou peu de chose dans l'œuvre, comme Maxime du Camp l'observait à propos de *Saint Julien l'Hospitalier*. Les livres sont l'aliment de l'imagination avant d'être des moyens d'information.

Les notions traditionnelles du beau, du convenable ou même de l'intéressant ne sont pas d'ordre littéraire. Tout peut être objet de l'observation :

16. « Pour qu'une chose soit intéressante, il suffit de la regarder longtemps » (A Alfred le Poittevin, septembre 1845).

17. « Il y a, dans chaque objet banal, de merveilleuses histoires. Chaque pavé de la rue a peut-être son sublime » (A Louise Colet, 21 août 1846).

18. « Pas un atome de l'univers qui ne contienne la pensée; [...] habituons-nous à considérer le monde comme une œuvre d'art, dont il faut reproduire les procédés dans nos œuvres » (A Louise Colet, 27 mars 1853).

Mais il faut bien comprendre qu'avant l'observation du petit ou du laid, il y a, chez l'artiste, une violente impulsion initiale, et qu'après, il y a tout le travail de la création.

C'est l'observateur qui donne de la valeur à l'objet observé :

19. « A force de regarder un caillou, un animal, un tableau, je me suis senti y entrer. Les communications entre humains ne sont pas plus intenses » (A Louise Colet, 26 mai 1853).

Transformée en œuvre d'art, la réalité a perdu sa platitude : l'artiste l'a vue mieux que nous. En outre, il y ajoute deux ferments, l'ironie et l'amertume :

20. « Je veux qu'il y ait une amertume à tout, un éternel coup de sifflet au milieu de nos triomphes, et que la désolation même soit dans l'enthousiasme. Cela me rappelle Jaffa, où en entrant je humais à la fois l'odeur des citronniers et celle des cadavres; le cimetière défoncé laissait voir les squelettes à demi-pourris, tandis que les arbustes verts balançaient au-dessus de nos têtes leurs fruits dorés. Ne sens-tu pas que cette poésie est complète, et que c'est la grande synthèse? Tous les appétits de l'imagination et de la pensée y sont assouvis à la fois » (A Louise Colet, 27 mars 1853).

21. « Le grotesque triste a pour moi un charme inouï; il correspond aux besoins intimes de ma nature bouffonnement amère. Il ne me fait pas rire, mais rêver longuement. Je le saisis bien partout où il se trouve et comme je le porte en moi, ainsi que tout le monde [... Il y a un] ridicule intrinsèque à la vie humaine elle-même, et qui ressort de l'action la plus simple ou du geste le plus ordinaire » (A Louise Colet, 21 août 1846).

Au début de la Troisième République, les jeunes romanciers qui se proclament « réalistes » ou « naturalistes » se réclament de Flaubert. Il en est à la fois flatté et irrité :

22. « Il ne s'agit pas seulement de voir, il faut arranger et fondre ce qu'on a vu. La Réalité, selon moi, ne doit être qu'un tremplin. Nos amis sont persuadés qu'à elle seule elle constitue tout l'Art. Ce matérialisme m'indigne; et presque tous les lundis, j'ai un accès d'irritation en lisant les feuilletons de ce brave Zola. Après les Réalistes, nous avons les Naturalistes et les Impressionnistes. Quel progrès ! Tas de farceurs, qui veulent se faire accroire et nous faire accroire qu'ils ont découvert la Méditerranée ! » (A Tourgueneff, 8 décembre 1877).

23. « Il n'y a pas de Vrai. Il n'y a que des manières de voir. Est-ce que la photographie est ressemblante? pas plus que la peinture à l'huile, ou tout autant » (A Léon Hennique, 3 février 1880).

Le style

24. « Je voudrais faire des livres où il n'y eût qu'à *écrire* des phrases (si l'on peut dire cela), comme pour vivre il n'y a qu'à respirer de l'air ; ce qui m'embête, ce sont les malices de plan, les combinaisons d'effet, tous les calculs du dessous et qui sont de l'Art pourtant, car l'effet du style en dépend, et exclusivement » (A Louise Colet, 25-26 juin 1853).

Flaubert a eu la religion du style. Il l'a conçu comme une sorte de musique intérieure qui précède les mots. Taine, devant qui, au moment où il travaillait à son traité *De l'Intelligence*, Flaubert a accepté d'écrire, nous parle de « son premier jet, incomplet, maladif, mettant des carrés, des losanges, un mot en vedette, un bout de phrase, attendant que le chant vienne, raturant, revenant avec un labeur énorme et insensé ».

L'idéal de Flaubert, c'est le dépouillement, c'est une œuvre presque immatérielle, où le style colle à la pensée et où la pensée ne puisse être détachée de lui :

25. « Ce qui me semble beau, ce que je voudrais faire, c'est un livre sur rien, un livre sans attache extérieure, qui se tiendrait de lui-même par la force interne de son style, comme la terre sans être soutenue se tient en l'air, un livre qui n'aurait presque pas de sujet ou du moins où le sujet serait presque invisible, si cela se peut. Les œuvres les plus belles sont celles où il y a le moins de matière; plus l'expression se rapproche de la pensée, plus le mot colle dessus et disparaît, plus c'est beau. Je crois que l'avenir de l'Art est dans ces voies; je le vois à mesure qu'il grandit s'éthérisant tant qu'il peut, depuis les pylônes égyptiens jusqu'aux lancettes gothiques, et depuis les poèmes de vingt mille vers des Indiens jusqu'aux jets de Byron; la forme en devenant habile s'atténue; elle quitte toute liturgie, toute règle, toute mesure; elle abandonne l'épique pour le roman, le vers pour la prose; elle ne connaît plus d'orthodoxie et est libre comme chaque volonté qui la produit » (A Louise Colet, 16 janvier 1852).

26. « Où la forme manque, l'idée n'est plus. Chercher l'un, c'est chercher l'autre » (A Louise Colet, 15-16 mai 1852).

Il n'y a d'ailleurs pas de style sans pensée, et réciproquement :

27. « Comme le style n'est jamais qu'une manière de penser, si votre conception est faible, jamais vous n'écrirez d'une façon forte. Exemple : je viens de recorriger mon neuvième chapitre [de *Salammbô*]. C'est un tour de force, je crois, comme concision et netteté, si on l'examine phrase à phrase; ce qui n'empêche pas que le susdit chapitre ne soit assommant et ne paraisse très long et très obscur, parce que la conception, le fond ou le plan, je ne sais, a un vice secret que je découvrirai. Le style est autant *sous* les mots que *dans* les mots. C'est autant l'âme que la chair de l'œuvre » (A Ernest Feydeau, mai 1859?).

28. « Ce souci de beauté extérieure que vous me reprochez est pour moi *une méthode*. Quand je découvre une mauvaise assonance ou une répétition dans une de mes phrases, je suis sûr que je patauge dans le faux; à force de chercher, je trouve l'expression juste qui était la seule et qui est en même temps l'harmonieuse. Le mot ne manque jamais quand on possède l'idée » (A George Sand, 10-14 mars 1876).

La critique

29. « On simplifierait peut-être la critique si, avant d'énoncer un jugement, on déclarait ses goûts; car toute œuvre d'art enferme une chose particulière, tenant à la personnalité de l'artiste, et qui fait qu'indépendamment de l'exécution nous sommes séduits ou irrités. Aussi notre admiration n'est-elle complète que pour les ouvrages satisfaisant à la fois notre tempérament et notre esprit » (Préface aux *Dernières Chansons*, de Bouilhet).

Flaubert a été l'ami des grands critiques de son temps, Sainte-Beuve et Taine, mais il n'en a pas toujours été compris :

30. « Du temps de La Harpe, on était grammairien; du temps de Sainte-Beuve et de Taine, on est historien. Quand sera-t-on artiste, rien qu'artiste, mais bien artiste? Où connaissez-vous une critique qui s'inquiète de l'œuvre *en soi*, d'une façon intense? On analyse très finement le milieu où elle s'est produite et les causes qui l'ont amenée; mais la poétique *insciente?* d'où elle résulte? sa composition, son style? le point de vue de l'auteur? Jamais!
« Il faudrait pour cette critique-là une grande imagination et une grande bonté, je veux dire une faculté d'enthousiasme toujours prête, et puis du goût, qualité rare, même dans les meilleurs, — si bien qu'on n'en parle plus du tout » (A George Sand, 2 février 1869).

FLAUBERT : SON ŒUVRE

A la mort de Flaubert, on a trouvé à Croisset les dossiers de travail que sa famille et lui-même avaient toujours conservés. Peu après (en 1887), on commençait à rassembler sa correspondance. L'homme qui publiait si peu et à contre cœur aura, malgré lui, laissé une œuvre considérable.

1. Les œuvres de jeunesse (1835-1842)

Une quarantaine de pièces (contes, drames, récits autobiographiques, études historiques et littéraires), parmi lesquelles on retiendra (publications posthumes) :

assion et Vertu, 1837.
Mémoires d'un Fou, 1838.
Smarh, 1839.
Novembre, 1842.

2. Les œuvres de la maturité (1847-1880)

Un récit de voyage :

Par les Champs et par les Grèves, 1847 (publié en 1885).

Deux pièces de théâtre :

Le Château des cœurs, 1863 (publié en 1880).
Le Candidat, 1873 (joué en 1874).

Six romans :

Madame Bovary, 1857.
Salammbô, 1862.
L'Éducation sentimentale, 1869.
La Tentation de saint Antoine, 1874.
Trois Contes, 1877.
Bouvard et Pécuchet (inachevé, publié en 1881).

3. Les documents :

Correspondance (plus de trois mille lettres publiées entre 1887 et 1954).
Notes de Voyage (éd. Conard, t. XVIII et XIX).
Dossiers des romans et opuscules (publication partielle).
Carnets.

Bibliographie

1. Éditions :

Œuvres complètes de Flaubert (Conard, 13 vol.).
Correspondance et Suppléments (Conard, 13 vol.).
Œuvres complètes de Flaubert (Belles-Lettres, notes de Dumesnil).

2. Études générales :

René Dumesnil, *Flaubert, l'homme et l'œuvre*, 1947.
Albert Thibaudet, *Gustave Flaubert*, 1935.
On complétera ces deux livres de base, anciens mais non encore remplacés, par des études partielles ou plus récentes :
D. L. Demorest, *l'Expression figurée et symbolique dans l'œuvre de Flaubert*, 1931.
Cl. Digeon, *le Dernier Visage de Flaubert*, 1946.
J. P. Richard, *Littérature et Sensation*, 1954.
J. Suffel, *Flaubert*, 1958.
R. Dumesnil, *la Vocation de Flaubert*, 1961.
Les œuvres critiques et philosophiques de J.-P. Sartre sont le dernier, mais non le moindre, des apports contemporains à l'étude de Flaubert.

3. Ouvrages concernant les « Trois Contes ».

Le manuscrit et le dossier des *Trois Contes* ont été légués par la nièce de Flaubert à la Bibliothèque nationale (NAF 23.663).

« Un Cœur Simple » :

Gérard-Gailly, *Flaubert et les Fantômes de Trouville*, 1930.

« La Légende de saint Julien l'Hospitalier » :

E. H. Langlois, *Essai sur la peinture sur verre*, 1832.
Bollandistes, *Acta sanctorum*, II, p. 974.
M. Schwob, Préface de l'édition Ferroud, 1895.
G. Huet, « la Légende de saint Julien », *Mercure de France*, 1er juillet 1913.
A. Pauphilet, *la Légende de saint Julien*, 1935.

« Hérodias » :

Évangile selon saint Matthieu, III, XI, XIV, XVII.
Évangile selon saint Marc, I, VI.
Évangile selon saint Luc, I, III, VII, IX.
Évangile selon saint Jean, I, III.
Flavius Josèphe, *Guerre juive*, I.
Flavius Josèphe, *Antiquités juives*, XVIII, 6 et 7.
Suétone, *Vitellius*.
E. L. Ferrère, *l'Esthétique de Flaubert*, 1913.
M. Goguel, *Au seuil de l'Évangile*, 1928.
Ch. Guignebert, *le Monde juif vers le temps de Jésus*, 1935.

« On a beaucoup écrit sur Flaubert. L'essai bibliographique publié en 1912 par René Descharmes et moi comptait déjà un millier de numéros. On peut aujourd'hui tripler ce chiffre [...] Pas une année ne s'écoule que l'on n'enregistre un lot de thèses à lui consacrées dans toutes les universités du monde » (René Dumesnil, 1961).

LES « TROIS CONTES »

La genèse de chaque conte, la formation et le sens du recueil posent des problèmes que l'état présent des études ne permet pas de résoudre d'une façon pleinement satisfaisante.

1. Le milieu

Durant l'été et l'automne de 1875, Flaubert vit la période la plus difficile de son existence. Les déceptions de carrière, l'âge, la menace d'une ruine totale le réduisent à un état misérable. Physiquement, il est épuisé et proche de la crise nerveuse. Il a des étouffements, des accès de larmes, il n'arrive plus à former ses lettres. Moralement il est désespéré :
Ah! si je pouvais m'en aller de ce monde, quel soulagement! (A George Sand, 12 septembre 1875).
Il prend ses vacances à **Concarneau,** où il cherche à se remettre, à retrouver s'il se peut la force de vivre. Il y arrive le 16 septembre. A l'**hôtel Sergent,** on lui a préparé une jolie chambre qui donne sur le bassin. Ses amis, les naturalistes Pouchet et Pennetier, l'accueillent de leur mieux, l'initient à leurs travaux. Il commence à se détendre, à se distraire même : il se promène, il se baigne. Mais il ne se passe guère de jour qu'il ne fasse son bilan, et le total l'effraie. Sans avoir jamais voulu travailler pour le public, il a compté sur son approbation, au moins celle d'une minorité, d'une élite. Depuis *Salammbô* il n'a rien réussi. *L'Éducation sentimentale* n'a pas été comprise, *le Candidat* a été un four, *la Tentation de saint Antoine* a fait rire. Il sent bien que *Bouvard et Pécuchet* n'aura pas un meilleur sort, s'il a la force de l'achever. Il a perdu ses amis les plus chers, Bouilhet d'abord, et Duplan, et Sainte-Beuve, et Jules de Goncourt, et le bon Théo. Il a perdu sa mère.
Et il y a les affaires de Commanville, qui lui font toucher le fond du gouffre. Quand on a marié sa nièce à ce riche industriel normand, il a été heureux de la belle « position » que cela lui donnait. S'il n'a jamais voulu compromettre son art dans les questions d'argent, il a de la considération pour la fortune. Il en a besoin. Il ne conçoit pas de vivre et d'écrire autrement qu'en homme libre, c'est-à-dire sans obligations de métier, avec le rang et les avantages de la bourgeoisie. Il la méprise en général. Mais il en fait partie, et tient à y rester.
Or Commanville est à deux doigts de la faillite. Depuis la guerre il a eu plusieurs alertes. Mais, optimiste ou léger, il a emprunté ici pour payer là, continuant au reste à dépenser largement. Flaubert, incapable d'administrer lui-même ses biens, avait pris l'habitude de lui en confier la gestion et d'en toucher les intérêts. Au mois de mai 1875, il a enfin compris que toute sa fortune mobilière était

perdue. Il lui restait la ferme de Deauville, dont la vente pouvait lui assurer 10 000 francs de rentes. Il a fallu la vendre (les actes ont été signés la veille de son départ pour Concarneau). Mais le produit a dû être consacré au rachat d'une créance dont le détenteur voulait mettre Commanville en faillite. Obtiendra-t-on la liquidation judiciaire? Que retrouvera-t-on de la créance? Pour les biens propres de Caroline, ils ne sont pas menacés puisqu'elle est mariée sous le régime dotal. Mais les revenus en sont engagés au-delà de leur valeur. Pourra-t-on garder Croisset?

Pendant les dix-huit mois où il travaillera aux *Contes*, Flaubert ira ainsi d'espérances en inquiétudes, harcelé par ce qu'il y a de plus odieux pour lui : les affaires, les autres qu'on ne lui laisse pas oublier. Il connaîtra les compassions, les offres dérisoires, les amitiés qui se dérobent. Il lui faudra mendier pour son neveu, essayer de gagner un peu d'argent lui-même. Par orgueil, par horreur de la pitié, par simple décence, il voudra ne rien laisser paraître, ne s'abandonnant à son chagrin qu'aux moments où de nouveaux deuils (la mort de Louise Colet, celle de George Sand surtout) lui donnent une raison avouable, sanglotant alors de toutes ses forces, comme un enfant.

2. L'art et l'argent

La littérature, encore une fois, est son refuge. Au mois de mai, il avait abandonné ses « affreux bonshommes », Bouvard et Pécuchet, avec le sentiment de s'être lancé dans une entreprise interminable, « absurde ». Depuis, il n'avait pas eu la force d'écrire. Quelques jours après son arrivée à Concarneau, il se remet au travail, avec un sujet moins pesant : *La Légende de saint Julien l'Hospitalier*. Cependant, peu à peu, il découvre la pauvreté, et, avec elle, les problèmes du métier. Morceau par morceau, il leur abandonne sa chère indépendance. Quand il termine *la Légende*, qui ne doit « faire » qu'une trentaine de pages, il se demande comment la « placer ». Il est encore trop fier pour la publier dans un journal, il doit donc y ajouter l'histoire d'*Un Cœur simple*, ce qui donnera un petit volume pour l'automne de 1876, après quoi il reviendra à une œuvre sérieuse. Mais un conte se vend mieux qu'un roman. Tourgueneff a aussitôt retenu le premier pour le traduire et le faire paraître en Russie; il prend aussi le second, et c'est avec lui qu'on projette le troisième, *Hérodias*, dès la fin d'avril. Le volume sera retardé, mais il sera plus gros. Et d'ailleurs, Flaubert n'a pas le courage de reprendre tout de suite ses « bonshommes ». Des journaux le « couvrent d'or ». Ils auront les *Trois Contes*, après la Russie, mais avant la première édition. Et comme Tourgueneff doit regagner sa patrie à la fin de février 1877, comme le manque d'argent est de plus en plus sensible, Flaubert va hâter l'achèvement de l'œuvre pour la « livrer » à temps.

Ce recueil, né du besoin de s'occuper, d'essayer un instrument rouillé, continué par fatigue et parce qu'il fallait gagner de l'argent tout de suite, est pourtant une grande chose. Il n'y a pas seulement, entre les contes, ces rapports qu'une série d'œuvres doivent à leur voisinage dans le temps et à la personnalité de leur commun auteur : ils ont une unité. Contrariée par la différence des thèmes, qui demandaient à être traités chacun dans son style, elle s'est formée par resserrements successifs. Elle est soutenue par un jeu de symétries et de rappels, la réapparition de certains motifs. Elle est évidente dans leur inspiration fondamentale. Flaubert venait de découvrir qu'un artiste peut travailler sur commande sans être inférieur à lui-même.

3. De « saint Julien » à « Hérodias »

Entre *la Légende de saint Julien* et l'Histoire d'*un Cœur simple*, il n'y a naturellement aucun rapport. L'examen du premier scénario, de ses corrections et des notes du dossier montre que Flaubert avait d'abord envisagé de faire comprendre l'abnégation d'une servante « sensible, pudique, tendre, brave, maternelle, patiente, résignée, vertueuse ». Elle avait eu « son idylle », peu de temps. Et puis elle se dévouait aux enfants de sa maîtresse, à son neveu, à « un vieux dégoûtant » qu'elle aimait « d'un amour filial », à un perroquet enfin. Dans cette première forme, où l'influence de George Sand est apparente, le sujet ne pouvait prendre corps : il était faux, esthétiquement et psychologiquement faux, ce qui est tout un.

Il se transforme donc. La servante est « prise » de l'extérieur, non plus de l'intérieur, c'est-à-dire que l'écrivain renonce à l'expliquer avec sa logique de bourgeois cultivé, qu'il accepte qu'elle ne soit que ce qu'elle paraît : une machine, un « automate ». Les tableaux qu'il ajoute à ce moment sont figés : Félicité dans sa cuisine, Félicité dans sa chambre (et c'est la quatrième partie qu'il étendra surtout). Mais parce qu'il la voit telle qu'elle est, il voit une sainte : comme le veut l'antique bénédiction, la pauvre d'esprit est proche de Dieu. Dans le premier scénario, Flaubert notait simplement qu'elle se plaisait à l'église, et que sa mort s'accompagnait de l'apothéose du perroquet. C'est à partir de ce dernier tableau que le conte renaît. Il faut lui donner tout son sens, le préparer (les notes insistent sur ce point). Il y aura donc le récit de l'éducation religieuse de Virginie, les pratiques de l'enfant et de la servante, le culte du Saint-Esprit, etc. Mais Félicité vivra sa foi, elle ne la comprendra pas : les raisonnements rudimentaires, par lesquels elle justifiait l'action de la Providence devant une maîtresse impie, disparaîtront. Religieux, un cœur simple ne peut être que mystique.

C'est ainsi que le recueil commence à exister et que, dès le mois d'avril, *Hérodias* doit s'y ajouter. Dans la simple juxtaposition de sujets hétérogènes, il y avait eu quelque chose qui révoltait le sentiment artistique de Flaubert. Le « fil » une fois trouvé, il lui était possible d'avancer.

4. Trois contes

On a souvent remarqué le balancement qui fait alterner, chez Flaubert, les œuvres modernes et les œuvres anciennes : *Salammbô* après *Madame Bovary*, *l'Éducation sentimentale* après *Salammbô*, etc. Ce balancement n'était pas arrêté : on avait *Saint Julien l'Hospitalier*, puis *Un Cœur simple*, puis *Hérodias*.

Leur réunion répondait d'abord au besoin d'utiliser d'un coup toute la palette, de donner en même temps des romans tirés de toutes les sources. Le 1er juin 1856 déjà, *Madame Bovary* terminée, Flaubert écrivait à Bouilhet :

Si j'étais un gars, je m'en retournerais à Paris au mois d'octobre avec le Saint Antoine *fini et* Saint Julien l'Hospitalier *écrit. Je pourrais donc en 1857 fournir du moderne, du Moyen Age et de l'antiquité.*

Mais c'est à un autre triptyque, celui des projets de 1850, que l'histoire d'*Un Cœur simple* nous oblige à nous reporter. Cette année-là, Flaubert songe à un sujet renaissance, à un antique et à un moderne : *« Une nuit de Don Juan »* [1], *« Anubis », et le roman de ... la jeune fille qui meurt vierge et mystique* [...] *dans une petite ville de province, au fond d'un jardin planté de choux et de quenouilles, au bord d'une rivière grande comme l'Eau-de-Robec* [2] (lettre à Bouilhet du 14 novembre 1850).

Or ces trois sujets « ne sont peut-être que le même, et ça [l'] embête considérablement ! » L'amour terrestre s'y oppose ou s'y unit à l'amour mystique, plus ou moins exaltés, toujours inassouvissables. Pourtant il voudrait les traiter, pour « connaître la qualité de [son] terrain ».

On voit jouer ici un des mécanismes de l'inspiration de Flaubert. Maxime du Camp a soutenu que son ami avait conçu tous ses thèmes dans la jeunesse. Que du Camp en ait tiré des conséquences inacceptables n'enlève rien à la valeur de la constatation : Flaubert n'est pas homme à improviser. Son sujet doit avoir longtemps séjourné en lui pour qu'il puisse lui donner vie. Il a, dit-il, commencé *Un Cœur simple* pour plaire à George Sand. Mais le conte n'a poussé qu'au moment où il a été implanté dans un fonds ancien, quand la pauvre fille est devenue une mystique, quand elle a eu sa place aux côtés de Julien, comme elle aurait pu l'avoir aux côtés de Don Juan. Du coup il fallait *Hérodias*, le drame antique qui rétablirait l'équilibre, comme *Saint Antoine* répondait à *Madame Bovary* en 1856, *Anubis* à l'histoire de la jeune mystique en 1850.

5. Le panneau central

Saint Julien l'Hospitalier était déjà composé. Flaubert devait donc traiter les deux autres sujets du triptyque de telle sorte qu'ils renvoient vers le panneau central.

---

1. Voir *Œuvres de jeunesse*, III, 121. — 2. Petit ruisseau qui court à Rouen le long d'une vieille rue.

La légende avait été peinte dans le style du vitrail (voir p. 94-95), par scènes juxtaposées, disposées symétriquement. Le dessin en était ferme, les couleurs tranchées; le cours de la destinée s'y fragmentait en grandes époques. *Un Cœur simple* serait une nouvelle de la vie la plus humble, qui appellerait les teintes neutres, la nuance plutôt que la couleur, où tout ne serait que durée. A *Hérodias* reviendraient les grands effets du drame qui, d'être réunis le même jour sur un même point, éclatent dans un milieu agité et bariolé. Autour de l'existence héroïque, où tout est perfection, le mal comme le bien, il y aurait ainsi ceux, pauvres ou superbes, dont la destinée se règle sans qu'ils le sachent, et qui doivent attendre le don du ciel : pour eux se répéterait le symbole de la scène finale de *la Légende*, celle où l'on voit que de la misère et de la maladie jaillit la lumière de Dieu, refusée aux grands de la terre.
Sur les trois panneaux se manifeste l'Esprit. Symbolisé par la colombe, il plane au-dessus de la Vierge dans le vitrail que contemple Félicité (l. 360), avant de s'identifier à son perroquet (l. 958). Il préside à la rencontre de Jésus et de Jean sur les bords du Jourdain (p. 82, l. 960). Et Félicité écoute, sans la comprendre, la nouvelle de l'entrevue que dit l'*Agnus Dei*. Il parle par la bouche des prophètes et du Baptiste. C'est sous la forme du cerf qu'il se manifeste à Julien dont l'enfance a été veillée par la colombe.
Ces symboles appartiennent à la tradition la plus ancienne, mais c'est à travers les travaux des érudits que Flaubert les a étudiés. Pour *Hérodias*, il a lu Renan et l'a personnellement consulté. Pour *Saint Julien*, il a lu les *Légendes pieuses du Moyen Age* de son ami Maury, et c'est par elles aussi qu'il est passé du conte médiéval à la nouvelle réaliste. Car la tendance à la symbolisation n'est pas mystérieuse, mais populaire, selon Maury. Les humbles, accoutumés à voir unis l'Esprit Saint et la colombe, ne savent plus les séparer. De la même manière, une pauvre fille, sans aucune irrévérence, confondra Dieu et son perroquet, parce qu'il ressemble à la colombe et qu'il est ce qu'elle connaît de plus beau.
Mais l'Esprit est aussi l'âme pure, pieuse et fidèle. A la mort du Saint, il s'échappe de sa bouche, oiseau merveilleux qui rejoint le ciel. Comme l'âme de Julien était emportée dans les bras du Christ, l'âme de Félicité montera dans la lumière resplendissante de l'ostensoir.
De même que le cerf voisine avec la colombe dans le bestiaire des envoyés de l'Esprit, et que tous deux conduisent les âmes vers Dieu par leurs voies propres, de même les grandes légendes manifestent-elles toujours, selon Maury, les besoins profonds de la religion populaire. C'est par le thème printanier de la chasse sauvage que l'on passe de saint Julien à Hérodias qui, dans la tradition médiévale, est devenue une bête errante. Punie pour avoir provoqué la mort du Baptiste, elle est, toutes les nuits, poursuivie à travers les forêts, sans pouvoir prendre de repos avant le chant du coq. Elle est un des personnages sacrés de ce grand remue-ménage de la nature qui

hante les imaginations depuis les époques les plus lointaines et que fête la Saint-Jean d'été.
Il va de soi que Flaubert n'est pas un mythographe et qu'il n'a pas recherché de telles correspondances pour la valeur d'explication qu'elles pourraient avoir. Mais elles donnent au triptyque le caractère d'un pieux cortège qui conduit les générations vers le miracle que le panneau central exalte. Du miracle, premier sujet traité, elles font la source naturelle du recueil. Pour l'écrivain, elles sont la preuve qu'il ne se trompe pas dans son entreprise, qu'il y a bien un grand mouvement pour animer ses trois récits, qu'une unité profonde existe entre eux.

6. L'auteur et l'œuvre

Flaubert s'amusait du portrait que feraient de lui ses dernières œuvres : après saint Antoine, saint Julien et saint Jean (et même sainte Félicité !). Il est pourtant fidèle.
Ses dernières années l'ont ramené à une tendresse presque enfantine. Comme artiste, il continue à opérer ce que Du Bos appelait un « transfert du cœur à la tête », mais son cœur fournit plus généreusement des images plus insistantes. C'est par exemple celle de sa mère vivante, avec sa mine fière, son visage très blanc entre les bandeaux de la chevelure, qu'il prête à Mme Aubain et à la mère de Julien. C'est celle de la veillée funèbre de la sœur ou de la mère morte, et du regard angoissé avec lequel celui qui reste contemple celui qui est parti, comme Félicité regarde Virginie, Julien ses parents, Hérode Jean-Baptiste. Celles-là et d'autres, plus ou moins fugitives, aperçues ou devinées du lecteur, ne font pas de l'œuvre une autobiographie, mais la rendent moins tendue, plus palpitante de la vie du créateur.
La vie de son esprit y est encore plus reconnaissable. Flaubert a eu l'anticléricalisme militant des bourgeois voltairiens du XIXe siècle. Mais il a toujours été passionné pour les questions religieuses. A-t-il été plus loin? A-t-il été un croyant qui ne savait pas confesser sa foi ? On en a beaucoup débattu à une certaine époque. F. Mauriac, qui refusait d'abord de voir en lui un chrétien, avait sans doute raison. Flaubert a aimé les choses de la religion avec l'amitié qu'il donnait au passé, et plus encore. Mais il ne les a pas faites siennes. Il en a écrit dans la langue qui leur convient, avec la sympathie sans laquelle on ne pénètre pas les âmes. Il a su, pendant qu'il y travaillait, être un « fidèle ». Pour ses lecteurs, c'est ce qui compte : l'imagier des *Trois Contes* était à sa place dans la cathédrale.

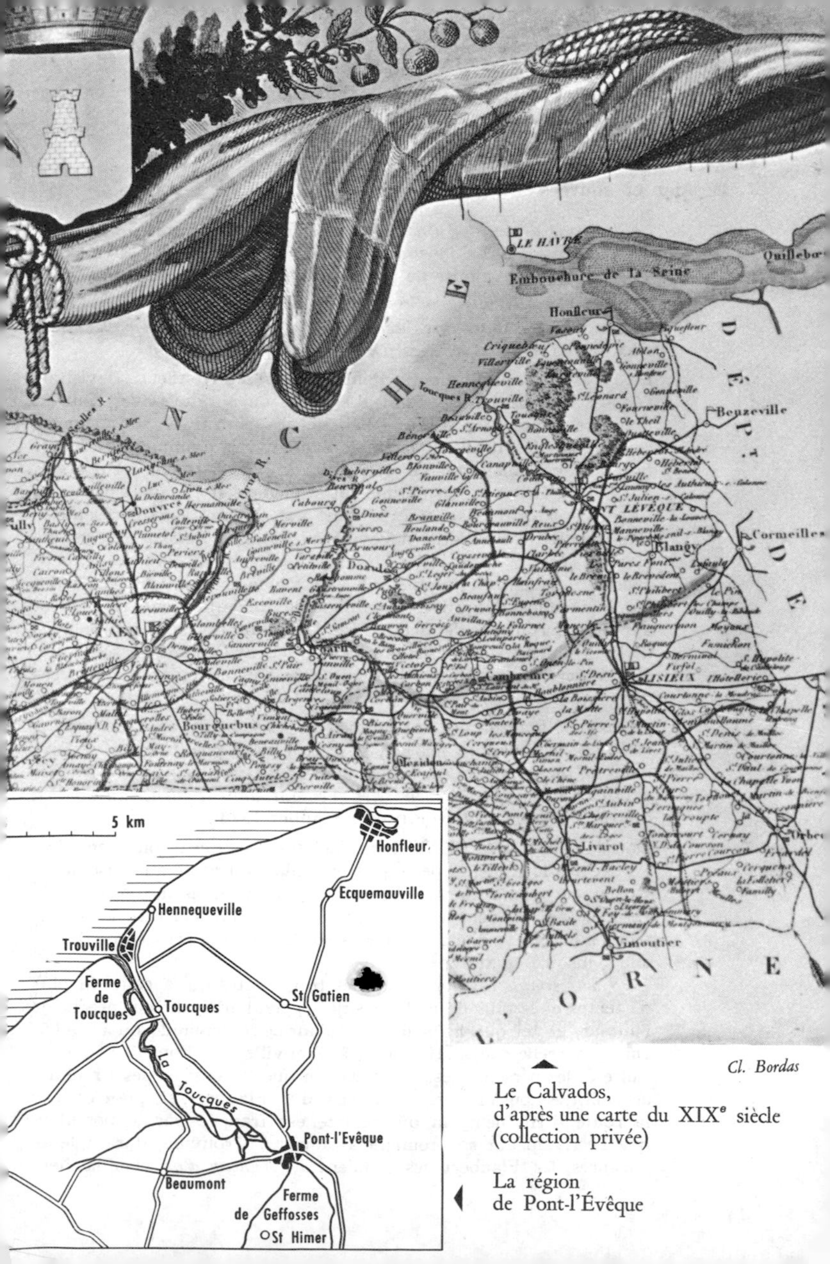

Cl. Bordas

▲ Le Calvados,
d'après une carte du XIXe siècle
(collection privée)

◄ La région
de Pont-l'Évêque

UN CŒUR SIMPLE

1. Dossier et sources

La Légende de saint Julien terminée, Flaubert se mit à l'*Histoire d'un cœur simple*. Le 1er mars 1876, en quelques jours, il avait bâti un scénario dont la mise au point devait être laborieuse (voir p. 39); le 15 avril, il écrivait à George Sand :

J'avance si peu dans ma besogne que c'en est lamentable. Heureux ceux qui ne sont pas affligés par la folie de la Perfection!

Le 17 avril, il partait pour Pont-l'Évêque et Honfleur. Il visitait l'église Saint-Michel de Pont-l'Évêque, où Virginie avait fait sa première communion; comme Félicité, il s'asseyait à « son » banc et contemplait le vitrail sur lequel le Saint-Esprit domine la Vierge. Il faisait un pèlerinage à la petite maison du bord de l'eau, où des vies avaient pu être à la fois si vides et si pleines. Il évoquait peut-être les processions de l'agneau, conduit par l'enfant qui représente le Baptiste. Rentré à Paris, il voyait au Salon la *Salomé* de Gustave Moreau (voir p. 132).
Plusieurs semaines s'écoulèrent avant que les personnages aient pris leurs places définitives. Au milieu de juin enfin, rentré à Croisset après l'enterrement de George Sand, Flaubert y retrouva le goût de la littérature, le « désir de pioche » : il avait maîtrisé son sujet. Il n'en écrivait pas plus vite, mais avec plus de joie, et en tout cas dans la paix du corps et de l'âme :

Je travaille beaucoup, je me baigne tous les jours, je ne reçois aucune visite, je ne lis aucun journal, et je vois assez régulièrement se lever l'aurore, car je pousse ma besogne fort avant dans la nuit, les fenêtres ouvertes, en manches de chemise et gueulant, dans le silence du cabinet, comme un énergumène! (lettre du 8 juillet 1876).

Dans la nuit du 16 août, l'histoire s'achevait, « d'une façon splendide ». Perché sur la table, le perroquet empaillé emprunté au Muséum de Rouen, un « amazone », regardait depuis un mois de ses yeux de verre, le bec un peu de côté, pendant que Flaubert raturait douze pages pour en avoir une et demie, se consolant à la pensée que Buffon allait jusqu'à quatorze!
Un Cœur simple est donc celui des trois contes qui a coûté le plus de temps et le plus de mal. Le sujet cependant était tout proche de l'auteur, et tel que les souvenirs n'auraient demandé qu'à couler. On en a recherché, à Honfleur, à Trouville et à Pont-l'Évêque, le cadre et les personnages. Il est certain que le couvent des Ursulines accueillit, sinon Virginie, du moins Mme Flaubert, et que c'est sur la route d'Honfleur, là où Félicité est frappée par le postillon, que l'écrivain eut sa première attaque. A Trouville, durant leurs vacances, les Flaubert descendaient *à l'Agneau d'or*, chez la mère

David (voir p. 57, l. 290). Ils rendaient visite à un ex-capitaine au long cours, Barbey, qui avait un perroquet magnifique et dont la maison pouvait contenir tel modèle de « cœur simple ». Mme Aubain serait une de leurs parentes qui habitait à Pont-l'Évêque la maison revêtue d'ardoises; ses enfants, Paul et Virginie, seraient l'auteur lui-même et sa sœur Caroline; les Bourais, Varin, Mathieu ont leurs noms dans les archives locales; et le vieil oncle ivrogne qui venait toujours à l'heure du déjeuner s'appelait Crémanville, et non Grémanville.

Quel que soit l'intérêt de tels travaux d'érudition (on en a fait beaucoup pour *Madame Bovary*), ils ont l'inconvénient d'obscurcir un côté du problème pour éclairer l'autre.

Il est vrai que les personnages du conte vivent dans le pays d'Auge que Flaubert connaissait bien. Mais leurs origines sont complexes. Pour ne parler que de ce que nous discernons avec quelque clarté, il y a, dans Mme Aubain, outre Mme Allais, la grand-mère et surtout la mère de l'auteur; dans ses enfants, outre Gustave et Caroline, Armand et Adèle Allais, et tels de leurs jeunes amis communs. Quant à Félicité, c'est la servante des Barbey, et une domestique du nom de LOUISE BARETTE, et cette JULIE qui vit mourir Flaubert après avoir servi sa famille plus d'un demi-siècle, et toutes les CATHERINE LEROUX qui vivaient humblement à travers la Normandie.

Un Cœur simple n'est pas une autobiographie, et Flaubert n'écrit pas la chronique d'une petite ville ou d'une famille. Il compose, sur le thème de la vie parfaite, un récit qu'il place dans *son* cadre, celui où il prend tout *son* relief. Ses personnages, leurs aventures sont faits d'une mosaïque d'observations homogénéisées et appareillées. Il n'est pas indifférent que Flaubert ait trouvé ses matériaux aussi près de lui, mais la vérité, ici comme ailleurs, n'est pas due à une quelconque ressemblance avec ce que nous croyons connaître : elle est dans l'œuvre.

2. Second scénario du conte (texte de Flaubert)

I *Figure de Félicité. La maison de Mme Aubain.*

II *Son histoire. Entre chez Mme Aubain — les enfants — personnages secondaires — Geffosses, le taureau — Touques — Trouville — Paul envoyé au collège.*

III *Catéchisme de Virginie et 1ère communion.*
Départ pour le couvent.
Son neveu. Paquebot d'Honfleur. Inquiétudes sur son sort.
La Havane. Sa mort. Apprise par Liébard.
Maladie et mort de Virginie.
Veille et enterrement.
Désespoir et hypocondrie de Mme Aubain.
Monotonie de leur existence. Petits faits.
Le sous-préfet et ses dames.
Revue de ses affaires — étreinte.

Charités : Polonais — le père Colmiche.
Arrivée du perroquet.

IV *Description. Gentillesses de Loulou.*
Haine de Bourais. Fabu.
Soucis qu'il lui donne. S'égare.
Commencement de la surdité de Félicité.
Redoublement d'amour pour Loulou.
Crevé dans sa cage.
Le porte à Honfleur. Empaillé.
Chambre de Félicité (culte du Saint-Esprit).
Mariage de Paul. Suicide de Bourais. Mort de Mme Aubain.
Dépouillement de la maison — à vendre ou à louer.
Vit seule. La Simon.
S'alite. Fabu.

V *La Fête-Dieu.*
Agonie de Félicité.
Vision du perroquet.

Quand elle fut devant le Calvaire, [...], *elle prit à droite, se perdit dans des chantiers* ... (p. 64, l. 477).

Honfleur en 1843, par Garneray

▼

Cl. B. N.

UN CŒUR SIMPLE

1

Pendant un demi-siècle, les bourgeoises de Pont-l'Évêque[1] envièrent à Mme Aubain sa servante Félicité[2].

Pour cent francs par an, elle faisait la cuisine et le ménage, cousait, lavait, repassait[3], savait brider un cheval, engraisser les volailles, battre le beurre, et resta[4] fidèle à sa maîtresse, — qui cependant n'était pas une personne agréable.

Elle avait épousé un beau garçon sans fortune, mort au commencement de 1809, en lui laissant deux enfants très jeunes avec une quantité de dettes. Alors elle vendit ses immeubles[5], sauf la ferme de Toucques[6] et la ferme de Geffosses[7], dont les rentes montaient à 5 000 francs tout au plus, et elle quitta sa maison de Saint-Melaine[8] pour en habiter une autre moins dispendieuse[9], ayant appartenu à ses ancêtres et placée derrière les halles.

Cette maison[10], revêtue d'ardoises, se trouvait entre un passage et une ruelle aboutissant à la rivière. Elle avait intérieurement des différences de niveau qui faisaient trébucher. Un vestibule étroit séparait la cuisine de la *salle*[11] où Mme Aubain se tenait tout le long du jour, assise près de la croisée dans un fauteuil de paille. Contre le lambris[12], peint en blanc, s'alignaient huit chaises d'acajou. Un vieux piano supportait, sous un baromètre, un tas pyramidal de boîtes et de cartons. Deux bergères[13] de tapisserie flanquaient la cheminée en marbre jaune et de style Louis XV. La pendule, au milieu,

---

1. Petite ville du Calvados : voir la carte, p. 43. — 2. C'est aussi le nom de la dernière servante de Mme Bovary. — 3. *Variante : « repassait,* nettoyait le jardin ». — 4. *Var. : « et* aima toujours *sa maîtresse* qui n'était pas cependant... ». — 5. Les biens intransportables (maisons et terres, par exemple). — 6. Entre Touques (orthographe d'aujourd'hui) et Trouville : voir la carte. — 7. Entre Pont-l'Évêque et Saint-Himer. — 8. Une des églises de Pont-l'Évêque, qui donne son nom au quartier où elle est située. — 9. Exigeant moins de *dépense.* — 10. Située 14, place Robert-de-Flers (voir Gérard-Gailly, *op. cit.*, p. 199). — 11. Grande pièce du rez-de-chaussée : sens vieilli. — 12. Revêtement couvrant tout le mur, ou seulement à hauteur d'appui, comme ici. — 13. Fauteuil large et profond, dont le siège est garni d'un coussin.

représentait un temple de Vesta[1]; — et tout l'appartement sentait un peu le moisi, car le plancher était plus bas que le jardin.

Au premier étage, il y avait d'abord la chambre de « Madame », très grande, tendue d'un papier à fleurs pâles, et contenant[2] le portrait de « Monsieur » en costume de muscadin[3]. Elle communiquait avec une chambre plus petite, où l'on voyait deux couchettes d'enfants, sans matelas[4]. Puis venait le salon, toujours fermé, et rempli de meubles recouverts d'un drap. Ensuite un corridor menait à un cabinet d'étude; des livres et des paperasses garnissaient les rayons d'une bibliothèque entourant de ses trois côtés un large bureau de bois noir. Les deux panneaux en retour disparaissaient sous des dessins à la plume, des paysages à la gouache[5] et des gravures d'Audran[6], souvenirs d'un temps meilleur et d'un luxe évanoui. Une lucarne au second étage éclairait la chambre de Félicité, ayant vue sur les prairies.

Elle se levait dès l'aube, pour ne pas manquer la messe, et travaillait jusqu'au soir sans interruption; puis, le dîner étant fini, la vaisselle en ordre et la porte bien close, elle enfouissait la bûche sous les cendres et s'endormait devant l'âtre, son rosaire[7] à la main. Personne, dans les marchandages, ne montrait plus d'entêtement. Quant à la propreté, le poli de ses casseroles faisait le désespoir des autres servantes. Économe, elle mangeait avec lenteur, et recueillait du doigt sur la table les miettes de son pain, — un pain de douze livres, cuit exprès pour elle, et qui durait vingt jours.

En toute saison elle portait un mouchoir d'indienne[8] fixé dans le dos par une épingle, un bonnet lui cachant les cheveux, des bas gris, un jupon rouge, et par-dessus sa camisole[9] un tablier à bavette, comme les infirmières d'hôpital.

Son visage était maigre et sa voix aiguë. A vingt-cinq ans, on lui en donnait quarante. Dès la cinquantaine, elle ne marqua[10] plus aucun âge; — et, toujours silencieuse, la taille droite et les gestes mesurés, semblait une femme en bois, fonctionnant d'une manière automatique.

---

1. La mode des pendules placées sur les cheminées a duré jusqu'au début du XXe siècle. Elles étaient parfois surmontées d'un motif ornemental, ici une colonnade circulaire rappelant les temples de la déesse *Vesta*. — 2. *Var. :* « *contenant* dans son alcôve *le portrait...* » — 3. Nom donné aux jeunes élégants, de Thermidor à l'Empire. — 4. Une literie complète comprend alors une paillasse, un lit de plume et un *matelas*. — 5. Très employée par les paysagistes de l'époque, la gouache est faite avec des couleurs pâteuses, détrempées dans une eau gommée et miellée. — 6. Sans doute Girard *Audran* (1640-1703), le plus célèbre des graveurs de sa famille. — 7. Chapelet. — 8. A côté du mouchoir de poche, il y a eu le *mouchoir* de cou (fichu). L'*indienne* est une cotonnade peinte. — 9. Vêtement court, à manches. — 10. *Marquer :* faire connaître, comme par une *marque* caractéristique.

- **Le choix d'un style.** — Flaubert éprouvait le besoin — naturel à un romancier — de raconter la vie de ses personnages. Dans les ébauches d'*Un Cœur simple* on les voit, à peine nés, pousser leurs racines, grandir et se séparer :

MONSIEUR AUBAIN est *un mauvais sujet*, employé dans les fournitures du camp de Boulogne. Il dissipe les trois quarts de la dot de sa femme avant de mourir d'une chute de cheval.

MADAME AUBAIN est d'une famille de petite noblesse, qui n'a pu s'opposer à son mariage parce qu'elle était majeure. Elle paraît dédaigneuse en raison de son extrême myopie. Elle a, en tous cas, une nature fière, aigrie par les chagrins. Après la mort de son mari, elle doit *prendre des engagements*, faire appel à l'avoué Bourais pour sortir de ses embarras.

FÉLICITÉ reçoit des offres avantageuses qu'elle refuse pour rester auprès de Mme Aubain, etc.

Mais Flaubert s'est contraint à effacer les traits, à écarter ses héros de leur passé et de leur environnement, à les maintenir ensemble, parce qu'il fallait écrire le conte dans *son* style, celui d'une vie simple, recroquevillée, immobilisée dans un cadre étroit où elle trouve son accomplissement, plate, décolorée, mais pleine.

① Qu'a-t-il gardé du passé de Mme Aubain et de son mari? Sous quelle forme? N'a-t-on pas envie d'en savoir plus? En quel sens peut-on dire que le refus de satisfaire cette envie est réaliste?

② Comparez Félicité à Catherine Leroux (*Madame Bovary*, II, 8). L'une est expliquée, l'autre non. Pourquoi?

③ Voyez comment les mouvements de cette première partie sont enchaînés (l. 6-7 et 37-38). Étudiez l'emploi du pronom *elle:* n'entraîne-t-il pas des équivoques? Reliez vos remarques en vous demandant ce qu'il faut penser d'un art où la grammaire et la rhétorique sont mises au service du sujet, malgré elles.

- **De Balzac à Flaubert.** — C'est à Balzac que l'on doit l'habitude de commencer un roman par la description du milieu qui explique (et modifie) les personnages. L'homme est ainsi lié à son habitat, à sa profession, comme il l'est à son origine et à son passé.

④ Flaubert a gardé le principe balzacien, mais il l'a appliqué autrement. Étudiez :

— la description de la maison (l. 14-37); est-elle complète? la voyez-vous? quelles impressions vous donne-t-elle?

— sa valeur historique (même en 1876) : n'êtes-vous pas frappé de certains détails (lesquels?) qui nous disent le mode de vie d'une famille bourgeoise en 1800?

— l'atmosphère : le mélange de richesse et de gêne, le poids du passé sur le présent...

— l'union des choses et des gens, soulignée par la composition (comment?);

— les différences entre les personnages : qu'est-ce qui distingue Félicité de Mme Aubain? L'une n'a-t-elle pas tendance à vivre dans le passé pendant que l'autre vit dans le présent? S'agit-il d'oppositions ou de nuances?

- **De Flaubert à Félicité**

⑤ Commentez ce passage d'une lettre de Flaubert à Louise Colet (6 juin 1853) : « Non, nous ne sommes pas bons; mais cette faculté de s'assimiler toutes les misères et de se supposer les ayant est peut-être la vraie charité humaine. »

2

Elle avait eu, comme une autre, son histoire d'amour.

Son père, un maçon, s'était tué en tombant d'un échafaudage. Puis sa mère mourut, ses sœurs se dispersèrent, un fermier la recueillit, et l'employa toute petite à garder les vaches dans la campagne. Elle
60 grelottait sous des haillons, buvait à plat ventre l'eau des mares [1], à propos de rien était battue, et finalement fut chassée pour un vol de trente sols [2] qu'elle n'avait pas commis. Elle entra dans une autre ferme, y devint fille de basse-cour, et, comme elle plaisait aux patrons, ses camarades la jalousaient.

65 Un soir du mois d'août (elle avait alors dix-huit ans), ils l'entraînèrent à l'assemblée [3] de Colleville [4]. Tout de suite elle fut étourdie, stupéfaite par le tapage des ménétriers [5], les lumières dans les arbres, la bigarrure des costumes, les dentelles, les croix d'or, cette masse de monde sautant [6] à la fois. Elle se tenait à l'écart modes-
70 tement, quand un jeune homme d'apparence cossue, et qui fumait sa pipe les deux coudes sur le timon [7] d'un banneau [8], vint l'inviter à la danse. Il lui paya du cidre, du café, de la galette, un foulard, et, s'imaginant qu'elle le devinait, offrit de la reconduire. Au bord d'un champ d'avoine, il la renversa brutalement. Elle eut peur
75 et se mit à crier. Il s'éloigna.

Un autre soir, sur la route de Beaumont [9], elle voulut dépasser un grand chariot de foin qui avançait lentement, et en frôlant les roues elle reconnut Théodore.

Il l'aborda d'un air tranquille, disant qu'il fallait tout pardonner,
80 puisque c'était « la faute de la boisson ».

Elle ne sut que répondre et avait envie de s'enfuir.

Aussitôt il parla des récoltes et des notables de la commune, car son père avait abandonné Colleville pour la ferme des Écots, de sorte que maintenant ils se trouvaient voisins.

85 — Ah! dit-elle.

---

1. *Var.* : « *l'eau des mares*, couchait sur la paille, servait les domestiques, *à propos de rien...* » — 2. La pièce d'argent de *trente sols* a circulé jusqu'au début du XIXe s. — 3. Fête ou marché de village. — 4. Nom choisi pour sa couleur locale et sa sonorité. — 5. Violonistes du bal. — 6. Dansant; on parle encore d'une *sauterie*. — 7. La barre de bois le long de laquelle on attelle les chevaux. — 8. Tombereau; cf. *benne*. — 9. A 6 km à l'ouest de Pont-l'Évêque : voir la carte, p. 43.

Il ajouta qu'on désirait l'établir [1]. Du reste, il n'était pas pressé, et attendait une femme à son goût. Elle baissa la tête. Alors il lui demanda si elle pensait au mariage. Elle reprit, en souriant, que c'était mal de se moquer.

90 — Mais non, je vous jure!

Et du bras gauche il lui entoura la taille; elle marchait soutenue par son étreinte; ils se ralentirent [2]. Le vent était mou [3], les étoiles brillaient, l'énorme charretée de foin oscillait devant eux; et les quatre chevaux, en traînant leurs pas, soulevaient de la poussière. 95 Puis, sans commandement, ils tournèrent à droite. Il l'embrassa encore une fois. Elle disparut dans l'ombre.

Théodore, la semaine suivante, en obtint des rendez-vous.

Ils se rencontraient au fond des cours, derrière un mur, sous un arbre isolé. Elle n'était pas innocente à la manière des demoiselles, — 100 les animaux l'avaient instruite; — mais la raison et l'instinct de l'honneur l'empêchèrent de faillir [4]. Cette résistance exaspéra l'amour de Théodore, si bien que pour le satisfaire (ou naïvement peut-être) il proposa de l'épouser. Elle hésitait à le croire. Il fit de grands serments.

105 Bientôt il avoua quelque chose de fâcheux : ses parents, l'année dernière, lui avaient acheté un homme [5]; mais d'un jour à l'autre on pourrait le reprendre; l'idée de servir l'effrayait. Cette couardise fut pour Félicité une preuve de tendresse; la sienne en redoubla. Elle s'échappait la nuit, et, parvenue au rendez-vous, Théodore la tortu- 110 rait avec ses inquiétudes et ses instances.

Enfin, il annonça qu'il irait lui-même à la Préfecture prendre des informations, et les apporterait dimanche prochain, entre onze heures et minuit.

Le moment arrivé, elle courut vers l'amoureux.

115 A sa place, elle trouva un de ses amis.

Il lui apprit qu'elle ne devait plus le revoir. Pour se garantir de la conscription [6], Théodore avait épousé une vieille femme très riche, Mme Lehoussais, de Toucques [7].

Ce fut un chagrin désordonné. Elle se jeta par terre, poussa des 120 cris, appela le bon Dieu, et gémit toute seule dans la campagne jusqu'au soleil levant. Puis elle revint à la ferme, déclara son intention d'en partir; et, au bout du mois, ayant reçu ses comptes [8], elle enferma tout son petit bagage dans un mouchoir [9], et se rendit à Pont-l'Évêque.

---

1. Le marier : se dit ordinairement en parlant des jeunes filles. — 2. Emploi pronominal rare, mais cher à Flaubert. — 3. *Var. : « le vent était* lourd ». — 4. Commettre une faute. — 5. Qui ferait le service militaire à sa place : voir *la Conscription*, p. 53. — 6. Recrutement militaire. — 7. Aujourd'hui *Touques*, à 8 km au nord de Pont-l'Évêque : voir la carte, p. 43. — 8. Ce qu'on lui devait. — 9. Voir p. 48, n. 8.

125 Devant l'auberge, elle questionna une bourgeoise en capeline [1] de veuve, et [2] qui précisément cherchait une cuisinière. La jeune fille ne savait pas grand'chose, mais paraissait avoir tant de bonne volonté et [3] si peu d'exigences, que Mme Aubain finit par dire :

— Soit, je vous accepte!

130 Félicité, un quart d'heure après, était installée chez elle.

D'abord elle y vécut dans une sorte de tremblement que lui causaient « le genre de la maison » et le souvenir de « Monsieur » planant sur tout! Paul et Virginie [4], l'un âgé de sept ans, l'autre de quatre à peine, lui semblaient formés d'une matière précieuse; elle les portait 135 sur son dos comme un cheval, et Mme Aubain lui défendit de les baiser à chaque minute, ce qui la mortifia [5]. Cependant elle se trouvait heureuse. La douceur du milieu avait fondu sa tristesse.

Tous les jeudis, des habitués venaient faire une partie de boston [6]. Félicité préparait d'avance les cartes et les chaufferettes [7]. Ils arri-140 vaient à huit heures bien juste, et se retiraient avant le coup de onze [8].

Chaque lundi matin, le brocanteur qui logeait sous l'allée étalait par terre ses ferrailles [9]. Puis la ville se remplissait d'un bourdonnement de voix, où se mêlaient des hennissements de chevaux, des 145 bêlements d'agneaux, des grognements de cochons, avec le bruit sec des carrioles dans la rue. Vers midi, au plus fort du marché, on voyait paraître sur le seuil un vieux paysan de haute taille, la casquette en arrière, le nez crochu, et qui était Robelin, le fermier de Geffosses. Peu de temps après, — c'était Liébard, le fermier de Toucques, 150 petit, rouge, obèse, portant une veste grise et des houseaux [10] armés d'éperons.

Tous les deux offraient [11] à leur propriétaire des poules ou des fromages. Félicité invariablement déjouait leurs astuces; et ils s'en allaient pleins de considération pour elle.

155 A des époques indéterminées, Mme Aubain recevait la visite du marquis de Gremanville [12], un de ses oncles, ruiné par la crapule [13], et qui vivait à Falaise [14] sur le dernier lopin [15] de ses terres. Il se

---

1. Mantille noire couvrant la tête et les épaules. — 2. Dans cet emploi, la conjonction n'exprime pas une addition, mais introduit une remarque, étonnée ou indignée. — 3. *Var. :* « avec *si peu...* » — 4. Prénoms des deux héros de Bernardin de Saint-Pierre, dont le roman, paru en 1787, alimentait les rêveries des âmes sensibles : voir *Madame Bovary*, I, 6. — 5. L'humilia. — 6. Jeu de cartes à la mode à la fin du XVIIIe s. — 7. On se chauffait les pieds sur des coffrets à couvercle percés de trous, où l'on avait mis de la braise. — 8. *Var. :* « sur la pointe *de onze* ». — 9. Vieux objets en fer habituellement mis au rebut. — 10. Guêtres : la route de Touques était marécageuse : voir p. 56, lignes 250-54. — 11. Pour qu'elle les achetât. — 12. Sur ce curieux personnage, qui s'appelait réellement *Crémanville* et était le grand-oncle de Flaubert, voir Gérard-Gailly, *op. cit.*, p. 201. — 13. L'ivrognerie. — 14. A une soixantaine de kilomètres au sud-ouest de Pont-l'Évêque. — 15. Morceau.

présentait toujours à l'heure du déjeuner avec un affreux caniche dont les pattes salissaient tous les meubles. Malgré ses efforts pour 160 paraître gentilhomme jusqu'à soulever son chapeau chaque fois qu'il disait : « Feu mon père », l'habitude l'entraînant, il se versait à boire

---

- **Une histoire comme une autre.** — La phrase initiale de la seconde partie (l. 56) traduit, en style indirect, une affirmation de Félicité : « J'ai *eu* mon *histoire d'amour.* » Ce n'est pas de l'orgueil, mais la revendication naturelle des humbles, celle d'être « comme les autres ».

① Un roman n'a-t-il pas besoin de personnages qui ne soient pas, ou qui ne soient plus, même provisoirement, comme les autres? Mais l'originalité doit-elle être recherchée dans la situation ou dans la façon dont elle est vue?

② Comparez l'histoire de Félicité à celle de *Germinie Lacerteux*, l'héroïne de l'œuvre que ses auteurs, les Goncourt, considéraient comme le modèle du réalisme et du naturalisme (publiée en 1865) : Germinie, malheureuse dans son enfance, a trouvé à se placer chez une vieille demoiselle qui se montre excellente pour elle. Mais elle s'éprend du fils de la crémière, Jupillon, et, afin qu'il ne parte pas au service militaire, elle emprunte 2 300 francs pour « acheter un homme ». Bien entendu, Jupillon l'abandonne et elle ne peut payer sa dette (elle gagne 300 francs par an!). Elle se met à boire et meurt dans la misère.

- **La conscription.** — Pour comprendre de tels drames, on se souviendra de la façon dont s'opérait le recrutement au XIXe siècle. Le Directoire avait, en 1798, posé le principe du service obligatoire. Napoléon l'avait corrigé de trois manières : les hommes mariés (ainsi que les ecclésiastiques et les étudiants) étaient exemptés de droit; les autres « tiraient au sort », et ceux qui avaient les bons numéros (les plus élevés) échappaient encore; enfin, il était possible aux malchanceux de payer des remplaçants (que leur fournissait le « marchand d'hommes »). Toutes les lois militaires, jusqu'en 1889, ont gardé des dispositions analogues.

Théodore à qui ses parents ont *acheté un homme* (l. 106) et qui se marie, aurait donc deux raisons de se croire à l'abri. Mais il ne l'est pas, et il le sait : l'Empire, qui a besoin de soldats, rappelle les exemptés. Pour ne pas partir, il devra donc payer un second remplaçant. Mme Lehoussais le fera pour lui.

- **Du réalisme à l'impressionnisme.** — Flaubert ne s'interpose pas entre ses personnages et leurs aventures : nous en voyons ce qu'ils en ont vu eux-mêmes (l. 56-129).

③ Les événements de la vie de Félicité sont-ils tous racontés? Ceux qui le sont ont-ils droit à des développements égaux? Sont-ils expliqués? Essayez de faire le portrait physique et moral de Théodore : disposez-vous de tous les éléments nécessaires? Avez-vous le sentiment que Flaubert pouvait nous en dire plus et rester vrai?

④ Étudiez le tableau du bal (p. 50, l. 65-75). Distinguez-en les deux parties.

La première est « impressionniste », la seconde « naturaliste ». Essayez de définir ces deux mots en partant du texte expliqué.

L'une et l'autre sont vraies. Montrez que Félicité, dans son émotion, *devait* regarder ainsi l'assemblée; que, psychologiquement, elle *devait* d'abord remarquer l'apparence *cossue* (l. 70) de Théodore, etc.

---

coup sur coup, et lâchait des gaillardises [1]. Félicité le poussait dehors poliment :

— Vous en avez assez, M. de Gremanville! A une autre fois!

165 Et elle refermait la porte.

Elle l'ouvrait avec plaisir devant M. Bourais, ancien avoué. Sa cravate blanche et sa calvitie, le jabot [2] de sa chemise, son ample redingote brune, sa façon de priser en arrondissant le bras, tout son individu lui produisait ce trouble [3] où nous jette le spectacle des 170 hommes extraordinaires.

Comme il gérait les propriétés de « Madame », il s'enfermait avec elle pendant des heures dans le cabinet de « Monsieur », et craignait toujours de se compromettre, respectait infiniment la magistrature, avait des prétentions au latin.

175 Pour instruire les enfants d'une manière agréable, il leur fit cadeau d'une géographie en estampes [4]. Elles représentaient différentes scènes du monde, des anthropophages coiffés de plumes, un singe enlevant une demoiselle, des Bédouins dans le désert, une baleine qu'on harponnait, etc.

180 Paul donna l'explication de ces gravures à Félicité. Ce fut même toute son éducation littéraire.

Celle des enfants était faite par Guyot, un pauvre diable employé à la mairie, fameux pour sa belle main [5], et qui repassait son canif sur sa botte [6].

185 Quand le temps était clair, on s'en allait de bonne heure à la ferme de Geffosses [7].

La cour est en pente, la maison dans le milieu; et la mer [8], au loin, apparaît comme une tache grise [9].

Félicité retirait de son cabas [10] des tranches de viande froide, et 190 on déjeunait dans un appartement faisant suite à la laiterie. Il était le seul reste d'une habitation de plaisance, maintenant disparue. Le papier de la muraille en lambeaux tremblait aux courants d'air. Mme Aubain penchait son front, accablée de souvenirs; les enfants n'osaient plus parler.

195 — Mais jouez donc, disait-elle.

Ils décampaient [11].

Paul montant dans la grange, attrapait des oiseaux, faisait des

---

1. Plaisanteries risquées. — 2. La dentelle qui garnit *sa chemise* et apparaît dans l'ouverture de sa *redingote*. — 3. *Var. :* « *lui* procurait *ce trouble...* » — 4. Illustrée. L'image est tirée à partir d'une planche, généralement de cuivre ou de bois. — 5. *Belle* écriture. — 6. On utilisait des plumes d'oie qu'il fallait tailler fréquemment. — 7. Voir p. 47, n. 7. — 8. *Var. :* « *et* au fond *la mer apparaît* au loin... » — 9. Description exacte (voir Gérard-Gailly, *op. cit.*, p. 26 et 198). — 10. Panier plat. — 11. *Var. :* « Et bien vite *ils décampaient* ».

ricochets sur la mare, ou tapait avec un bâton les grosses futailles [1] qui résonnaient comme des tambours.

200 Virginie donnait à manger aux lapins, se précipitait pour cueillir des bluets, et la rapidité [2] de ses jambes découvrait ses petits pantalons [3] brodés.

Un soir d'automne, on s'en retourna par les herbages.

La lune à son premier quartier éclairait une partie du ciel, et un 205 brouillard flottait comme une écharpe sur les sinuosités de la Toucques [4]. Des bœufs, étendus au milieu du gazon, regardaient tranquillement ces quatre personnes passer. Dans la troisième pâture [5] quelques-uns se levèrent, puis se mirent en rond devant elles.

210 — Ne craignez rien! dit Félicité.

Et murmurant une sorte de complainte, elle flatta sur l'échine celui qui se trouvait le plus près; il fit volte-face, les autres l'imitèrent. Mais, quand l'herbage suivant fut traversé, un beuglement formidable s'éleva. C'était un taureau, que cachait le brouillard. Il avança 215 vers les deux femmes. Mme Aubain allait courir.

— Non! non! moins vite!

Elles pressaient le pas cependant, et entendaient par derrière un souffle sonore qui se rapprochait. Ses sabots, comme des marteaux,

---

1. *Var.* : « *les* énormes *futailles* ». — 2. *Var.* : « vitesse ». — 3. Pantalons de lingerie qui descendaient jusqu'aux mollets. — 4. Voir la carte, p. 43. — 5. Pré Clos.

- **Le « genre » de la maison.** — Le passé de Félicité, à peine évoqué, s'efface, et nous revenons à la maison du bord de l'eau où elle est à sa place parce qu'on y a besoin d'elle (l. 130-184).

  ① Voyez comment, naturellement, elle s'identifie à la famille Aubain, défend ses intérêts, accueille ou écarte les étrangers, trouve à y satisfaire ses besoins d'admiration ou d'affection. Songe-t-elle qu'elle donne plus qu'elle ne reçoit?

  ② La vie provinciale est vue de la maison, en scènes courtes, meublées de quelques personnages caractéristiques.
  Étudiez celle du marché (l. 143-151) : distinguez-en les deux parties. Généralisez les résultats de votre étude et demandez-vous si, dans tout ce passage, vous n'avez pas souvent l'impression d'assister de l'extérieur à des spectacles dépourvus de sens. Quand en est-il autrement? Pourquoi?

  ③ Comment vous représentez-vous l'extraordinaire M. Bourais (l. 166-179)? Quel rôle joue-t-il dans la maison? Que pouvez-vous deviner de son caractère?

  ④ Les personnages essentiels sont les deux enfants La construction du récit le montre-t-elle? Quels sentiments Félicité éprouve-t-elle à leur égard?

---

battaient l'herbe de la prairie; voilà qu'il galopait maintenant! Félicité se retourna, et elle arrachait à deux mains des plaques de terre qu'elle lui jetait dans les yeux. Il baissait le mufle, secouait les cornes et tremblait de fureur en beuglant horriblement. Mme Aubain, au bout de l'herbage avec ses deux petits, cherchait éperdue comment franchir le haut bord [1]. Félicité reculait toujours devant le taureau, et continuellement lançait [2] des mottes de gazon qui l'aveuglaient, tandis qu'elle criait :

— Dépêchez-vous! dépêchez-vous!

Mme Aubain descendit le fossé, poussa Virginie, Paul ensuite, tomba plusieurs fois en tâchant de gravir le talus, et à force de courage y parvint.

Le taureau avait acculé Félicité contre une claire-voie [3]; sa bave lui rejaillissait à la figure, une seconde de plus il l'éventrait. Elle eut le temps de se couler entre deux barreaux, et la grosse bête, toute surprise, s'arrêta.

Cet événement, pendant bien des années, fut un sujet de conversation à Pont-l'Évêque. Félicité n'en tira aucun orgueil, ne se doutant même pas qu'elle eût rien fait d'héroïque.

Virginie l'occupait exclusivement; — car elle eut, à la suite de son effroi, une affection nerveuse, et M. Poupart, le docteur, conseilla les bains de mer de Trouville [4].

Dans ce temps-là, ils n'étaient pas fréquentés. Mme Aubain prit des renseignements, consulta Bourais, fit des préparatifs comme pour un long voyage.

Ses colis partirent la veille, dans la charrette de Liébard. Le lendemain, il amena deux chevaux dont l'un avait une selle de femme, munie d'un dossier de velours; et sur la croupe du second un manteau roulé formait une manière de siège. Mme Aubain y monta, derrière lui. Félicité se chargea de Virginie, et Paul enfourcha l'âne de M. Lechaptois [5], prêté sous la condition d'en avoir grand soin.

La route était si mauvaise que ses huit kilomètres exigèrent deux heures. Les chevaux enfonçaient jusqu'aux paturons [6] dans la boue, et faisaient pour en sortir de brusques mouvements des hanches; ou bien ils butaient contre les ornières [7]; d'autres fois, il leur fallait sauter. La jument de Liébard, à de certains endroits, s'arrêtait tout à coup. Il attendait patiemment qu'elle se remît en marche; et il parlait des personnes dont les propriétés bordaient la route,

1. Les prés sont clos de fossés bordés de haies. — 2. *Var.* : « *continuellement* lui *lançait...* » — 3. La porte du pâturage, faite de perches horizontales. — 4. Petit port dont la vogue des bains de mer fera une station importante à partir du Second Empire : voir la carte, p. 43. — 5. *Var.* : « M. Lestiboudois » : c'est le nom du bedeau d'Yonville, dans *Madame Bovary*. — 6. Partie de la patte, entre le sabot et le boulet. — 7. *Var.* : « *ornières* profondes ».

ajoutant à leur histoire des réflexions morales. Ainsi, au milieu de Toucques [1], comme on passait sous des fenêtres entourées de capucines, il dit, avec un haussement d'épaules :

260 — En voilà une Mme Lehoussais, qui au lieu de prendre [2] un jeune homme...

Félicité n'entendit pas le reste; les chevaux trottaient, l'âne galopait; tous enfilèrent un sentier, une barrière tourna, deux garçons parurent, et l'on descendit devant le purin, sur le seuil même de la 265 porte [3].

La mère Liébard, en apercevant sa maîtresse, prodigua les démonstrations de joie. Elle lui servit un déjeuner où il y avait un aloyau [4], des tripes, du boudin, une fricassée de poulet, du cidre mousseux, une tarte aux compotes et des prunes à l'eau-de-vie, accompagnant 270 le tout de politesses à Madame qui paraissait en meilleure santé, à Mademoiselle devenue « magnifique », à M. Paul singulièrement « forci [5] », sans oublier leurs grands-parents défunts que les Liébard avaient connus, étant au service de la famille depuis plusieurs générations. La ferme avait, comme eux, un caractère d'ancienneté. Les 275 poutrelles du plafond étaient vermoulues, les murailles noires de fumée, les carreaux gris de poussière. Un dressoir [6] en chêne supportait toutes sortes d'ustensiles, des brocs, des assiettes, des écuelles d'étain, des pièges à loup [7], des forces [8] pour les moutons; une seringue [9] énorme fit rire les enfants. Pas un arbre des trois cours 280 qui n'eût des champignons à sa base, ou dans ses rameaux une touffe de gui. Le vent en avait jeté bas plusieurs. Ils avaient repris par le milieu; et tous fléchissaient sous la quantité de leurs pommes. Les toits de paille, pareils à du velours brun et inégaux d'épaisseur, résistaient aux plus fortes bourrasques. Cependant la charretterie [10] 285 tombait en ruine. Mme Aubain dit qu'elle aviserait [11], et commanda de reharnacher les bêtes.

On fut encore une demi-heure avant d'atteindre Trouville. La petite caravane mit pied à terre pour passer les *Écores* [12]; c'était une falaise surplombant des bateaux; et trois minutes plus tard, au bout 290 du quai, on entra dans la cour de *l'Agneau d'or*, chez la mère David.

Virginie, dès les premiers jours, se sentit moins faible, résultat du changement d'air et de l'action des bains. Elle les prenait en chemise,

1. A 8 km de Pont-l'Évêque : voir p. 43. — 2. Épouser. — 3. *Var. : « de la* ferme ». — 4. Rôti de bœuf, pris dans la région des reins et non désossé. — 5. Devenu *fort;* expression populaire. — 6. Buffet sans portes. — 7. Les loups étaient encore nombreux au début du XIXe s. : on donnait une prime de 6 à 18 francs par bête tuée. — 8. Ciseaux pour couper la laine. — 9. A usage vétérinaire. — 10. Remise aux voitures. — 11. S'en occuperait; réponse équivoque. — 12. « Vers 1830, la falaise des *Écores*, à l'entrée de Trouville, s'avançait jusqu'à la rivière. Aujourd'hui le cours de la Touques a été détourné à gauche » (note de l'éd. Maynial).

à défaut d'un costume; et sa bonne la rhabillait dans une cabane de douanier qui servait aux baigneurs.

L'après-midi, on s'en allait avec l'âne au-delà des Roches-Noires, du côté d'Hennequeville[1]. Le sentier, d'abord, montait entre des terrains vallonnés comme la pelouse d'un parc, puis arrivait sur un plateau où alternaient des pâturages et des champs en labour. A la lisière du chemin, dans le fouillis des ronces, des houx se dressaient; çà et là, un grand arbre mort faisait sur l'air bleu des zigzags avec ses branches.

Presque toujours on se reposait dans un pré, ayant Deauville à gauche, le Havre à droite et en face la pleine mer[2]. Elle était brillante de soleil, lisse comme un miroir, tellement douce qu'on entendait à peine son murmure; des moineaux cachés pépiaient, et la voûte immense du ciel recouvrait tout cela. Mme Aubain, assise, travaillait à son ouvrage de couture; Virginie près d'elle tressait des joncs; Félicité sarclait[3] des fleurs de lavande; Paul, qui s'ennuyait, voulait partir.

D'autres fois, ayant passé la Toucques en bateau[4], ils cherchaient des coquilles. La marée basse laissait à découvert des oursins, des godefiches[5], des méduses; et les enfants couraient, pour saisir des flocons d'écume que le vent emportait. Les flots endormis[6], en tombant sur le sable, se déroulaient le long de la grève; elle s'étendait à perte de vue, mais du côté de la terre avait pour limite les dunes la séparant du *Marais*, large prairie en forme d'hippodrome[7]. Quand ils revenaient par là, Trouville, au fond sur la pente du coteau, à chaque pas grandissait, et avec toutes ses maisons inégales semblait s'épanouir[8] dans un désordre gai.

Les jours qu'il faisait trop chaud, ils ne sortaient pas de leur chambre. L'éblouissante clarté du dehors plaquait[9] des barres de lumière entre les lames des jalousies[10]. Aucun bruit dans le village. En bas, sur le trottoir, personne. Ce silence épandu[11] augmentait la tranquillité des choses. Au loin, les marteaux des calfats[12] tamponnaient des carènes[13], et une brise lourde apportait la senteur du goudron.

---

1. A 2 km à l'est de Trouville : voir la carte, p. 43. — 2. Voir la carte, p. 43. — 3. Débarrassait des mauvaises herbes. — 4. Pour aller à Deauville, encore presque inhabitée. — 5. Dites coquilles Saint-Jacques : de l'anglais *God fish* (poisson de Dieu); les pèlerins de Saint-Jacques venus de Grande-Bretagne arboraient cette coquille à leur chapeau. Le terme est encore employé en Normandie. — 6. *Var. :* « comme *endormis* ». — 7. Un *hippodrome* célèbre a été aménagé à cet endroit. — 8. Sens direct préparant le sens figuré. — 9. Le mot traduit à la fois une impression visuelle devant les bandes lumineuses, et une sensation de choc reçue du soleil. — 10. Stores de bois, à lamelles horizontales orientables. — 11. Étendu comme quelque chose qu'on verse; emploi rare. — 12. Ouvriers qui bouchent les fentes des coques, puis les goudronnent. — 13. Parties immergées des coques.

Le principal divertissement était le retour des barques. Dès qu'elles avaient dépassé les balises [1], elles commençaient à louvoyer [2]. Leurs voiles descendaient aux deux tiers des mâts; et, la misaine [3] gonflée
330 comme un ballon, elles avançaient, glissaient dans le clapotement des vagues, jusqu'au milieu du port où l'ancre tout à coup tombait. Ensuite le bateau se plaçait contre le quai. Les matelots jetaient par-dessus le bordage des poissons palpitants; une file de charrettes les attendait, et des femmes en bonnet de coton s'élançaient pour
335 prendre les corbeilles et embrasser leurs hommes.

Une d'elles, un jour, aborda Félicité, qui peu de temps après entra dans la chambre, toute joyeuse. Elle avait retrouvé une sœur; et Nastasie Barette, femme Leroux, apparut, tenant un nourrisson à sa poitrine, de la main droite un autre enfant, et à sa gauche un petit
340 mousse les poings sur les hanches [4] et le béret sur l'oreille.

Au bout d'un quart d'heure, Mme Aubain la congédia [5].

On les rencontrait toujours aux abords de la cuisine [6], ou dans les promenades que l'on faisait. Le mari ne se montrait pas.

Félicité se prit d'affection pour eux. Elle leur acheta une couver-
345 ture, des chemises, un fourneau; évidemment ils l'exploitaient. Cette faiblesse agaçait Mme Aubain qui d'ailleurs n'aimait pas les familiarités du neveu, — car il tutoyait son fils; — et, comme Virginie toussait et que la saison n'était plus bonne, elle revint à Pont-l'Évêque.

M. Bourais l'éclaira [7] sur le choix d'un collège. Celui de Caen passait
350 pour le meilleur. Paul y fut envoyé, et fit bravement ses adieux, satisfait d'aller vivre dans une maison où il aurait des camarades.

Mme Aubain se résigna à l'éloignement de son fils, parce qu'il était indispensable. Virginie y songea [8] de moins en moins. Félicité regrettait son tapage. Mais une occupation vint la distraire : à partir de
355 Noël, elle mena tous les jours la petite fille au catéchisme.

---

1. *Var. :* « franchi *les balises* ». — 2. Manœuvrer pour avancer par vent contraire. — 3. Voile du mât du même nom, à l'avant du bateau. — 4. *Var. :* « contre *les hanches* ». — 5. L'invita à partir. — 6. Où se tiennent les domestiques. — 7. Lui donna des informations. — 8. *Var. :* « y pensa *de moins en moins* ».

• **Deux épisodes.** — Dans la vie unie que l'on mène chez Mme Aubain, il y a des distractions : on passe la journée à Geffosses, et même, une année, on va jusqu'à Trouville! (l. 185-348).

① La position de Félicité se modifie :
C'est elle qui s'occupe des enfants. Qu'aime-t-elle en eux? Choisit-elle? Ne leur unit-elle pas son neveu? A quel sentiment obéit-elle?
Encore une fois, sans qu'elle l'ait voulu, sa vie se trouve associée à une autre, celle de Virginie. Comment?

3

Quand elle avait fait à la porte une génuflexion, elle s'avançait sous la haute nef [1] entre la double ligne des chaises, ouvrait le banc [2] de Mme Aubain, s'asseyait et promenait ses yeux autour d'elle.

Les garçons à droite, les filles à gauche, emplissaient les stalles [3]
360 du chœur; le curé se tenait debout près du lutrin [4]; sur un vitrail de l'abside [5], le Saint-Esprit dominait la Vierge; un autre la montrait à genoux devant l'Enfant-Jésus, et, derrière le tabernacle [6], un groupe en bois représentait saint Michel [7] terrassant le dragon.

Le prêtre fit d'abord un abrégé de l'Histoire Sainte. Elle croyait
365 voir le paradis, le déluge, la tour de Babel, des villes tout en flammes [8], des peuples qui mouraient, des idoles renversées; et elle garda de cet éblouissement le respect du Très-Haut et la crainte de sa colère. Puis, elle pleura en écoutant la Passion. Pourquoi l'avaient-ils crucifié, lui qui chérissait les enfants, nourrissait les foules, guérissait les
370 aveugles, et avait voulu, par douceur, naître au milieu des pauvres, sur le fumier [9] d'une étable? Les semailles, les moissons, les pressoirs, toutes ces choses familières dont parle l'Évangile, se trouvaient dans sa vie; le passage de Dieu les avait sanctifiées; et elle aima plus tendrement les agneaux par amour de l'Agneau [10], les colombes à
375 cause du Saint-Esprit [11].

Elle avait peine à imaginer sa personne; car il n'était pas seulement oiseau, mais encore un feu [12], et d'autres fois un souffle [13]. C'est peut-être sa lumière qui voltige la nuit au bord des marécages [14], son haleine qui pousse les nuées, sa voix qui rend les cloches harmonieuses;
380 et elle demeurait dans une adoration [15], jouissant de la fraîcheur des murs et de la tranquillité de l'église.

---

1. Le « navire », la partie de l'église qui va du portail au chœur. — 2. Usage provincial longtemps conservé : chaque famille avait « son » *banc*, parfois séparé de l'allée par un portillon. Avoir un banc bien placé était une preuve d'importance. — 3. Sièges de bois qui se haussent et se baissent à volonté. — 4. Pupitre où sont posés les livres d'office — 5. Partie de l'église située derrière le maître-autel. — 6. Petite armoire placée sur l'autel et abritant les hosties. — 7. « Flaubert décrit ici l'église Saint-Michel de Pont-l'Évêque » (note de l'éd. Maynial). — 8. Dans les manuels d'Histoire Sainte, l'épisode qui vient immédiatement après celui de la tour de Babel est celui de Sodome et Gomorrhe, deux villes qui, pour avoir oublié Dieu, furent détruites par une pluie de feu. — 9. Sur la paille, dit-on habituellement. Félicité, paysanne, voit la « Nativité » avec plus de réalisme. — 10. Le Christ est appelé *Agneau* de Dieu. — 11. Souvent représenté sous cette forme. — 12. Le Saint-Esprit, après l'Ascension, prit la forme de langues de *feu* pour descendre sur les Apôtres. — 13. On le désigne aussi comme le *souffle* de Dieu. — 14. Allusion aux mystérieux feux follets qui faisaient peur à Landry (G. Sand, *la Petite Fadette*, ch. 12). — 15. Comparer à l'expression habituelle : en *adoration*.

Quant aux dogmes [1], elle n'y comprenait rien, ne tâcha même pas de comprendre. Le curé discourait, les enfants récitaient, elle finissait par s'endormir; et se réveillait tout à coup, quand ils faisaient en
385 s'en allant claquer leurs sabots sur les dalles.

Ce fut de cette manière, à force de l'entendre, qu'elle apprit le catéchisme, son éducation religieuse ayant été négligée dans sa jeunesse; et dès lors elle imita toutes les pratiques [2] de Virginie, jeûnait [3] comme elle, se confessait avec elle. A la Fête-Dieu [4], elles
390 firent ensemble un reposoir [5].

La première communion la tourmentait d'avance. Elle s'agita pour les souliers, pour le chapelet, pour le livre, pour les gants. Avec quel tremblement elle aida sa mère à l'habiller!

Pendant toute la messe, elle éprouva une angoisse. M. Bourais lui
395 cachait un côté du chœur; mais juste en face, le troupeau [6] des vierges portant des couronnes blanches par-dessus leurs voiles abaissés formait comme un champ de neige; et elle reconnaissait de loin la chère petite à son cou plus mignon et son attitude recueillie. La cloche tinta. Les têtes se courbèrent; il y eut un silence. Aux éclats de
400 l'orgue, les chantres et la foule entonnèrent l'*Agnus Dei* [7]; puis le défilé des garçons commença; et, après eux, les filles se levèrent. Pas à pas, et les mains jointes, elles allaient vers l'autel tout illuminé, s'agenouillaient sur la première marche, recevaient l'hostie, et dans le même ordre revenaient à leurs prie-Dieu. Quand
405 ce fut le tour de Virginie, Félicité se pencha pour la voir; et, avec l'imagination que donnent les vraies tendresses, il lui sembla qu'elle était elle-même cette enfant; sa figure devenait la sienne, sa robe l'habillait, son cœur lui battait dans la poitrine; au moment d'ouvrir la bouche, en fermant les paupières, elle manqua s'évanouir.

410 Le lendemain, de bonne heure, elle se présenta dans la sacristie [8], pour que M. le curé lui donnât la communion. Elle la reçut dévotement, mais n'y goûta pas les mêmes délices.

Mme Aubain voulait faire de sa fille une personne accomplie; et, comme Guyot ne pouvait lui montrer [9] ni l'anglais ni la musique [10],
415 elle résolut de la mettre en pension chez les Ursulines [11] d'Honfleur [12].

1. Points fondamentaux de la doctrine. — 2. Exercices religieux. — 3. Pour les catholiques : s'abstenir de certains aliments. — 4. Fête du Saint-Sacrement, marquée par une grande procession. — 5. Autel élevé dans la rue pour y faire « reposer » le Saint-Sacrement. — 6. Mot usuel dans la littérature religieuse, les fidèles étant les brebis du Pasteur. — 7. Prière préparatoire à la communion. Elle est faite sur les paroles de saint Jean-Baptiste présentant le Christ aux Hébreux. — 8. Lieu annexe d'une église, utilisé pour déposer les vêtements et les objets sacrés. On peut y accomplir certains actes du culte. — 9. Enseigner. — 10. Considérés l'un et l'autre comme « arts d'agrément ». — 11. Ordre religieux d'origine italienne, introduit en France au début du XVIIe s. Il se consacre surtout à l'éducation des filles. — 12. A 16 km au nord de Pont-l'Évêque : voir la carte, p. 43.

L'enfant n'objecta rien. Félicité soupirait, trouvant Madame insensible. Puis elle songea que sa maîtresse, peut-être, avait raison. Ces choses dépassaient sa compétence.

Enfin, un jour, une vieille tapissière [1] s'arrêta devant la porte;
420 et il en descendit une religieuse qui venait chercher Mademoiselle. Félicité monta les bagages sur l'impériale, fit des recommandations au cocher, et plaça dans le coffre six pots de confitures et une douzaine de poires, avec un bouquet de violettes.

Virginie, au dernier moment, fut prise d'un grand sanglot; elle
425 embrassait sa mère qui la baisait au front en répétant :

— Allons! du courage! du courage!

Le marchepied se releva, la voiture partit.

Alors Mme Aubain eut une défaillance; et le soir tous ses amis, le ménage Lormeau, Mme Lechaptois, *ces* [2] demoiselles Rochefeuille,
430 M. de Houppeville et Bourais se présentèrent pour la consoler.

La privation de sa fille lui fut d'abord très douloureuse. Mais trois fois la semaine elle en recevait une lettre, les autres jours lui écrivait, se promenait dans son jardin, lisait un peu, et de cette façon comblait le vide des heures.

435 Le matin, par habitude, Félicité entrait dans la chambre de Virginie, et regardait les murailles. Elle s'ennuyait de n'avoir plus à peigner ses cheveux, à lui lacer ses bottines, à la border dans son lit, — et de ne plus voir continuellement sa gentille figure, de ne plus la tenir par la main quand elles sortaient ensemble. Dans son désœuvrement,
440 elle essaya de faire de la dentelle. Ses doigts trop lourds cassaient les fils; elle n'entendait à rien [3], avait perdu le sommeil, suivant son mot, était « minée ».

Pour « se dissiper [4] », elle demanda la permission de recevoir son neveu Victor.

445 Il arrivait le dimanche après la messe, les joues roses, la poitrine nue, et sentant l'odeur de la campagne qu'il avait traversée. Tout de suite, elle dressait son couvert. Ils déjeunaient l'un en face de l'autre; et, mangeant elle-même le moins possible pour épargner la dépense, elle le bourrait tellement de nourriture qu'il finissait par s'endormir.
450 Au premier coup des vêpres, elle le réveillait, brossait son pantalon, nouait sa cravate, et se rendait à l'église, appuyée sur son bras dans un orgueil [5] maternel.

---

1. Voiture qui avait un toit (une *impériale*), mais ouverte sur les côtés. Elle servait surtout aux transports de bagages. — 2. Manière de parler habituelle encore en province pour désigner des personnes considérées. — 3. *N'était* habile à rien (comme on dit : s'entendre à quelque chose.) — 4. Se distraire. — 5. Apprécier cet emploi du substantif.

Ses parents le chargeaient toujours d'en tirer quelque chose, soit un paquet de cassonade [1], du savon, de l'eau-de-vie, parfois même de 455 l'argent. Il apportait ses nippes [2] à raccommoder; et elle acceptait cette besogne, heureuse d'une occasion qui le forçait à revenir.

1. Sucre brut, tel qu'il arrivait en Europe où il était raffiné. — 2. Sens ancien : pièces de linge et de vêtement. Par la suite : mauvais vêtements.

- **Félicité devant Dieu.** — Recueillie toute petite par un fermier et occupée à garder les bêtes, Félicité n'a reçu aucune instruction. Elle a dû accomplir ses devoirs religieux comme ses autres devoirs, sans raisonner, parce qu'ils lui étaient imposés par l'usage ou par sa condition. Et puis, un jour, en accompagnant Virginie au catéchisme, elle découvre le sentiment religieux, et un nouveau maître à qui se dévouer (l. **356-412**).

C'est simplement, comme pour tout ce qu'elle fait, qu'elle parvient à la vie mystique.

Voyez le naturel de son comportement, entre le moment où elle arrive à l'église et celui où elle se réveille pour en sortir (l. **384**) : l'entrée, le regard porté autour d'elle, la voix du prêtre et la rêverie, le sommeil.

① Relevez les traits de réalisme qui le soulignent.

Notez les rapports entre les sensations et les mouvements de l'âme. Étudiez, dans le troisième paragraphe (l. **364-375**), l'imagination de Félicité : sa fraîcheur (tout ce que dit le prêtre n'est-il pas pour elle également vrai, histoire ou symbole?); sa force (comment réagit-elle devant les récits de l'Écriture?); son originalité (n'a-t-elle pas *sa* vue des choses?).

② Assistez à la naissance du sentiment religieux, de la crainte à l'amour. N'arrive-t-il pas à une sorte de perfection? Précisez cette idée.

La première communion réunit tout ce qu'elle aime :

La tendresse qu'elle éprouve pour Virginie se distingue-t-elle, en elle, du bonheur d'être à l'église? Pourquoi est-elle moins heureuse de sa propre communion que de celle de l'enfant?

Notez la force de ses sentiments. Comment, pour elle, Flaubert définit-il l'amour? Comment se manifeste-t-il?

③ Qu'entendons-nous, que voyons-nous de la cérémonie? Pourquoi? Encore une fois, l'écrivain a refusé d'expliquer son héroïne. Mais il nous permet de la deviner : elle est naturellement passionnée. Relisez les lignes **119-124**. Cherchez d'autres exemples.

④ Étudiez cette phrase d'une lettre à Mlle Leroyer de Chantepie (18 novembre 1859) : « Je suis convaincu que les appétits matériels les plus furieux se formulent insciemment par des élans d'idéalisme. »

⑤ Rapprochez la communion de Félicité de celle de Mme Bovary (II, 14), en vous demandant si l'une ne vous éclaire pas sur l'autre :

Emma sentait quelque chose de fort passant sur elle, qui la débarrassait de ses douleurs, de toute perception, de tout sentiment. Sa chair allégée ne pesait plus, une autre vie commençait; il lui sembla que son être, montant vers Dieu, allait s'anéantir dans cet amour comme un encens allumé qui se dissipe en vapeur. On aspergea d'eau bénite les draps du lit; le prêtre retira du saint ciboire la blanche hostie; et ce fut en défaillant d'une joie céleste qu'elle avança les lèvres pour accepter le corps du Sauveur qui se présentait.

Au mois d'août, son père l'emmena au cabotage[1].

C'était l'époque des vacances. L'arrivée des enfants la consola. Mais Paul devenait capricieux, et Virginie n'avait plus l'âge d'être 460 tutoyée, ce qui mettait une gêne, une barrière entre elles.

Victor alla successivement à Morlaix, à Dunkerque et à Brighton[2]; au retour de chaque voyage, il lui offrait un cadeau. La première fois, ce fut une boîte en coquilles; la seconde, une tasse à café; la troisième, un grand bonhomme en pain d'épices. Il embellissait, avait la taille 465 bien prise, un peu de moustache, de bons yeux francs, et un petit chapeau de cuir, placé en arrière comme un pilote[3]. Il l'amusait en lui racontant des histoires mêlées de termes marins.

Un lundi, 14 juillet 1819 (elle n'oublia pas la date), Victor annonça qu'il était engagé au long cours[4], et, dans la nuit du surlendemain, 470 par le paquebot[5] de Honfleur, irait rejoindre sa goélette[6], qui devait démarrer[7] du Havre prochainement. Il serait, peut-être, deux ans parti.

La perspective d'une telle absence désola Félicité; et pour lui dire encore adieu, le mercredi soir, après le dîner de Madame, elle chaussa 475 des galoches[8], et avala les quatre lieues qui séparent Pont-l'Évêque de Honfleur.

Quand elle fut devant le Calvaire, au lieu de prendre à gauche, elle prit à droite, se perdit dans des chantiers[9], revint sur ses pas; des gens qu'elle accosta l'engagèrent à se hâter. Elle fit le tour du bassin 480 rempli de navires, se heurtait contre les amarres; puis le terrain s'abaissa, des lumières s'entrecroisèrent, et elle se crut folle, en apercevant des chevaux dans le ciel.

Au bord du quai, d'autres hennissaient, effrayés par la mer. Un palan[10] qui les enlevait les descendait dans un bateau, où des voya- 485 geurs se bousculaient entre les barriques de cidre, les paniers de fromage, les sacs de grain; on entendait chanter des poules, le capitaine jurait; et un mousse restait accoudé sur le bossoir[11], indifférent à tout cela. Félicité, qui ne l'avait pas reconnu, criait : « Victor! »; il leva la tête; elle s'élançait, quand on retira l'échelle tout à coup.

---

1. Navigation marchande dans une même mer; ici, la Manche. — 2. Sur la côte méridionale de l'Angleterre, en face de Honfleur. — 3. Marin pris à bord des grands navires pour remplacer le timonier habituel et les faire entrer dans le port. Les pilotes de Honfleur étaient réputés dans l'estuaire de la Seine. — 4. Sur un navire partant pour les pays lointains. — 5. Bateau destiné au service régulier d'une ligne, même courte. — 6. Voilier léger, à deux mâts, construit pour la course ou pour la guerre, en général. — 7. Le contraire d'*amarrer*. — 8. Sabots creusés dans une bille de hêtre. — 9. Entrepôts ou *chantiers* de construction navale. — 10. Appareil qui, à l'aide de poulies et de cordes, permet d'élever les fardeaux. — 11. Pièce de bois ou de fer qui fait saillie à l'avant du vaisseau; elle sert à la manœuvre de l'ancre.

490 Le paquebot, que des femmes halaient en chantant, sortit du port. Sa membrure[1] craquait, les vagues pesantes fouettaient sa proue. La voile avait tourné, on ne vit plus personne; — et, sur la mer argentée par la lune, il faisait une tache noire qui pâlissait toujours, s'enfonça, disparut.

495 Félicité, en passant près du Calvaire, voulut recommander à Dieu ce qu'elle chérissait le plus; et elle pria pendant longtemps, debout, la face baignée de pleurs, les yeux vers les nuages. La ville dormait, les douaniers se promenaient; et de l'eau tombait sans discontinuer par les trous de l'écluse, avec un bruit de torrent. Deux heures 500 sonnèrent.

Le parloir[2] n'ouvrirait pas avant le jour. Un retard, bien sûr, contrarierait Madame; et, malgré son désir d'embrasser l'autre enfant, elle s'en retourna. Les filles de l'auberge s'éveillaient, comme elle entrait dans Pont-l'Évêque.

505 Le pauvre gamin durant des mois allait donc rouler[3] sur les flots! Ses précédents voyages ne l'avaient pas effrayée. De l'Angleterre et de la Bretagne, on revenait; mais l'Amérique, les Colonies, les Iles[4], cela était perdu dans une région incertaine, à l'autre bout du monde.

---

1. L'assemblage des pièces de bois qui forment en quelque sorte l'ossature du navire. — 2. Du couvent des Ursulines où est Virginie. — 3. Le verbe n'évoque pas seulement le *roulis* (oscillation de tribord sur bâbord et *vice versa*); il a un sens plus général. — 4. Par excellence : celles de la mer des Antilles.

• **La route descendante.** — La pauvre Félicité, au jour de la première communion, a été riche de tout ce qui lui avait été refusé : l'amour, la maternité, l'exaltation des rêves. Elle a vingt-cinq ans — on lui en donne quarante. Elle vient de franchir le sommet de la vie et elle va maintenant descendre, apprenant à se dépouiller encore, sans révoltes — ou presque — mais non sans douleurs (l. **413-508**).

Elle perd d'abord Virginie (l. **419** et suiv.).

① Comparez l'attitude et les sentiments de Mme Aubain et de la servante (l. **413-442**). Expliquez-les par les caractères et les conditions sociales. Demandez-vous si Virginie n'est pas deux fois perdue (voir les lignes **459-460**), et pour la même raison. Laquelle?

② Félicité perd ensuite Victor (l. **468-508**). Il est « l'autre enfant » (voir la ligne **540**). Montrez comment l'identité des sentiments de Félicité est soulignée par la composition, par le retour de certains gestes, par le rapprochement final.

③ Étudiez le récit des adieux (l. **473** et suiv.). Félicité se sent « perdue ». Comment l'éprouvons-nous à travers le tableau des quais et du bateau? Êtes-vous sensible à la qualité de ces pages où la brutalité équilibre le pathétique, où l'on sent si vivement la tristesse et la misère du monde?

Dès lors, Félicité pensa exclusivement à son neveu. Les jours de soleil[1], elle se tourmentait de la soif; quand il faisait de l'orage, craignait pour lui la foudre. En écoutant[2] le vent qui grondait dans la cheminée et emportait les ardoises, elle le voyait battu par cette même tempête, au sommet d'un mât fracassé, tout le corps en arrière, sous une nappe d'écume[3]; ou bien, — souvenirs de la géographie en estampes[4], — il était mangé par les sauvages, pris dans un bois par des singes, se mourait le long d'une plage déserte. Et jamais elle ne parlait de ses inquiétudes.

Mme Aubain en avait d'autres sur sa fille.

Les bonnes[5] sœurs trouvaient qu'elle était affectueuse, mais délicate. La moindre émotion l'énervait[6]. Il fallut abandonner le piano.

Sa mère exigeait du couvent une correspondance réglée. Un matin que le facteur n'était pas venu, elle s'impatienta; et elle marchait dans la salle, de son fauteuil à la fenêtre. C'était vraiment extraordinaire! depuis quatre jours, pas de nouvelles!

Pour qu'elle se consolât par son exemple, Félicité lui dit :

— Moi, Madame, voilà six mois que je n'en ai reçu!...

— De qui donc?...

La servante répliqua doucement :

— Mais... de mon neveu!

— Ah! votre neveu!

Et, haussant les épaules, Mme Aubain reprit sa promenade, ce qui voulait dire : « Je n'y pensais pas!... Au surplus, je m'en moque! un mousse, un gueux[7], belle affaire!... tandis que ma fille... songez donc!... »

Félicité, bien que nourrie dans la rudesse[8], fut indignée contre Madame, puis oublia.

Il lui paraissait tout simple de perdre la tête à l'occasion de la petite.

Les deux enfants avaient une importance égale; un lien de son cœur les unissait, et leur destinée devait être la même.

Le pharmacien lui apprit que le bateau de Victor était arrivé à la Havane[9]. Il avait lu ce renseignement dans une gazette[10].

A cause des cigares, elle imaginait la Havane un pays où l'on ne fait pas autre chose que de fumer, et Victor circulait parmi des

1. *Var. : « Les jours de* chaleur ». — 2. *Var. :* « l'hiver, *en écoutant...* ». — 3. C'est une gravure dans le style pathétique de la fin du XVIIIe s. qu'évoque ici Félicité. — 4. Voir p. 54, n. 4. — 5. Épithète de nature. — 6. Sens vieilli : lui ôtait le nerf, c'est-à-dire la force physique et morale. — 7. Celui qui est dans la gêne; par extension, toute personne de condition modeste. — 8. Noter l'emploi du substantif. — 9. Capitale de Cuba; les cigares de La Havane sont réputés. — 10. Journal; mot vieilli dès la fin du XVIIIe s. La lecture des journaux était encore exceptionnelle au début du XIXe.

nègres dans un nuage de tabac. Pouvait-on « en cas de besoin » s'en retourner par terre? A quelle distance [1] était-ce de Pont-l'Évêque? Pour le savoir, elle interrogea M. Bourais.

Il atteignit son atlas, puis commença des explications sur les
550 longitudes [2]; et il avait un beau sourire de cuistre [3] devant l'ahurissement de Félicité. Enfin, avec son porte-crayon [4], il indiqua dans les découpures d'une tache ovale un point noir, imperceptible, en ajoutant : « Voici. »

Elle se pencha sur la carte; ce réseau de lignes coloriées fatiguait
555 sa vue, sans lui rien apprendre; et Bourais l'invitant à dire ce qui l'embarrassait, elle le pria de lui montrer la maison où demeurait Victor. Bourais leva les bras, il éternua, rit énormément; une candeur [5] pareille excitait sa joie; et Félicité n'en comprenait pas le motif, — elle qui s'attendait [6] peut-être à voir jusqu'au portrait de son neveu,
560 tant son intelligence était bornée!

---

1. *Var. :* « *à* combien de *distance* ». — 2. La recherche des *longitudes* a été longtemps le problème le plus difficile posé aux marins. — 3. *Sourire* prétentieux et pédant. Le mot a désigné d'abord le valet de collège. — 4. Au début du XIXe s., on a utilisé la mine de plomb dans un *porte-crayon* de métal; c'est cette mine elle-même qui s'appelle crayon. — 5. Innocence (au sens péjoratif). — 6. Ce commentaire doit être attribué à Bourais.

- **Victor.** — Félicité, à qui sa condition refuse une vie personnelle, s'en échappe naturellement quand les circonstances le permettent. Elle s'est liée à Théodore, puis à sa sœur. Elle s'attache à son neveu comme à un fils, déraisonnablement, de tout son cœur (l. 509-605).
  ① Suivez le jeu de l'imagination et de la réalité autour d'elle :
  La réalité s'incarne en M. Bourais. Comment son comportement (l.549-560) justifie-t-il le mépris de Flaubert pour ce qu'on dit être l'intelligence?
  L'imagination de Félicité est commandée par la sensibilité. N'est-ce pas une manière de se mettre à la place de celui qu'elle aime? Avec quels éléments en fabrique-t-elle les représentations?
  ② Comparez les deux beaux tableaux du deuil :
  Celui de la mère douloureuse (p. 65, l. 495-500) n'appartient-il pas à un type traditionnel de la littérature religieuse? Lequel? Comment est-il rénové par l'utilisation des bruits de la nuit?
  Celui du lavoir (p. 68, l. 589-597) est plus contrasté. Étudiez-en la psychologie. Comment est-elle traduite?
  Cette diffusion de l'âme douloureuse dans la nature, en particulier dans les plaines ou dans le cours des eaux, est souvent notée par Flaubert. Essayez d'en expliquer le sens et l'intérêt littéraire.

- **Les groupes sociaux.** — Dans la mesure où Félicité se détache de son milieu d'adoption, nous pouvons mieux connaître les rapports sociaux dans la province française au début du XIXe siècle :
  ③ Relevez les traits qui montrent la dureté ou l'indifférence des maîtres, la misère physique, morale ou sociale des pauvres. L'auteur « juge »-t-il? Quel intérêt y aurait-il à lire « son » jugement?

Ce fut quinze jours après que Liébard, à l'heure du marché comme d'habitude, entra dans la cuisine [1], et lui remit une lettre qu'envoyait son beau-frère. Ne sachant [2] lire aucun des deux, elle eut recours à sa maîtresse.

565 Mme Aubain, qui comptait les mailles d'un tricot, le posa près d'elle, décacheta la lettre, tressaillit, et, d'une voix basse, avec un regard profond :

— C'est un malheur... qu'on vous annonce. Votre neveu...

Il était mort. On n'en disait pas davantage.

570 Félicité tomba sur une chaise, en s'appuyant la tête à la cloison, et ferma ses paupières, qui devinrent roses tout à coup. Puis, le front baissé, les mains pendantes, l'œil fixe, elle répétait par intervalles :

— Pauvre petit gars! pauvre petit gars!

Liébard la considérait en exhalant des soupirs. Mme Aubain trem-575 blait un peu.

Elle lui proposa d'aller voir sa sœur, à Trouville.

Félicité répondit, par un geste, qu'elle n'en avait pas besoin.

Il y eut un silence. Le bonhomme [3] Liébard jugea convenable de se retirer.

580 Alors elle dit :

— Ça ne leur fait rien, à eux!

Sa tête retomba; et machinalement elle soulevait, de temps à autre, les longues aiguilles sur la table à ouvrage.

Des femmes passèrent dans la cour avec un bard [4] d'où dégouttelait [5] 585 du linge.

En les apercevant par les carreaux, elle se rappela sa lessive; l'ayant coulée [6] la veille, il fallait aujourd'hui la rincer; et elle sortit de l'appartement.

Sa planche [7] et son tonneau étaient au bord de la Toucques. Elle 590 jeta sur la berge un tas de chemises, retroussa ses manches, prit son battoir; et les coups forts qu'elle donnait s'entendaient dans les autres jardins à côté. Les prairies étaient vides, le vent agitait la rivière; au fond, de grandes herbes s'y penchaient, comme des chevelures de cadavres flottant dans l'eau. Elle retenait sa douleur, jus-595 qu'au soir fut très brave; mais, dans sa chambre [8], elle s'y abandonna, à plat ventre sur son matelas, le visage dans l'oreiller, et les deux poings contre les tempes.

---

1. *Var.* : « sa *cuisine* ». — 2. Participe à valeur causale. L'inversion est rude. — 3. Ce mot a désigné le paysan (d'où : Jacques Bonhomme), et aussi l'homme d'âge. — 4. Brancard pour porter des fardeaux; habituellement, le mot désigne une grande civière à six bras. — 5. *Dégoutteler* : diminutif (local?) de *dégoutter* (laisser tomber des gouttes). — 6. Préparée en versant sur le linge une dissolution à base de cendres. — 7. On bat et on frotte le linge sur une *planche*. La lavandière est agenouillée dans un demi-*tonneau* échancré. — 8. *Var.* : « à peine *dans sa chambre* ».

Beaucoup plus tard, par le capitaine de Victor lui-même, elle connut les circonstances de sa fin. On l'avait trop saigné [1] à l'hôpital,
600 pour la fièvre jaune. Quatre médecins le tenaient [2] à la fois. Il était mort immédiatement, et le chef avait dit :

— Bon ! encore un !

Ses parents l'avaient toujours traité avec barbarie. Elle aima mieux ne pas les revoir; et ils ne firent aucune avance, par oubli, ou
605 endurcissement de misérables [3].

Virginie s'affaiblissait.

Des oppressions, de la toux, une fièvre continuelle et des marbrures aux pommettes décelaient quelque affection [4] profonde. M. Poupart avait conseillé un séjour en Provence [5]. Mme Aubain s'y décida [6],
610 et eût tout de suite repris sa fille à la maison, sans le climat [7] de Pont-l'Évêque.

Elle fit un arrangement avec un loueur de voitures, qui la menait au couvent chaque mardi. Il y a dans le jardin une terrasse d'où l'on découvre la Seine. Virginie s'y promenait à son bras, sur les feuilles
615 de pampre [8] tombées. Quelquefois le soleil traversant les nuages la forçait à cligner ses paupières, pendant qu'elle regardait les voiles au loin et tout l'horizon, depuis le château de Tancarville [9] jusqu'aux phares [10] du Havre. Ensuite on se reposait sous la tonnelle. Sa mère s'était procuré un petit fût d'excellent vin de Malaga [11]; et, riant à
620 l'idée d'être grise, elle en buvait deux doigts, pas davantage.

Ses forces reparurent. L'automne s'écoula doucement. Félicité rassurait Mme Aubain. Mais, un soir qu'elle avait été aux environs faire une course, elle rencontra devant la porte le cabriolet [12] de M. Poupart; et il était dans le vestibule. Mme Aubain nouait son chapeau.

625 — Donnez-moi ma chaufferette [13], ma bourse, mes gants; plus vite donc !

Virginie avait une fluxion [14] de poitrine; c'était peut-être désespéré.

— Pas encore ! dit le médecin.

630 Et tous deux montèrent dans la voiture, sous des flocons de neige qui tourbillonnaient. La nuit allait venir. Il faisait très froid.

Félicité se précipita dans l'église, pour allumer un cierge. Puis elle courut après le cabriolet, qu'elle rejoignit une heure plus tard, sauta

1. On saignait pour combattre la fièvre. — 2. On dit qu'une maladie « tient » quelqu'un; Flaubert est toujours sévère pour les mauvais médecins : voir *Madame Bovary*, III, 8. — 3. Pauvres gens. — 4. Maladie; il s'agit apparemment d'une tuberculose. — 5. On traite alors la « phtisie » en envoyant les malades sur la Côte d'Azur. — 6. Pour l'hiver. — 7. Trop humide. — 8. Tige de vigne couverte de feuilles; Flaubert fait du mot un équivalent de vigne. — 9. Sur une hauteur de la rive droite de la Seine, à une trentaine de kilomètres du Havre. — 10. Au cap de la Hève. — 11. Vin d'Espagne employé comme reconstituant. — 12. Voiture légère à deux roues. — 13. Voir p. 52, n. 7. — 14. Afflux d'un liquide vers un point.

légèrement par derrière, où elle se tenait aux torsades [1], quand une
635 réflexion lui vint : « La cour n'était pas fermée ! si des voleurs s'introduisaient? » Et elle descendit.

Le lendemain, dès l'aube, elle se présenta chez le docteur. Il était rentré et reparti à la campagne. Puis elle resta dans l'auberge, croyant que des inconnus apporteraient une lettre. Enfin, au petit
640 jour, elle prit la diligence de Lisieux [2].

Le couvent se trouvait au fond d'une ruelle escarpée [3]. Vers le milieu, elle entendit des sons étranges, un glas [4] de mort. « C'est pour d'autres », pensa-t-elle; et Félicité tira violemment le marteau [5].

Au bout de plusieurs minutes, des savates se traînèrent [6], la porte
645 s'entre-bâilla, et une religieuse parut.

La bonne sœur avec un air de componction [7] dit qu'« elle venait de passer [8] ». En même temps, le glas de Saint-Léonard redoublait [9].

Félicité parvint au second étage.

Dès le seuil de la chambre, elle aperçut Virginie étalée sur le dos,
650 les mains jointes, la bouche ouverte, et la tête en arrière sous une croix [10] noire s'inclinant vers elle, entre les rideaux immobiles, moins pâles que sa figure. Mme Aubain, au pied de la couche qu'elle tenait dans ses bras, poussait des hoquets d'agonie. La supérieure était debout, à droite. Trois chandeliers sur la commode faisaient des
655 taches rouges, et le brouillard blanchissait les fenêtres. Des religieuses emportèrent Mme Aubain.

Pendant deux nuits, Félicité ne quitta pas la morte. Elle répétait les mêmes prières, jetait de l'eau bénite sur les draps, revenait s'asseoir, et la contemplait. A la fin de la première veille, elle remarqua que la
660 figure avait jauni, les lèvres bleuirent, le nez se pinçait, les yeux s'enfonçaient. Elle les baisa plusieurs fois; et n'eût pas éprouvé un immense étonnement si Virginie les eût rouverts [11]; pour de pareilles âmes le surnaturel est tout simple. Elle fit sa toilette, l'enveloppa de son linceul, la descendit dans sa bière, lui posa une couronne, étala
665 ses cheveux. Ils étaient blonds, et extraordinaires de longueur à son âge. Félicité en coupa une grosse mèche, dont elle glissa la moitié dans sa poitrine, résolue à ne jamais s'en dessaisir.

---

1. Les sangles auxquelles s'attache la caisse de la voiture. — 2. *La diligence* qui, venant de *Lisieux*, va jusqu'à Honfleur. — 3. Il domine la Seine : voir la l. 613. — 4. Tintement lent, régulier, sur une seule note, pour annoncer l'agonie ou la mort. — 5. Heurtoir placé à l'extérieur d'une porte d'entrée; ordinairement, on le soulève. — 6. Valeur expressive du pronominal : comparer à *la porte s'entre-bâilla*. — 7. Gravité recueillie. — 8. Mourir; cf. *trépasser*. — 9. Elle en percevait plus fortement le son. — 10. *Var. : « une* large *croix ».* — 11. Intervention manifeste de l'auteur. Dans ce conte, elle est exceptionnelle : Flaubert évite de se placer à la fois à l'intérieur et à l'extérieur de ses personnages.

- **Virginie.** — Implacablement, avec une régularité de mécanisme bien remonté, le destin enlève des mains de la servante ce qu'il y avait placé en dépôt. Virginie, inséparable de Victor dans le cœur de Félicité, disparaît à son tour (l. **606-703**).
① Dans cette succession de misères, il y a quelque chose qui peut paraître voulu par l'auteur, comme une recherche de la démonstration. Mais chacune d'elles n'a-t-elle pas ses causes précises? Toutes ne sont-elles pas dues à la condition de Félicité et des siens?
La mort de Virginie fait-elle exception? Si la servante l'éprouve aussi fortement que celle de son neveu, n'est-ce pas parce qu'elle a *un cœur simple?* Précisez cette idée.
Cette correspondance entre le caractère et la condition fait de Félicité un personnage idéal, une héroïne. N'est-ce pas cette perfection qui explique le déroulement uniforme de sa vie?
Cette vie a pourtant un caractère tragique. La liaison des destinées de Victor et de Virginie n'avait-elle pas été annoncée (p. **66**, l. **540-541**)? Ne sont-ils pas réunis lors des funérailles? Pourquoi Mme Aubain rêve-t-elle d'un matelot qui emporte sa fille (l. **682-685**)? Félicité n'appelle-t-elle pas chaque mort *l'autre?* Comment chacun de ces éléments mystérieux est-il rendu vraisemblable?
② La fin de Virginie (l. **606** et suiv.) est traitée comme un épisode : Quelle en est la composition? Montrez que chacune des quatre parties commence par un paragraphe très court. Quel en est le rôle?
Étudiez en détail le récit de la nuit qui précède la mort : l. **632** et suiv. Par quels sentiments passe Félicité? Comment s'expriment-ils? Relevez les traits de réalisme. Ne vont-ils pas jusqu'à la caricature? Quel en est le sens?
Voyez comment Félicité manifeste, dans ces circonstances, les mêmes vertus domestiques que dans la vie courante. Peut-on toujours distinguer, dans ses gestes, la part du sentiment et celle de l'habitude?

- **L'art du style.** — On sait que Flaubert a travaillé son style avec acharnement, avec passion aussi. Pour lui, c'était, comme l'a dit Maupassant, « une manière unique, absolue, d'exprimer une chose dans toute sa couleur et son intensité ». Étudiez-en quelques aspects.
③ Relisez les lignes **612-620**.
Quelle est la valeur propre de chacun des temps utilisés dans les trois premières phrases? Quel est l'effet obtenu par le passage de l'un à l'autre? (Tenez compte du fait qu'il y a un temps « de base », l'imparfait.)
Arrêtez-vous sur la quatrième phrase. Les virgules y indiquent-elles les fonctions syntaxiques? Lisez à haute voix, en marquant les pauses auxquelles la ponctuation vous oblige. Quelle valeur vous semble-t-elle avoir? Distinguez les trois sortes de rythmes qu'elle sépare. Comment correspondent-ils aux attitudes de Virginie?
Dans tout le paragraphe, où se mêlent la narration et la description, n'y a-t-il pas quelque chose de haletant, d'un peu sec? Un effort de dépouillement et de concentration? Si l'on considère que c'est Mme Aubain qui vit ces événements, dira-t-on que le style convient au personnage et à la situation?
Complétez votre analyse par l'examen de la dernière phrase. Confirme-t-elle nos impressions antérieures? Qu'y ajoute-t-elle?

Le corps fut ramené à Pont-l'Évêque, suivant les intentions de Mme Aubain, qui suivait le corbillard, dans une voiture fermée.
670 Après la messe, il fallut encore trois quarts d'heure pour atteindre le cimetière. Paul marchait en tête [1] et sanglotait. M. Bourais était derrière, ensuite les principaux habitants, les femmes, couvertes de mantes [2] noires, et Félicité. Elle songeait à son neveu, et, n'ayant pu lui rendre ces honneurs [3], avait un surcroît de tristesse, comme si on
675 l'eût enterré avec l'autre.

Le désespoir de Mme Aubain fut illimité.

D'abord elle se révolta contre Dieu, le trouvant injuste de lui avoir pris sa fille, — elle qui n'avait jamais fait de mal, et dont la conscience était si pure! Mais non! elle aurait dû l'emporter [4] dans
680 le Midi. D'autres docteurs l'auraient sauvée! Elle s'accusait, voulait la rejoindre, criait en [5] détresse au milieu de ses rêves. Un, surtout, l'obsédait. Son mari, costumé comme un matelot, revenait d'un long voyage, et lui disait en pleurant qu'il avait reçu l'ordre d'emmener Virginie. Alors ils se concertaient pour découvrir une cachette quelque
685 part.

Une fois, elle rentra du jardin, bouleversée. Tout à l'heure (elle montrait l'endroit) le père et la fille lui étaient apparus l'un auprès de l'autre, et ils ne faisaient rien; ils la regardaient [6].

Pendant plusieurs mois, elle resta dans sa chambre, inerte. Félicité
690 la sermonnait doucement; il fallait se conserver pour son fils, et pour l'autre, en souvenir « d'elle ».

— Elle? reprenait Mme Aubain, comme se réveillant. Ah! oui!... oui!... vous ne l'oubliez pas!

Allusion au cimetière, qu'on lui avait scrupuleusement défendu.
695 Félicité tous les jours s'y rendait.

A quatre heures précises, elle passait au bord des maisons, montait la côte, ouvrait la barrière, et arrivait devant la tombe de Virginie. C'était une petite colonne de marbre rose, avec une dalle dans le bas, et des chaînes autour enfermant un jardinet. Les plates-bandes
700 disparaissaient sous une couverture de fleurs. Elle arrosait leurs feuilles, renouvelait le sable, se mettait à genoux pour mieux labourer la terre. Mme Aubain, quand elle put y venir, en éprouva un soulagement, une espèce de consolation.

---

1. Ordre habituel du cortège : Paul est le seul homme de la famille. — 2. Vêtements à capuchon, sans manches. — 3. Les *honneurs* funèbres. — 4. Apprécier le choix du verbe. Pourquoi Mme Aubain n'a-t-elle pas suivi le conseil du Dr Poupart, comme elle s'y était décidée (l. 609)? — 5. Y a-t-il une différence avec : « crier de détresse »? — 6. Flaubert avait d'abord développé le récit de cette hallucination : « Souvent, par la porte entre-close, elle croyait voir sa robe; ou bien, avec la main droite, elle semblait repousser une ombre. »

Puis des années s'écoulèrent, toutes pareilles et sans autres épisodes [1]
705 que le retour des grandes fêtes : Pâques, l'Assomption, la Toussaint. Des événements intérieurs faisaient une date, où l'on se reportait plus tard. Ainsi, en 1825, deux vitriers badigeonnèrent [2] le vestibule; en 1827, une portion du toit, tombant dans la cour, faillit tuer un homme. L'été de 1828, ce fut à Madame d'offrir le pain bénit [3];
710 Bourais, vers cette époque, s'absenta mystérieusement; et les anciennes connaissances peu à peu s'en allèrent : Guyot [4], Liébard [5], Mme Lechaptois [6], Robelin [7], l'oncle Gremanville [8], paralysé depuis longtemps.

Une nuit, le conducteur de la malle-poste [9] annonça dans Pont-
715 l'Évêque la Révolution de Juillet [10]. Un sous-préfet nouveau, peu de jours après, fut nommé : le baron de Larsonnière, ex-consul en Amérique, et qui avait chez lui, outre sa femme, sa belle-sœur avec trois demoiselles, assez grandes déjà. On les apercevait sur leur gazon, habillées de blouses flottantes [11]; elles possédaient un nègre et un
720 perroquet. Mme Aubain eut leur visite, et ne manqua pas de la rendre. De plus loin qu'elles paraissaient, Félicité, accourait pour la prévenir. Mais une chose était seule capable de l'émouvoir, les lettres de son fils.

Il ne pouvait suivre aucune carrière, étant absorbé dans les esta-
725 minets [12]. Elle lui payait ses dettes; il en refaisait d'autres [13]; et les soupirs que poussait Mme Aubain, en tricotant près de la fenêtre, arrivaient à Félicité, qui tournait son rouet [14] dans la cuisine.

Elles se promenaient ensemble le long de l'espalier [15]; et causaient toujours de Virginie, se demandant si telle chose lui aurait plu, en
730 telle occasion ce qu'elle eût dit probablement.

Toutes ses petites affaires occupaient un placard dans la chambre à deux lits. Mme Aubain les inspectait le moins souvent possible. Un jour d'été, elle se résigna; et des papillons s'envolèrent de l'armoire.

Ses robes étaient en ligne sous une planche où il y avait trois poupées,
735 des cerceaux, un ménage [16], la cuvette qui lui servait. Elles retirèrent également les jupons, les bas, les mouchoirs, et les étendirent sur les deux couches [17], avant de les replier. Le soleil éclairait ces pauvres

---

1. Événement incident, subordonné à l'action principale. — 2. Couvrirent d'un *badigeon*, c'est-à-dire d'une peinture en détrempe qui donnait au plâtre la couleur de la pierre. — 3. Très vieil usage de l'« eulogie » : le prêtre bénit un pain que l'on partage entre les fidèles. Chaque chef de famille de la paroisse l'offre à son tour. — 4. Le maître d'écriture des enfants : voir p. 54, l. 182-84. - 5. *Le fermier de Toucques :* voir p. 52, l. 149. — 6. Voir p. 56, l. 249. — 7. *Le fermier de Geffosses :* voir p. 52, l. 148. — 8. Voir p. 52, l. 156. — 9. Voiture rapide, transportant le courrier. — 10. *Juillet* 1830. — 11. *Var. :* « *habillées de blouses* ». — 12. Cafés; le mot est flamand. — 13. *Var. :* « *il en* faisait *d'autres* ». — 14. Machine à roue, servant à filer le chanvre et le lin. — 15. Rangée d'arbres appuyés à un mur. — 16. Jeu d'enfant, composé d'objets de cuisine. — 17. Les deux couchettes (l. 28) qui, quand les enfants ont grandi, ont reçu leur literie complète : voir p. 84, l. 1005.

objets, en faisait voir les taches, et des plis formés par les mouvements du corps. L'air était chaud et bleu, un merle gazouillait, tout semblait 740 vivre dans une douceur profonde. Elles retrouvèrent un petit chapeau de peluche [1], à longs poils, couleur marron; mais il était tout mangé de vermine [2]. Félicité le réclama pour elle-même. Leurs yeux se fixèrent l'une sur l'autre, s'emplirent de larmes; enfin la maîtresse ouvrit ses bras, la servante s'y jeta; et elles s'étreignirent, 745 satisfaisant leur douleur dans un baiser qui les égalisait [3].

C'était la première fois de leur vie, Mme Aubain n'étant pas d'une nature expansive [4]. Félicité lui en fut reconnaissante comme d'un bienfait, et désormais la chérit avec un dévouement bestial et une vénération religieuse.

750 La bonté de son cœur se développa.

Quand elle entendait dans la rue les tambours d'un régiment en marche, elle se mettait devant la porte avec une cruche de cidre, et offrait à boire aux soldats. Elle soigna des cholériques [5]. Elle protégeait les Polonais [6]; et même il y en eut un qui déclarait la vouloir 755 épouser. Mais ils se fâchèrent; car un matin, en rentrant de l'Angélus [7], elle le trouva dans sa cuisine, où il s'était introduit, et accommodé une vinaigrette qu'il mangeait tranquillement.

Après les Polonais, ce fut le père Colmiche, un vieillard passant pour avoir fait des horreurs en 93 [8]. Il vivait au bord de la rivière, 760 dans les décombres d'une porcherie. Les gamins le regardaient par les fentes du mur, et lui jetaient des cailloux qui tombaient sur son grabat [9], où il gisait, continuellement secoué par un catarrhe [10], avec des cheveux très longs, les paupières enflammées, et au bras une tumeur plus grosse que sa tête. Elle lui procura du linge, tâcha de 765 nettoyer son bouge [11], rêvait à l'établir dans le fournil [12], sans qu'il gênât Madame. Quand le cancer [13] eut crevé, elle le pansa tous les jours, quelquefois lui apportait de la galette, le plaçait au soleil sur une botte de paille; et le pauvre vieux, en bavant et en tremblant, la remerciait de sa voix éteinte, craignait de la perdre, allongeait les 770 mains dès qu'il la voyait s'éloigner. Il mourut; elle fit dire une messe pour le repos de son âme.

---

1. Étoffe épaisse, de coton, de laine ou de soie. — 2. Tous insectes nuisibles. — 3. Rendait égales. — 4. *Var. : « n'étant pas de nature expansive ».* — 5. Durant l'épidémie de 1832, qui fit de gros ravages dans toute la France. — 6. Soulevés contre les Russes en 1830, ils avaient trouvé refuge en France. — 7. Prière récitée trois fois par jour et annoncée par la cloche, le matin, à midi et le soir. — 8. Durant la Terreur. — 9. Mauvais lit. — 10. Inflammation de la gorge et des fosses nasales, produisant une toux opiniâtre. — 11. Petite pièce obscure et malpropre. — 12. Local où est placé le four à pain, inutilisé chez Mme Aubain. — 13. Sens beaucoup moins précis que de nos jours.

Ce jour-là, il lui advint un grand bonheur : au moment du dîner, le nègre de Mme de Larsonnière se présenta, tenant le perroquet dans sa cage, avec le bâton, la chaîne et le cadenas. Un billet de la
775 baronne annonçait à Mme Aubain que, son mari étant élevé à une préfecture, ils partaient le soir; et elle la priait d'accepter cet oiseau, comme un souvenir, et en témoignage de ses respects.

Il occupait depuis longtemps l'imagination de Félicité, car il venait d'Amérique; et ce mot lui rappelait Victor, si bien qu'elle s'en
780 informait auprès du nègre. Une fois même elle avait dit :

— C'est Madame qui serait heureuse de l'avoir!

Le nègre avait redit le propos à sa maîtresse, qui, ne pouvant l'emmener, s'en débarrassait de cette façon.

● **Les années qui s'écoulent.** — Victor est mort en 1820, et Virginie quelques mois après lui. Dans la maison de Pont-l'Évêque, la maîtresse et la servante vivent côte à côte, progressivement rapprochées par la solitude et par les souvenirs. Leur horizon se rétrécit encore, et les échos qu'elles reçoivent du monde sont si affaiblis qu'ils n'importent guère.
① L'écoulement du temps n'est pas régulier. Autour d'une scène importante, l'auteur a rassemblé les faits qui l'avaient préparée : les premiers sont relatifs aux trois enfants et se placent à la fin de 1830. Comment sont-ils organisés (l. **714-749**)?
Les autres nous disent la « bonté » de Félicité (l. **750-771**) et sont postérieurs de deux ou trois ans. Voyez comment, eux aussi, ils se ralentissent et s'immobilisent. Quelle place y prend l'arrivée (l. **773**) du perroquet? Que pensez-vous de cette méthode de composition?

② Les deux personnages sont rapprochés et opposés.
Étudiez (p. **73**, l. **714-730**) les paragraphes où ce jeu des ressemblances et des différences est particulièrement souligné : le souvenir de Victor y est évoqué (comment?), celui de Paul revient; Mme Aubain ne pense pas au neveu de sa servante, et Félicité ne se soucie pas du fait que le fils de sa maîtresse néglige sa carrière (est-ce par indifférence à son égard?); l'une tricote et l'autre file, chacune dans sa pièce, mais entre les deux il y a *les soupirs* (l. **726**) de Mme Aubain (quelle est la valeur de ces détails?)
Mais Félicité reste la servante : ne règle-t-elle pas ses charités sur les intérêts de sa maîtresse? ne prend-elle pas pour elle ce qui est usé, vieilli? Comparez la mort du père Colmiche (l. **766-770**) à celle du lépreux de saint Julien (p. **130**) : que vous suggère le rapprochement?

③ Brunetière, au moment où Mme Aubain et Félicité inspectent les *petites affaires* de Virginie (l. **731**), éprouvait le seul « mouvement d'émotion vraie » que lui eût donné l'œuvre entière de Flaubert.
Cette émotion n'est-elle pas d'abord celle des deux femmes? Elle na
d'une circonstance ordinaire de la vie domestique. Voyez comment l
vêtements déposés sur le lit donnent l'illusion de la présence de l'enfan
Quel rôle jouent le chant de l'oiseau et la douceur de l'air (l. **739**
L'émotion aboutit à un geste qui unit la maîtresse et la servante (l. **74**
En quel sens peut-on dire qu'elles « satisfont » ainsi leur douleur?

4

Il s'appelait Loulou. Son corps était vert, le bout de ses ailes rose,
785 son front bleu, et sa gorge dorée[1].

Mais il avait la fatigante manie de mordre son bâton, s'arrachait les plumes, éparpillait ses ordures, répandait l'eau de sa baignoire; Mme Aubain, qu'il ennuyait, le donna pour toujours à Félicité[2].

Elle entreprit de l'instruire; bientôt il répéta : « Charmant garçon!
790 Serviteur, monsieur! Je vous salue, Marie! [3] » Il était placé auprès de la porte [4], et plusieurs s'étonnaient qu'il ne répondît pas au nom de Jacquot, puisque tous les perroquets s'appellent Jacquot. On le comparait à une dinde, à une bûche : autant de coups de poignard [5] pour Félicité! Étrange obstination de Loulou, ne parlant plus du
795 moment qu'on le regardait!

Néanmoins il recherchait la compagnie; car le dimanche, pendant que *ces* demoiselles Rochefeuille, M. de Houppeville [6] et de nouveaux habitués : Onfroy l'apothicaire [7], M. Varin et le capitaine Mathieu [8], faisaient leur partie de cartes, il cognait les vitres avec ses ailes, et se
800 démenait si furieusement qu'il était impossible de s'entendre.

La figure de Bourais, sans doute, lui paraissait très drôle. Dès qu'il l'apercevait il commençait à rire, à rire de toutes ses forces. Les éclats de sa voix bondissaient dans la cour, l'écho les répétait, les voisins se mettaient à leurs fenêtres, riaient aussi; et, pour ne pas
805 être vu du perroquet, M. Bourais se coulait [9] le long du mur, en dissimulant son profil avec son chapeau, atteignait la rivière, puis entrait par la porte du jardin; et les regards qu'il envoyait à l'oiseau manquaient de tendresse.

---

1. Flaubert décrit ici le perroquet « amazone » qu'il avait emprunté au Muséum de Rouen, et qu'il garda sur sa table durant toute la rédaction de cet épisode. — 2. Comparer à la fin de la partie précédente : l. 782-83. — 3. Apprécier le choix des trois formules. — 4. *Var. :* « *Il était* toujours *auprès de la porte* dans l'angle du perron ». — 5. Blessures aiguës et profondes au sens figuré. — 6. Voir p. 62, l. 429 où *ces* demoiselles Rochefeuille et M. de Houppeville figurent déjà. — 7. Le pharmacien (en allemand : *Apotheker*). — 8. Flaubert avait déjà présenté le pharmacien Homais et le capitaine Binet, deux personnages de Yonville, dans *Madame Bovary* (II, 1). — 9. Se glissait sans bruit, comme un liquide; à rapprocher du mot *rivière*.

Loulou avait reçu du garçon boucher une chiquenaude[1], s'étant
810 permis d'enfoncer la tête dans sa corbeille; et depuis lors il tâchait toujours[2] de le pincer à travers sa chemise. Fabu menaçait de lui tordre le cou, bien qu'il ne fût pas cruel, malgré le tatouage de ses bras et ses gros favoris[3]. Au contraire! il avait plutôt du penchant pour le perroquet, jusqu'à vouloir, par humeur[4] joviale[5], lui apprendre
815 des jurons. Félicité, que ces manières effrayaient, le plaça dans la cuisine. Sa chaînette fut retirée[6], et il circulait par la maison.

Quand il descendait l'escalier, il appuyait sur les marches la courbe de son bec, levait la patte droite, puis la gauche; et elle avait peur qu'une telle gymnastique ne lui causât des étourdissements[7]. Il
820 devint malade, ne pouvait plus parler ni manger. C'était sous sa langue une épaisseur[8] comme en ont les poules quelquefois. Elle le guérit, en arrachant cette pellicule avec ses ongles. M. Paul[9], un jour, eut l'imprudence de lui souffler aux narines la fumée d'un cigare; une autre fois que Mme Lormeau l'agaçait du bout de son ombrelle,
825 il en happa la virole[10]; enfin, il se perdit.

Elle l'avait posé sur l'herbe pour le rafraîchir, s'absenta une minute; et, quand elle revint, plus de perroquet! D'abord elle le chercha dans les buissons, au bord de l'eau et sur les toits, sans écouter sa maîtresse qui lui criait :

830 — Prenez donc garde! vous êtes folle!

Ensuite elle inspecta tous les jardins de Pont-l'Évêque; et elle arrêtait les passants.

— Vous n'auriez pas vu, quelquefois, par hasard, mon perroquet?

A ceux qui ne connaissaient pas le perroquet, elle en faisait la
835 description. Tout à coup, elle crut distinguer derrière les moulins, au bas de la côte, une chose verte qui voltigeait. Mais au haut de la côte, rien! Un porte-balle[11] lui affirma qu'il l'avait rencontré tout à l'heure, à Saint-Melaine[12], dans la boutique de la mère Simon. Elle y courut. On ne savait pas ce qu'elle voulait dire. Enfin elle rentra
840 épuisée, les savates en lambeaux, la mort dans l'âme; et, assise au milieu du banc[13], près de Madame, elle racontait toutes ses démarches[14], quand un poids léger lui tomba sur l'épaule, Loulou! Que diable avait-il fait? Peut-être qu'il s'était promené aux environs?

Elle eut du mal à s'en remettre, ou plutôt ne s'en remit jamais.

1. Coup donné avec le doigt du milieu, appuyé de l'ongle sur le pouce, puis détendu brusquement. — 2. La rancune des perroquets est durable. — 3. Touffes de poils encadrant les joues. — 4. Disposition habituelle du tempérament (sens classique). — 5. Portée au rire. — 6. *Var. : « sa* chaîne *fut retirée. »* — 7. Contractés en gardant la tête en bas! — 8. Il s'agit de la pépie; Félicité sait la soigner, puisque c'est une maladie des poules. — 9. Le fils de Mme Aubain. — 10. Le cercle de métal qui maintient l'ombrelle fermée. — 11. Colporteur. Il en passait souvent, et ils avaient la réputation d'aimer la « plaisanterie ». — 12. De l'autre côté de la ville. — 13. Une place qu'à l'ordinaire elle ne se permettrait pas d'occuper. — 14. Au sens figuré : ce qu'on fait pour la réussite d'un projet; et au sens propre : façon de marcher.

845 Par suite d'un refroidissement, il lui vint une angine; peu de temps après, un mal d'oreilles. Trois ans plus tard, elle était sourde; et elle parlait très haut, même à l'église. Bien que[1] ses péchés auraient pu sans déshonneur pour elle, ni inconvénient pour le monde, se répandre à tous les coins du diocèse, M. le curé jugea convenable de ne plus 850 recevoir sa confession que dans la sacristie.

Des bourdonnements illusoires [2] achevaient de la troubler. Souvent sa maîtresse lui disait :

— Mon Dieu ! comme vous êtes bête !

Elle répliquait :

855 — Oui, Madame, en cherchant quelque chose autour d'elle.

Le petit cercle de ses idées se rétrécit encore, et le carillon des cloches, le mugissement des bœufs, n'existaient plus. Tous les êtres fonctionnaient [3] avec le silence des fantômes. Un seul bruit arrivait maintenant à ses oreilles, la voix du perroquet.

860 Comme pour la distraire, il reproduisait le tic-tac du tourne-broche [4], l'appel aigu d'un vendeur de poisson, la scie du menuisier qui logeait en face; et, aux coups de la sonnette, imitait Mme Aubain.

— Félicité ! la porte ! la porte !

Ils avaient des dialogues, lui, débitant à satiété les trois phrases 865 de son répertoire, et elle, y répondant par des mots sans plus de suite, mais où son cœur s'épanchait. Loulou, dans son [5] isolement, était presque un fils, un amoureux. Il escaladait [6] ses doigts, mordillait ses lèvres, se cramponnait à son fichu; et, comme elle penchait son front en branlant la tête à la manière des nourrices, les grandes ailes 870 du bonnet et les ailes de l'oiseau frémissaient ensemble.

Quand les nuages s'amoncelaient et que le tonnerre grondait, il poussait des cris, se rappelant peut-être les ondées [7] de ses forêts natales. Le ruissellement de l'eau [8] excitait son délire; il voletait éperdu, montait au plafond, renversait tout, et par la fenêtre allait 875 barboter dans le jardin; mais revenait vite sur un des chenets [9], et, sautillant pour sécher ses plumes, montrait tantôt sa queue, tantôt son bec.

---

1. Conjonction de concession, régulièrement suivie du subjonctif. Flaubert traite la proposition *ses péchés auraient pu... se répandre* comme une indépendante exprimant la pensée du curé en style indirect libre, et la conjonction équivaut, comme dans la langue parlée, à un adverbe. — 2. Propres à tromper. — 3. Apprécier le choix du verbe. — 4. Le mécanisme d'horlogerie qui faisait tourner la broche. — 5. Celui de Félicité. — 6. Apprécier le choix du verbe. — 7. Grosses pluies passagères. — 8. *Var. : « Le ruissellement de l'eau* que crachaient les gouttières ». — 9. Pièces de métal qui soutiennent le bois placé dans le foyer d'une cheminée.

Un matin du terrible hiver de 1837, qu'elle l'avait mis devant la cheminée, à cause du froid, elle le trouva mort, au milieu de sa cage, 880 la tête en bas, et les ongles dans les fils de fer. Une congestion l'avait tué, sans doute? Elle crut à un empoisonnement par le persil [1]; et malgré l'absence de toutes preuves, ses soupçons portèrent sur Fabu.

Elle pleura tellement que sa maîtresse lui dit :

— Eh bien! faites-le empailler!

885 Elle demanda conseil au pharmacien, qui avait toujours été bon pour le perroquet.

Il écrivit au Havre. Un certain Fellacher [2] se chargea de cette besogne. Mais, comme la diligence égarait parfois les colis, elle résolut de le porter elle-même jusqu'à Honfleur [3].

---

1. *Le persil* serait funeste aux poulets et surtout aux perroquets. — 2. Nom d'un professeur d'écriture de Rouen; il avait fondé une pension pour les vieillards! — 3. D'où il partirait par le paquebot du Havre.

● **Loulou.** — Comme elle a aimé Théodore, puis les enfants de sa maîtresse et celui de sa sœur, Félicité va aimer Loulou, le perroquet qu'elle reçoit quand personne n'en veut plus (l. 784-889).

① Dans le style narratif que nous avons déjà observé (voir p. 75) se succèdent deux séries d'images du perroquet : les premières datent de 1833 (environ) et disent ses débuts à la maison, les secondes sont postérieures de trois ans.

Distinguez-les et comparez leurs caractères généraux (sujet, personnages, mouvement...).

N'a-t-on pas l'impression que, grâce à Loulou, la vie de Félicité recommence? A quoi aboutit-elle?

Nous revoyons les « habitués », qui semblaient avoir disparu (l. 796 et suiv.). Pourquoi? Comparez les deux images de l'extraordinaire M. Bourais : vu par Félicité (p. 54, l. 166 et suiv.) et pendant que Loulou le poursuit de son rire (p. 76, l. 801 et suiv.). Laquelle peint le mieux le modèle? N'a-t-il pas maintenant quelque chose d'inquiétant? Qu'apporte-t-il au conte?

② Pour Félicité, le perroquet est une sorte d'enfant.

Mais cet enfant lui appartient en propre; c'est elle qui l'instruit, le soigne, le protège. Soulignez l'attitude maternelle de la servante et relevez les « enfantillages » de l'animal.

Quand il disparaît (p. 77 l. 825), n'éprouve-t-elle pas un désarroi comparable, dans ses manifestations, à celui qu'elle a connu lors de la dernière maladie de Virginie (p. 69, l. 632 et suiv.)? Comparez les deux passages.

Étudiez en détail l'admirable tableau de l'enfant et de la nourrice (p. 78, l. 864 et suiv.). Expliquez le caractère poignant d'attitudes en elles-mêmes comiques. Arrêtez-vous sur l'image finale (l. 868-870), appréciez-en la beauté et le sens symbolique.

Dans sa cage ou en liberté, l'animal est-il lié à Félicité? Dans quelle mesure? Et dans l'affection qu'elle lui porte, la servante ne fait-elle pas le même marché de dupe que précédemment?

890 Les pommiers sans feuilles se succédaient aux bords de la route. De la glace couvrait les fossés. Des chiens aboyaient autour des fermes; et les mains sous son mantelet [1], avec ses petits sabots noirs et son cabas [2], elle marchait prestement, sur le milieu du pavé.

Elle traversa la forêt, dépassa le Haut-Chêne, atteignit Saint-895 Gatien [3].

Derrière elle, dans un nuage de poussière et emportée par la descente, une malle-poste [4] au grand galop se précipitait comme une trombe. En voyant cette femme qui ne se dérangeait pas [5], le conducteur [6] se dressa par-dessus la capote, et le postillon criait aussi, 900 pendant que ses quatre chevaux qu'il [7] ne pouvait retenir accéléraient leur train; les deux premiers la frôlaient [8]; d'une secousse de ses guides, il les jeta dans le débord [9], mais furieux releva le bras, et à pleine volée, avec son grand fouet, lui cingla du ventre au chignon un tel coup qu'elle tomba sur le dos.

905 Son premier geste, quand elle reprit connaissance, fut d'ouvrir son panier. Loulou n'avait rien, heureusement. Elle sentit une brûlure à la joue droite; ses mains qu'elle y porta étaient rouges. Le sang coulait.

Elle s'assit sur un mètre [10] de cailloux, se tamponna le visage avec 910 son mouchoir, puis elle mangea une croûte de pain, mise dans son panier par précaution, et se consolait de sa blessure en regardant l'oiseau.

Arrivée au sommet d'Ecquemauville [11], elle aperçut les lumières de Honfleur qui scintillaient dans la nuit comme une quantité 915 d'étoiles; la mer, plus loin, s'étalait confusément. Alors une faiblesse l'arrêta; et la misère de son enfance, la déception du premier amour, le départ de son neveu [12], la mort de Virginie, comme les flots d'une marée, revinrent à la fois, et, lui montant à la gorge, l'étouffaient.

Puis elle voulut parler au capitaine du bateau [13]; et, sans dire ce 920 qu'elle envoyait, lui fit des recommandations.

Fellacher garda longtemps le perroquet. Il le promettait toujours pour la semaine prochaine; au bout de six mois, il annonça le départ d'une caisse; et il n'en fut plus question. C'était à croire que jamais Loulou ne reviendrait. « Ils me l'auront volé! » pensait-elle.

925 Enfin il arriva, — et splendide, droit sur une branche d'arbre, qui

1. Manteau court, sans manches. — 2. Petit sac plat : voir p. 54, n. 10. — 3. A 7 km au nord de Pont-l'Évêque : voir la carte, p. 43. — 4. Voir p. 73, n. 9. — 5. Félicité est sourde. — 6. *Le conducteur* est sur le siège et tient les rênes, le postillon monte un des chevaux. — 7. Le conducteur : *et le postillon criait aussi* forme une parenthèse. — 8. L'imparfait indique l'action prochaine, par rapport à *il les jeta*. — 9. Partie de la route bordant le pavé. — 10. Un tas de cailloux, que l'on évalue en mètres cubes. — 11. Voir la carte, p. 43. — 12. C'est de nuit, déjà, qu'elle a assisté au départ de son neveu : voir p. 64, l. 473 et suiv. — 13. Le *bateau* du Havre : voir p. 79, n. 3.

se vissait dans un socle d'acajou, une patte en l'air, la tête oblique, et mordant une noix, que l'empailleur par amour du grandiose avait dorée.

Elle l'enferma dans sa chambre.

930 Cet endroit, où elle admettait peu de monde, avait l'air tout à la fois d'une chapelle et d'un bazar [1], tant il contenait d'objets religieux et de choses hétéroclites [2].

Une grande armoire gênait pour ouvrir la porte. En face de la fenêtre surplombant le jardin, un œil-de-bœuf [3] regardait la cour; 935 une table, près du lit de sangle [4], supportait un pot à l'eau, deux peignes, et un cube de savon bleu dans une assiette ébréchée. On voyait contre les murs : des chapelets, des médailles, plusieurs bonnes [5] Vierges, un bénitier en noix de coco; sur la commode,

1. Magasin où l'on trouve toutes sortes de marchandises. — 2. Mal assorties. — 3. Petite ouverture, ronde ou ovale. — 4. Fait d'un châssis de bois sur lequel sont tendues des bandes de cuir ou de toile. — 5. Épithète de nature.

- **Sur la route de Honfleur.** — Félicité, portant le cadavre de son perroquet, fait son dernier voyage (l. 890-920).

① Étudiez le récit de son accident (l. 896-904). Précisez-en les circonstances. Notez l'emploi des temps et le rythme des phrases. Arrêtez-vous sur la scène du coup de fouet et appréciez-la, littérairement et moralement.

② Elle sépare deux images de la servante : marchant *prestement* (l. 890-895), sanglotant devant les lumières de Honfleur (l. 913-918). Analysez-les et comparez-les. Quelle signification peut-on donner à leur rapprochement?

- **La vie des souvenirs.** — Parce que Félicité est *une âme simple*, les temps et les plans se fondent devant elle, donnant aux dernières émotions une résonance singulière (l. 890-971).

③ Lors de son voyage, les lieux, l'heure, les circonstances — ou, chez elle, le retour de la lumière sur les objets familiers — ramènent la vague du passé. Essayez de comparer à ce que l'on trouve en pareil cas chez Proust, chez Nerval, ou, parfois, chez Chateaubriand.

- **L'ironie de Flaubert.** — A travers tout cela, on entend grincer un rire qu'appellent certains gestes de la vieille femme, ou son musée. Il est volontairement mais discrètement accusé, quand on évoque le nez busqué et l'uniforme rutilant du comte d'Artois, qui le font ressembler à Loulou, ou le copiste Fellacher qui prenait tant de soin des vieillards (p. 79, n. 2).

Qu'on ne s'y trompe pas : ce rire marque le moment où l'écrivain a été le plus ému. L'accident de Félicité rappelle, par bien des circonstances, celui dont il fut victime au même endroit, et qui commanda toute sa vie. Flaubert aussi gardait les vieux vêtements pour rêver devant eux. Lui aussi vivait solitaire, dans sa vieille maison, avec ses souvenirs. Jamais il ne s'est senti aussi proche de son héroïne que dans les circonstances où elle est, pour tous, si ridicule.

couverte d'un drap comme un autel, la boîte en coquillages[1] que lui
940 avait donnée Victor; puis un arrosoir et un ballon, des cahiers d'écriture, la géographie en estampes[2], une paire de bottines, et au clou du miroir, accroché par ses rubans, le petit chapeau de peluche[3]! Félicité poussait même ce genre de respect[4] si loin, qu'elle conservait une des redingotes de Monsieur. Toutes les vieilleries dont ne voulait
945 plus Mme Aubain, elle les prenait pour sa chambre. C'est ainsi qu'il y avait des fleurs artificielles au bord de la commode, et le portrait du comte d'Artois[5] dans l'enfoncement de la lucarne.

Au moyen d'une planchette, Loulou fut établi[6] sur un corps[7] de cheminée qui avançait dans l'appartement[8]. Chaque matin, en
950 s'éveillant, elle l'apercevait à la clarté de l'aube, et se rappelait alors les jours disparus, et d'insignifiantes actions jusqu'en leurs moindres détails, sans douleur, pleine de tranquillité.

Ne communiquant avec personne, elle vivait dans une torpeur de somnambule. Les processions de la Fête-Dieu[9] la ranimaient. Elle
955 allait quêter chez les voisines des flambeaux et des paillassons[10], afin d'embellir le reposoir que l'on dressait dans la rue.

A l'église, elle contemplait[11] toujours le Saint-Esprit, et observa qu'il avait quelque chose du perroquet. Sa ressemblance lui parut encore plus manifeste sur une image d'Épinal[12], représentant le
960 baptême[13] de Notre-Seigneur. Avec ses ailes de pourpre et son corps d'émeraude, c'était vraiment le portrait de Loulou.

L'ayant acheté[14], elle le suspendit à la place du comte d'Artois, — de sorte que, du même coup d'œil, elle les[15] voyait ensemble. Ils s'associèrent dans sa pensée, le perroquet se trouvant sanctifié par
965 ce rapport avec le Saint-Esprit, qui devenait plus vivant à ses yeux et intelligible. Le Père, pour s'énoncer[16], n'avait pu choisir une colombe, puisque ces bêtes-là n'ont pas de voix, mais plutôt un des ancêtres de Loulou. Et Félicité priait en regardant l'image, mais de temps à autre se tournait un peu vers l'oiseau.

970 Elle eut envie de se mettre dans les demoiselles de la Vierge[17]. Mme Aubain l'en dissuada.

---

1. Voir p. 64, l. 463. — 2. Celle de Paul et de Virginie : voir p. 54, l. 176. — 3. Voir p. 74, l. 741. — 4. A l'égard des « reliques » du passé. — 5. Du futur Charles X, donc une image de propagande royaliste datant du règne de Louis XVIII. — 6. Installé à demeure. — 7. La partie la plus importante. — 8. La chambre. Emploi anormal, mais habituel à Flaubert, pour désigner une pièce unique. — 9. Voir p. 61, n. 4. — 10. Nattes de paille ou de roseau servant de tapis. — 11. Sur un vitrail de l'abside, donc en face d'elle : voir p. 60, l. 360. — 12. Images encore célèbres pour leur charme naïf. — 13. Représentation fréquente : on y voit Jésus sortant de l'eau après avoir été baptisé par Jean-Baptiste, et la colombe, donc le Saint-Esprit, venant à lui. — 14. La place et l'accord indiquent bien que Félicité achète un *portrait de Loulou*. — 15. L'image d'Épinal et le perroquet. — 16. Exposer sa pensée avec précision. — 17. Confrérie des « enfants » de Marie.

Un événement considérable surgit [1] : le mariage de Paul.

Après avoir été d'abord clerc de notaire, puis dans le commerce, dans la douane, dans les contributions, et même avoir commencé des 975 démarches pour les eaux et forêts, à trente-six ans, tout à coup, par une inspiration du ciel [2], il avait découvert sa voie : l'enregistrement [3] ! et y montrait de si hautes facultés qu'un vérificateur [4] lui avait offert sa fille, en lui promettant sa protection.

Paul, devenu sérieux, l'amena chez sa mère.

980 Elle dénigra les usages [5] de Pont-l'Évêque, fit la princesse, blessa Félicité. Mme Aubain, à son départ, sentit un allégement.

La semaine suivante, on apprit la mort de M. Bourais, en basse Bretagne, dans une auberge. La rumeur d'un suicide se confirma ; des doutes s'élevèrent sur sa probité. Mme Aubain étudia ses comptes, 985 et ne tarda pas à connaître la kyrielle [6] de ses noirceurs : détournements d'arrérages [7], ventes de bois dissimulées, fausses quittances, etc. De plus, il avait un enfant naturel, et « des relations avec une personne de Dozulé [8] ».

Ces turpitudes [9] l'affligèrent beaucoup. Au mois de mars 1853, elle 990 fut prise d'une douleur dans la poitrine ; sa langue paraissait couverte de fumée [10], les sangsues [11] ne calmèrent pas l'oppression ; et le neuvième soir elle expira, ayant juste soixante-douze ans.

On la croyait moins vieille, à cause de ses cheveux bruns, dont les bandeaux [12] entouraient sa figure blême, marquée de petite vérole [13]. 995 Peu d'amis la regrettèrent, ses façons étant d'une hauteur qui éloignait.

Félicité la pleura, comme on ne pleure pas les maîtres. Que Madame mourût avant elle, cela troublait ses idées, lui semblait contraire à l'ordre des choses, inadmissible et monstrueux.

1000 Dix jours après (le temps d'accourir de Besançon), les héritiers [14] survinrent. La bru fouilla les tiroirs, choisit des meubles, vendit les autres, puis ils regagnèrent l'enregistrement.

Le fauteuil de Madame, son guéridon, sa chaufferette, les huit chaises, étaient partis ! La place des gravures se dessinait en carrés

---

1. Se produisit brusquement, comme une source jaillit. — 2. L'expression est de Mme Aubain ou de Félicité. — 3. Administration chargée d'authentifier les actes privés, et de percevoir un droit sur l'opération. Elle s'occupe aussi des Domaines et du Timbre. — 4 Le fonctionnaire de l'Enregistrement chargé d'un arrondissement. — 5. Dit du mal des usages ; étymologiquement : noircit. — 6. Suite interminable. — 7. Revenus échus. — 8. Bourg, à 19 km à l'ouest de Pont-l'Évêque. — 9. Actes honteux. — 10. Symptômes de la pneumonie. — 11. Destinées à soulager la malade par une saignée locale. — 12. Coiffure plate où les cheveux, séparés par une raie, sont ramenés sur les côtés de la tête. — 13. La vaccination était encore exceptionnelle à la fin du XVIIIe s., et la maladie faisait de gros ravages : voir Voltaire, *Lettres philosophiques*, XI. — 14. Paul et sa femme.

1005 jaunes au milieu des cloisons. Ils avaient emporté les deux couchettes, avec leurs matelas, et dans le placard on ne voyait plus rien de toutes les affaires de Virginie ! Félicité remonta les étages, ivre de tristesse.

Le lendemain il y avait sur la porte une affiche ; l'apothicaire lui cria [1] dans l'oreille que la maison était à vendre.

1010 Elle chancela, et fut obligée de s'asseoir.

Ce qui la désolait principalement, c'était d'abandonner sa chambre, — si commode pour le pauvre Loulou. En l'enveloppant d'un regard d'angoisse, elle implorait le Saint-Esprit, et contracta l'habitude idolâtre [2] de dire ses oraisons [3] agenouillée devant le perroquet.
1015 Quelquefois, le soleil entrant par la lucarne frappait son œil de verre, et en faisait jaillir un grand rayon lumineux qui la mettait en extase [4].

Elle avait une rente de trois cent quatre-vingts francs [5], léguée par sa maîtresse. Le jardin lui fournissait des légumes. Quant aux habits, elle possédait de quoi se vêtir jusqu'à la fin de ses jours, et épargnait
1020 l'éclairage en se couchant dès le crépuscule.

Elle ne sortait guère, afin d'éviter la boutique du brocanteur [6], où s'étalaient quelques-uns des anciens meubles. Depuis son étourdissement, elle traînait une jambe ; et, ses forces diminuant, la mère Simon, ruinée dans l'épicerie, venait tous les matins fendre son bois
1025 et pomper de l'eau.

Ses yeux s'affaiblirent. Les persiennes [7] n'ouvraient plus. Bien des années se passèrent. Et la maison ne se louait pas, et ne se vendait pas.

Dans la crainte qu'on ne la renvoyât, Félicité ne demandait aucune
1030 réparation. Les lattes du toit [8] pourrissaient ; pendant tout un hiver son traversin fut mouillé. Après Pâques, elle cracha du sang.

Alors la mère Simon eut recours à un docteur. Félicité voulut savoir ce qu'elle avait. Mais, trop sourde pour entendre, un seul mot lui parvint : « Pneumonie. » Il lui était connu, et elle répliqua douce-
1035 ment :

— Ah ! comme Madame, trouvant naturel de suivre sa maîtresse.

Le moment des reposoirs [9] approchait.

Le premier était toujours au bas de la côte, le second devant la poste, le troisième vers le milieu de la rue. Il y eut des rivalités à
1040 propos de celui-là ; et les paroisiennes choisirent finalement la cour de Mme Aubain.

Les oppressions et la fièvre augmentaient. Félicité se chagrinait [10]

1. Elle ne sait pas lire : voir p. 68, l. 563. — 2. Au sens propre : qui consiste à adorer des images. — 3. Prières. — 4. Sens mystique : Félicité contemple les choses divines. — 5. Par an. Ses gages n'étaient que de cent francs par an (voir p. 47, l. 3), mais elle doit maintenant se nourrir. — 6. Voir p. 52, l. 142. — 7. Voir p. 58, n. 10. — 8. Pièces de bois, longues et étroites sur lesquelles sont accrochées les ardoises. — 9. Voir p. 61, n. 5. — 10. Éprouvait du chagrin (au sens fort).

de ne rien faire pour le reposoir. Au moins, si elle avait pu y mettre quelque chose! Alors elle songea au perroquet. Ce n'était pas conve-
1045 nable, objectèrent les voisines. Mais le curé accorda cette permission; elle en fut tellement heureuse qu'elle le pria d'accepter, quand elle serait morte, Loulou, sa seule richesse.

Du mardi au samedi, veille de la Fête-Dieu [1], elle toussa plus fréquemment. Le soir son visage était grippé [2], ses lèvres se collaient à
1050 ses gencives, des vomissements parurent; et le lendemain, au petit jour, se sentant très bas, elle fit appeler un prêtre.

Trois bonnes femmes l'entouraient pendant l'extrême-onction [3]. Puis elle déclara qu'elle avait besoin de parler à Fabu.

Il arriva en toilette des dimanches, mal à l'aise dans cette
1055 atmosphère lugubre.

— Pardonnez-moi, dit-elle [4] avec un effort pour étendre le bras, je croyais que c'était vous qui l'aviez tué [5]!

Que signifiaient des potins pareils? L'avoir soupçonné d'un meurtre, un homme comme lui! et il s'indignait, allait faire du tapage.

1060 — Elle n'a plus sa tête, vous voyez bien!

Félicité de temps à autre parlait à des ombres. Les bonnes femmes s'éloignèrent. La Simonne [6] déjeuna.

Un peu plus tard, elle prit Loulou, et, l'approchant de Félicité :

— Allons! dites-lui adieu!

1065 Bien qu'il ne fût pas un cadavre, les vers le dévoraient; une de ses ailes était cassée, l'étoupe [7] lui sortait du ventre. Mais, aveugle à présent, elle le baisa au front, et le gardait contre sa joue. La Simonne le reprit, pour le mettre sur le reposoir.

---

1. Voir p. 61, n. 4. — 2. Tiré, semblant diminué de volume; terme médical. — 3. Le dernier sacrement, celui qu'on administre aux mourants. — 4. Attitude chrétienne. — 5. *Var.* : « *c'était vous qui* l'avait *tué* ». — 6. Le nom propre (*Simon*, l. 1032) est traité comme un nom commun; forme populaire. — 7. La filasse grossière dont le corps était bourré.

- **Vingt ou trente ans encore.** — Loulou est mort en 1837, Paul se marie en 1839 et M. Bourais se suicide la même année. Les derniers jours de Mme Aubain et de Félicité s'écoulent dans l'attente de la mort (l. 972-1058).

① Le mariage et le suicide mettent fin à deux romans. A la manière naturaliste, Flaubert en souligne les ridicules : ne pouvez-vous faire le portrait du beau-père de Paul? Entendez-vous les conversations des bourgeois de Pont-l'Évêque? Recherchez les autres épisodes de ces romans, épars dans le conte.

② La mort de Mme Aubain ne paraît-elle pas due à celle de Bourais (p. 83, l. 983-992)? Félicité ne meurt-elle pas *comme Madame* (l. 1036)? Quel effet produit cet écrasement des faits et des dates?

5

Les herbages envoyaient l'odeur de l'été; des mouches bourdonnaient; le soleil faisait luire la rivière, chauffait les ardoises. La mère Simon, revenue dans la chambre, s'endormait doucement.

Des coups de cloche la réveillèrent; on sortait des vêpres. Le délire de Félicité tomba. En songeant à la procession, elle la voyait, comme si elle l'eût suivie.

Tous les enfants des écoles [1], les chantres et les pompiers marchaient sur les trottoirs, tandis qu'au milieu de la rue, s'avançaient premièrement : le suisse [2] armé de sa hallebarde [3], le bedeau [4] avec une grande croix, l'instituteur surveillant les gamins, la religieuse [5] inquiète de ses petites filles; trois des plus mignonnes, frisées comme des anges, jetaient dans l'air des pétales de roses; le diacre [6], les bras écartés, modérait [7] la musique; et deux encenseurs [8] se retournaient à chaque pas vers le Saint-Sacrement, que portait, sous un dais [9] de velours ponceau [10] tenu par quatre fabriciens [11], M. le curé, dans sa belle chasuble [12]. Un flot de monde se poussait derrière, entre les nappes blanches couvrant le mur des maisons; et l'on arriva au bas de la côte.

Une sueur froide mouillait les tempes de Félicité. La Simonne [13] l'épongeait avec un linge, en se disant qu'un jour il lui faudrait passer par là.

Le murmure de la foule grossit, fut un moment très fort, s'éloignait.

Une fusillade [14] ébranla les carreaux. C'était les postillons saluant l'ostensoir [15]. Félicité roula ses prunelles, et elle dit, le moins bas qu'elle put :

— Est-il bien? tourmentée du perroquet.

---

1. Leur présence était obligatoire, comme celle de leurs instituteurs et des « corps constitués ». — 2. Employé de l'église, chargé d'y maintenir l'ordre. — 3. Arme de parade, à hampe, terminée par une hache surmontée d'une pique. — 4. Employé chargé du service de l'église. — 5. Les écoles de filles étaient tenues par des religieuses. — 6. Ecclésiastique qui assiste le prêtre. Dans les cérémonies, sa fonction est souvent remplie par un prêtre. — 7. Donnait la mesure. — 8. Le nom habituel est thuriféraire, que Flaubert a préféré traduire. — 9. Baldaquin mobile. — 10. Rouge coquelicot. — 11. Des membres de la *fabrique*, c'est-à-dire du conseil d'administration de la paroisse. — 12. Cet ornement est porté, lors de la messe, sur les autres vêtements du prêtre. Dans les processions, c'est une chape, une sorte de manteau, qui [illegible] la chasuble. — 13. Voir p. 85, n. 6. — 14. Bruit produit par les coups de fouet des postillons. — 15. Pièce d'orfèvrerie en forme de *soleil* (voir la ligne 1119), au centre de laquelle on place l'hostie.

1095 Son agonie commença. Un râle, de plus en plus précipité, lui soulevait les côtes. Des bouillons d'écume venaient aux coins de sa bouche, et tout son corps tremblait.

Bientôt, on distingua le ronflement des ophicléides [1], les voix claires des enfants, la voix profonde des hommes. Tout se taisait par 1100 intervalles, et le battement des pas, que des fleurs amortissaient, faisait le bruit d'un troupeau sur du gazon.

Le clergé parut dans la cour. La Simonne grimpa sur une chaise pour atteindre à l'œil-de-bœuf [2], et de cette manière dominait le reposoir [3].

1105 Des guirlandes vertes pendaient sur l'autel, orné d'un falbala [4] en point d'Angleterre [5]. Il y avait au milieu un petit cadre enfermant des reliques, deux orangers dans les angles, et, tout le long, des flambeaux d'argent et des vases en porcelaine, d'où s'élançaient des tournesols, des lys, des pivoines, des digitales, des touffes d'hortensias. 1110 Ce monceau de couleurs éclatantes descendait obliquement, du premier étage jusqu'au tapis se prolongeant [6] sur les pavés; et des choses rares tiraient les yeux. Un sucrier de vermeil avait une couronne de violettes, des pendeloques en pierres d'Alençon [7] brillaient sur de la mousse, deux écrans [8] chinois montraient leurs paysages. Loulou, 1115 caché sous des roses, ne laissait voir que son front bleu, pareil à une plaque de lapis [9].

Les fabriciens, les chantres, les enfants se rangèrent sur les trois côtés de la cour. Le prêtre gravit lentement les marches, et posa sur la dentelle son grand soleil d'or [10] qui rayonnait. Tous s'agenouillèrent. 1120 Il se fit un grand silence [11]. Et les encensoirs, allant à pleine volée [12], glissaient sur leurs chaînettes.

Une vapeur d'azur [13] monta dans la chambre de Félicité. Elle avança les narines, en la humant avec une sensualité mystique [14]; puis ferma les paupières. Ses lèvres souriaient. Les mouvements de son 1125 cœur se ralentirent un à un, plus vagues chaque fois, plus doux, comme une fontaine s'épuise, comme un écho disparaît; et, quand elle exhala son dernier souffle, elle crut voir, dans les cieux entrouverts, un perroquet gigantesque, planant au-dessus de sa tête.

---

1. Instruments à vent, en cuivre, à clefs. Ils sont apparus en France vers 1820. — 2. Voir p. 81, n. 3. — 3. Adossé à la façade de la maison de Mme Aubain. — 4. Volant de dentelle. — 5. Espèce de dentelle à l'aiguille. — 6. *Var. : « se* continuant ». — 7. *Pierres* transparentes, taillées à *Alençon*. — 8. Objets qui permettent de se garder de l'ardeur du feu. — 9. *Lapis* lazuli : pierre bleu azur. — 10. L'ostensoir : voir p. 86, n. 15. — 11. *Var. : « il se fit un silence »*. — 12. *Var. : « allant* en *pleine volée »*. — 13. Apprécier l'expression. — 14. Apprécier l'alliance de mots.

- **Comme un écho disparait...** — Félicité mourante revit cette Fête-Dieu qu'elle a appris à célébrer avec la petite Virginie et qui, d'année en année, s'est associée à son existence et enrichie de ses souvenirs (l. 1069-1128).

① Les sensations de la vieille servante, aveugle et sourde, la relient à son passé :
Les sensations qu'elle imagine en se rappelant la fête, mais cet amas de « belles choses » et de gens parle-t-il à son âme comme à celle de Flaubert ou à la nôtre? Éprouve-t-elle, comme nous, ce qu'il y a de poignant dans le silence de la chambre environnée des rumeurs de l'extérieur, et dans cette fin paisible et souriante?
Les sensations qu'elle reçoit encore : le parfum des herbes (voir p. 51), et celui de l'encens.
② Flaubert, personnellement, était très sensible à ce retour d'impressions qui, à travers une vie, portent un poids de souvenirs de plus en plus lourd.
Comparez la fin de Félicité à celle de Mme Bovary (III, 8) sous les fenêtres de qui chante l'aveugle. Emma rit désespérément, et Félicité est heureuse : chacune meurt selon ses mérites.
Il y a, dans la tradition religieuse, dans la littérature ou au cinéma, d'autres exemples de la présence auprès de nous d'envoyés du destin. En connaissez-vous? Vous paraissent-ils artificiels?
③ Représentez-vous le reposoir dans la cour de la maison, la chambre, l'encens qui monte, le *soleil d'or* (l. 1119) qui se lève. La servante méritait-elle — elle, la plus humble — ce suprême hommage que les hommes lui rendent sans le savoir?

- **Prière de la servante**

Mon Dieu, faites-moi la grâce de trouver la servitude douce, et de l'accepter sans murmure, comme la condition que vous nous avez imposée à tous en nous envoyant dans le monde [...] Nous sommes de toutes les maisons, et les maisons peuvent nous fermer leurs portes; nous sommes de toutes les familles, et toutes les familles peuvent nous rejeter; nous élevons les enfants comme s'ils étaient à nous, et quand nous les avons élevés, ils ne nous reconnaissent plus pour leurs mères [...] Parents sans parenté, familières sans famille, filles sans mère, mères sans enfants, cœurs qui se donnent sans être reçus : voilà le sort des servantes devant vous! Accordez-moi de connaître les devoirs, les peines et les consolations de mon état; après avoir été ici-bas une bonne servante des hommes, d'être là-haut une heureuse servante du maître parfait! (Lamartine, *Geneviève*, histoire d'une servante).

Le roman de Lamartine, publié en 1851, est à l'origine du thème de la « servante au grand cœur ». Il raconte la vie d'une pauvre fille acharnée à se sacrifier, consciemment. C'est elle qui a composé la prière ci-dessus. Évidemment, Félicité ne la comprendrait pas.
④ Vous achèverez de situer l'œuvre de Flaubert en commentant ce jugement : « Si Lamartine avait raconté l'histoire vraie, que c'eût été plus beau! »

Le perroquet
du Museum de Rouen
(voir p. 76, n. 1, et p. 79)

Cl. Ellébé, Rouen

LA LÉGENDE
DE SAINT JULIEN L'HOSPITALIER

1. Dossier et sources

Le 22 septembre 1875, dans sa chambre d'hôtel, à Concarneau, Flaubert se remet à écrire et travaille au plan de *la Légende de saint Julien*, qu'il achève en une dizaine de jours. Pendant le mois d'octobre, il « pioche », sans grande ardeur et n'avance guère. Il manque d'ailleurs de documents; et puis « ce n'est pas commode à écrire, cette histoire-là ! » comme il le dit à sa nièce. Il ne l'a entreprise que pour s'occuper, pour savoir s'il pouvait encore « faire une phrase ». Le 1er novembre, il est de retour à Paris, où il peut trouver les livres dont il a besoin. Ce qui d'abord était un « pensum », maintenant l'intéresse : le milieu médiéval est « plus propre que le monde moderne et [lui] fait du bien ! » Vers Noël, la première partie est enfin terminée et le rythme s'accélère. A la mi-février, l'œuvre est achevée. Son exécution aura demandé plus de quatre mois.
On parle souvent de la facilité avec laquelle *la Légende* aurait été écrite. On dit que Flaubert n'y a pas connu les affres du style auxquelles il était habitué. Il est vrai que, dans sa correspondance, on trouve alors peu d'allusions aux difficultés de l'écrivain. Elle est pleine de ses problèmes financiers, des craintes qu'il éprouve pour son avenir, d'un sentiment d'impuissance ou de paralysie. Elle confirme en somme ce que l'auteur nous dit de son conte : il a été son refuge. Il ne venait pas plus facilement que les autres œuvres, mais avec une souffrance voulue, désirable même puisqu'elle faisait oublier les autres.
Le dossier que nous en avons conservé est aussi touffu que celui d'*Un cœur simple*. A côté de notes documentaires sur les chiens et sur les faucons, sur le gibier, ses traces et sa poursuite, on y trouve un scénario et deux séries d'ébauches où les mêmes scènes sont traitées, raturées, reprises, si difficilement déchiffrables qu'on doit se demander comment Flaubert lui-même s'y retrouvait. Mais il n'y a rien sur la légende de Julien ni sur le vitrail de Rouen où, comme nous le disent les dernières lignes du conte (p. 130), la légende *se trouve* peinte. Des notes (ou les croquis dont les dossiers sont parfois illustrés) étaient ici inutiles : la légende et le vitrail restaient sous les yeux de l'écrivain, reproduits dans l'*Essai sur la peinture sur verre* de Langlois, qui fut sa première source.
C'est que, des *Trois Contes*, *Saint Julien* est celui dont l'origine est la plus précise et la plus lointaine. Langlois fut le professeur de dessin de Flaubert, dont il a fait le portrait. L'ancien élève désigne le maître comme un des deux hommes dont l'influence a été la plus forte sur

sa jeunesse (lettre à sa mère du 14 novembre 1850). Quand, en 1832, Langlois a publié à Rouen son *Essai*, les Flaubert n'ont pas pu ne pas le connaître.

On serrera la vérité de plus près en rapportant au printemps de 1835 (l'année où Flaubert contracte la passion de l'histoire et des récits) une première conception, au moins fugitive, de *la Légende*. Langlois était, avec quelques jeunes gens, à Caudebec-en-Caux. Il leur fit évidemment admirer les fameux vitraux de l'église paroissiale, leur expliqua la manière de les lire, leur rappela ceux de Rouen, en particulier le vitrail consacré à saint Julien, dont une statuette se trouvait là. Dix ans plus tard, dans la même église de Caudebec qu'il faisait visiter à Maxime du Camp, Flaubert, à son tour, parla du vitrail de Rouen et dit son projet de *Légende*.

Ce projet réapparut durant la composition de *Madame Bovary* : lointain d'abord, en 1853, sous la forme d'un roman de chevalerie; plus proche en 1855, avec le récit de la visite qu'Emma Bovary et Léon font à la cathédrale de Rouen, dont le bedeau les invite à admirer les vitraux [1]. La même année Hugo donnait, pour la première fois en édition séparée, *la Légende du beau Pécopin et de la belle Bauldour*, légende qui n'est pas sans quelques rapports avec celle de saint Julien. *Madame Bovary* terminée, Flaubert se mit à *la Légende de Saint Julien* en faisant de grandes lectures sur la vie privée au Moyen Age et sur la vénerie. Il pensait pouvoir mettre au point son *Saint Antoine* et finir *Saint Julien l'Hospitalier* en moins de cinq mois. Mais les ennuis que son roman lui attirait, des difficultés imprévues dans *la Tentation de saint Antoine*, l'amenaient à abandonner *la Légende* d'abord, *Saint Antoine* ensuite, au profit de *Salammbô*.

Après la publication de *l'Éducation sentimentale* (1869), *la Tentation de saint Antoine* fut remise en chantier. Interrompu par la guerre, le travail se poursuivit en 1871 et 1872, en même temps que *Bouvard et Pécuchet* commençait à prendre forme. Cependant *la Légende* revenait au jour : au printemps de 1872, puis en 1874, de nouvelles lectures étaient entreprises. Quand, à l'automne de 1875, Flaubert eut besoin d'un sujet, *la Légende de saint Julien l'Hospitalier* était prête.

Elle devait former une suite d'enluminures, comme celles des *Riches Heures*. On y trouverait, dans un dessin un peu raide, le château et ses habitants, les jardins, les voyageurs. Il y aurait les tableaux de batailles et les scènes de chasse, celles des loisirs. Et puis, au loin, le rêve de l'Orient entrevu dans les récits des croisés ou dans des expéditions vers les pays du soleil.

Mais il ne s'agirait pas de faire de l'histoire. La peinture rappellerait les manuscrits du XVe siècle (ou même du XIVe), parce que les artistes

1. Dans la version définitive, l'épisode a été écourté. On le trouvera dans « *Madame Bovary* », *ébauches et fragments inédits*, de G. Leleu, (t. II, p. 294).

d'alors, tout en s'efforçant de représenter la réalité, conservaient quelque chose de la gaucherie et de la tradition symboliste de leurs prédécesseurs. Elle donnerait, du Moyen Age, l'image conventionnelle et séduisante qu'on s'en faisait au XIXe siècle. Pour le récit, il renverrait à un passé sans siècles et sans géographie, où les héros guerroyaient de la Scandinavie à l'Abyssinie, de l'Espagne à la Palestine, où le calife de Cordoue combattait un empereur d'Occitanie qui habitait un palais moresque...
De l'auteur à *la Légende*, de *la Légende* à son cadre, la route avait été longuement tracée. Elle devait se prolonger à mesure que les *Trois Contes* prenaient forme. Flaubert s'y retrouvait lui-même, d'abord comme on se retrouve dans ses œuvres, en les meublant de ses images familières, celles de la vie ou du rêve, puis plus loin dans sa mélancolie foncière, dans ce besoin d'exaltation qui lui avait fait souhaiter de mourir martyr, et dans le sentiment que Julien avait connu la meilleure part en s'abandonnant à la vie. Pour un homme qui arrivait au bout du voyage, elle devenait le prétexte d'un retour sur soi-même et sur le passé, d'une méditation sur le sens d'une destinée. Elle allait appeler à elle d'autres sujets et prendre place au centre d'un chef-d'œuvre.

2. La vie de saint Julien l'Hospitalier (voir le vitrail, p. 94-95).

Ce saint, sur les lieux de naissance et de mort duquel les légendaires ont gardé le silence, sortait de parents illustres qui l'élevèrent dans les exercices convenables à sa condition relevée. Aimant, dans sa jeunesse, passionnément la chasse, un jour qu'il poursuivait un cerf qu'il était prêt d'atteindre et de mettre à mort, l'animal se tournant vers son persécuteur, lui cria d'une voix terrible: « *Tu me poursuis, toi, qui tueras ton père et ta mère!* » Frappé d'horreur et voulant éviter l'accomplissement de cette épouvantable prophétie, le chasseur à l'instant même se bannit pour jamais du manoir paternel, et se retire en secret dans une contrée lointaine, vers un certain prince (fig. 7) qui, bientôt appréciant ses grandes qualités, lui confie le commandement de sa gendarmerie (fig. 10) et lui fait obtenir une jeune veuve, châtelaine de la plus haute extraction (fig. 11).
Dans ces entrefaites, le père et la mère de Julien inconsolables de sa perte entreprennent sa recherche (fig. 14), et le sort, après beaucoup de peines et de fatigues, les conduit à leur insu dans le château de ce fils bien-aimé, absent alors. Cependant la châtelaine (fig. 15) reçoit avec bienveillance ces vénérables voyageurs, s'informe de leur condition, et les reconnaissant à leur discours pour les parents de son mari, joint aux plus tendres égards la respectueuse attention de les faire reposer dans son propre lit. Ramené par sa fatale étoile, Julien revient chez lui vers le point du jour (fig. 18); sans s'informer de ce qui s'y est passé pendant son absence, il monte dans son appartement pour embrasser son épouse et s'approche doucement de la couche nuptiale à peine éclairée par la lueur incertaine du crépuscule... O douleur! ô cruelle méprise! Il se croit trahi par un criminel adultère. Transporté de fureur il ne délibère pas, tire sa funeste épée et fait, sans rompre le silence, passer de leur paisible sommeil à celui de l'éternité les déplorables auteurs de ses jours (fig. 17). Aussitôt, désespéré, l'âme égarée, il s'enfuit avec horreur de sa propre demeure, dont à peine il a franchi le seuil que sa chaste et douce épouse, revenant de la messe de l'aurore, se présente devant lui la sérénité sur le front (fig. 16). A cette apparition inattendue, les yeux de Julien sont dessillés; dans son trouble, dans son affreuse inquiétude, il demande en frémissant le nom de ceux qu'il a surpris dans son lit, et la réponse qu'il reçoit achève de lui déchirer le cœur. « Dieu tout puissant, s'écrie-t-il, mes affreux destins sont donc accomplis! Adieu, ma chère sœur, ajoute-t-il, en embrassant tendrement son épouse après l'avoir instruite de son malheur, adieu, vivez heureuse, oubliez un misérable

qui va dans le fond d'un désert s'imposer une pénitence dont il ne pourra proportionner la rigueur à l'énormité de son crime, mais qui peut-être en obtiendra le pardon et la miséricorde infinie. » — « Ah ! mon frère, répond la châtelaine fondant en larmes, pouvez-vous méconnaître à ce point le cœur de votre épouse; pouvez-vous la croire capable de vous abandonner lâchement sous le poids de vos maux? Oh non, non, jamais ! Eh bien, renoncez au monde, partez si vous le voulez; mais après avoir partagé vos plaisirs je m'attache à vos pas pour partager vos peines. »

Voilà donc les tristes époux en route (fig. 19). Au bout de quelques jours ils atteignent un lieu sauvage où coule une grande rivière célèbre par le nombre des victimes de son onde perfide. C'est là que Julien se consacre en qualité de simple passager à la sûreté des voyageurs et des pèlerins; c'est là que bientôt s'élève sur le rivage un petit hôpital où nuit et jour le charitable couple prodigue les plus tendres soins à l'humanité souffrante (fig. 20).

Au bout de quelques années écoulées de la sorte, dans le fort d'un rigoureux hiver et vers le milieu de la nuit, les deux époux entendirent la voix lamentable d'un homme qui, de la rive opposée, les appelait en gémissant (fig. 22). Dans cet instant une effroyable tempête semblait confondre les éléments, et les vents furieux bouleversaient les flots du fleuve qui rugissait au sein des plus noires ténèbres. Que fera Julien? doit-il s'exposer pour un inconnu, pour un brigand peut-être, à une mort certaine? Il ne balance point cependant, et sa femme elle-même approuve son généreux dévouement. Le saint batelier se couvre à la hâte de ses vêtements (fig. 24), s'élance dans sa barque, et luttant avec succès contre les vents et les vagues, guidé par le fanal que tient son épouse restée sur le rivage (fig. 26), il accueille et conduit chez lui le pauvre étranger (fig. 25). De quel pénible spectacle est témoin alors le couple hospitalier! L'inconnu, hideux rebut de la nature et de la société, est couvert d'une lèpre vive qui révolte horriblement l'odorat et la vue, et les membres glacés de ce malheureux ne peuvent recouvrer, par l'impression du feu le plus ardent, le mouvement et la vie; déjà son cœur ne bat plus; c'en est fait, il va mourir... O sainte, ô ingénieuse pitié ! Que font les deux époux? S'aveuglant sur le danger auquel ils s'exposent, ils étendent au milieu d'eux, dans leur propre lit, leur affreux hôte et se pressent à ses côtés pour lui communiquer leur chaleur naturelle; enfin ils le voient avec transport revenir à la vie, et bientôt le sommeil et la paix planent sur la couche vénérable. Généreux martyrs de la charité, quel beau jour va luire sur vos têtes ! Déjà ses premiers rayons pénètrent dans votre sainte et secourable demeure, et vous éveillant l'un l'autre vous cherchez, saisis d'étonnement et de crainte, à reconnaître le misérable malade dans l'être surnaturel qui, resplendissant de lumière et de majesté, se montre à vos yeux éblouis. Mortels bienfaisants, n'en doutez point, vous le voyez encore cet objet de votre héroïque pitié, mais dans Jésus lui-même dont la voix vous console, dont la main vous bénit (fig. 27). C'est ton Sauveur, ô Julien, qui, touché de tes longues douleurs, vient essuyer tes larmes, t'apporter le pardon de ton crime et t'annoncer que tu dois, ainsi que ta vertueuse épouse, embrasser dans le séjour de la gloire éternelle tes bons et malheureux parents.

Aussitôt, le divin fils de Marie disparut, et, peu de temps après, ses vertueux hôtes, s'endormant de la mort des justes, furent chercher dans son sein le bonheur dont ses paroles leur avaient donné l'assurance (fig. 31).

E.-H. Langlois

***Essai sur la peinture sur verre*, 1832.**

Cette vie de saint Julien est, pour l'essentiel, une adaptation de *la Légende dorée* de Jacques de Voragine. Langlois, bien qu'il ait illustré son livre d'une gravure (voir p. 94-95), n'a pas cherché à retrouver l'histoire telle que les « imagiers » de Rouen l'avaient racontée.

Vous essaierez de lire le vitrail vous-même.

N. B. Il doit se regarder de bas en haut, sans tenir compte des numéros de Langlois. Les images 1, 2, 3, sont la signature des donateurs, les poissonniers de Rouen.

Le vitrail
de la cathédrale
de Rouen
d'après Langlois
(voir p. 92)

Cl. Bordas

Détail : saint Julien traversant le fleuve

Cl. Arch. Phot.

Cl. Bordas

3. Scénario du conte (texte de Flaubert)

I. *Éducation — château*
amour de la chasse.

II. *Prédiction du cerf — un soir d'octobre, bruyères, brouillard.*
Julien sent une grande volupté
à le tuer.
Rentré chez lui, le soir, près de ses parents,
pleure :
« mère, on m'a dit que je te tuerais ».
Ses parents le consolent.
La prédiction lui revient et, par la peur de tuer
il a envie de tuer.

III. *Il part — guerroie — pays lointains — vie d'aventures — refuse*
le combat quand la visière n'est pas levée. Honneurs —
le souvenir. Souhaite presque que ses parents soient morts.
Mariage.

IV. *Dans son château (sombre — le bien différencier du paternel —*
une mare au pied).
Une nuit. Les bonnes gens. Sa femme part le chercher.
Le clair de lune l'avait excité à la chasse.
Rentre — tue.

V. *Alla s'établir au bord d'un grand fleuve dans un pays froid.*
Vie de misère
une nuit — voix.
Le lépreux
passage
couchée
Jésus-Christ.

Et voilà la légende de saint Julien l'Hospitalier telle qu'elle est racontée sur les vitraux de la cathédrale de ma ville natale.

Ce scénario, établi sans doute en septembre 1875, est donné dans une disposition typographique aussi proche que possible de celle du manuscrit. Grâce à lui, on peut suivre de plus près le travail de « recréation » auquel s'est livré Flaubert sur *la Vie de saint Julien* par Langlois.
① Notez le souci de garder et de grossir les indications poétiques du récit médiéval, mais aussi l'effort pour en faire des éléments de la tragédie.
② Voyez comment les grandes lignes de la construction ont été aussitôt tracées, les symétries établies. Les scènes les plus dramatiques se sont-elles formées aussi aisément?
③ La première phrase « écrite » a été le post-scriptum. Vous en comparerez les deux versions, celle du scénario et celle du conte (p. 130, l. 925-926); les sonorités, le rythme ont été complètement transformés. Comment?

LA LÉGENDE DE SAINT JULIEN L'HOSPITALIER

1

1 Le père et la mère de Julien habitaient un château, au milieu des bois, sur la pente d'une colline.

Les quatre tours aux angles avaient des toits pointus recouverts d'écailles[1] de plomb, et la base des murs s'appuyait sur les quartiers
5 de rocs, qui dévalaient abruptement jusqu'au fond des douves[2].

Les pavés de la cour étaient nets comme le dallage d'une église. De longues gouttières, figurant des dragons la gueule en bas[3], crachaient l'eau des pluies vers la citerne; et sur le bord des fenêtres, à tous les étages, dans un pot d'argile peinte, un basilic[4] ou un hélio-
10 trope[5] s'épanouissait.

Une seconde enceinte, faite de pieux, comprenait d'abord un verger d'arbres à fruits, ensuite un parterre où des combinaisons de fleurs dessinaient des chiffres[6], puis une treille avec des berceaux pour prendre le frais, et un jeu de mail[7] qui servait au divertissement des
15 pages. De l'autre côté se trouvaient le chenil, les écuries, la boulangerie, le pressoir et les granges. Un pâturage de gazon vert se développait tout autour, enclos lui-même d'une forte haie d'épines.

On vivait en paix depuis si longtemps que la herse[8] ne s'abaissait plus; les fossés[9] étaient pleins d'eau; des hirondelles faisaient leur
20 nid dans la fente des créneaux[10]; et l'archer qui tout le long du jour

---

1. Nom donné aux feuilles *de plomb*, étroites et arrondies dans leur partie visible, qui servaient à la couverture des dômes. — 2. Parois des fossés qui entourent le château. — 3. Leurs gueules servaient de gargouilles. — 4. Herbe odoriférante, étymologiquement : un « petit roi ». Il existe aussi un animal légendaire du même nom, une sorte de lézard, dont le simple regard tuait. — 5. Plante à fleurs bleues; étymologiquement : celle qui se tourne vers le soleil. — 6. Entrelacements d'initiales. — 7. C'est le jeu qui se joue avec un maillet (ou mail), servant à pousser une boule, comme dans notre croquet. C'est aussi l'allée plantée d'arbres où l'on peut jouer à ce jeu. — 8. Contre-porte, faite d'une grille de fer, armée de pointes. — 9. Voir la note 2. — 10. Découpures pratiquées à la partie supérieure des tours ou des courtines.

se promenait sur la courtine[1], dès que le soleil brillait trop fort rentrait dans l'échauguette[2], et s'endormait comme un moine.

A l'intérieur, les ferrures partout reluisaient; des tapisseries[3] dans les chambres protégeaient du froid; et les armoires regorgeaient de 25 linge, les tonnes de vin s'empilaient dans les celliers[4], les coffres de chêne craquaient sous le poids des sacs d'argent.

On voyait dans la salle d'armes, entre des étendards et des mufles de bêtes fauves, des armes de tous les temps et de toutes les nations, depuis les frondes des Amalécites[5] et les javelots des Garamantes[6] 30 jusqu'aux braquemarts[7] des Sarrasins et aux cottes de mailles des Normands.

La maîtresse[8] broche de la cuisine pouvait faire tourner un bœuf; la chapelle était somptueuse comme l'oratoire d'un roi. Il y avait même, dans un endroit écarté, une étuve[9] à la romaine; mais le bon 35 seigneur s'en privait, estimant que c'est un usage des idolâtres.

Toujours enveloppé d'une pelisse[10] de renard, il se promenait dans sa maison, rendait la justice à ses vassaux, apaisait les querelles de ses voisins. Pendant l'hiver, il regardait les flocons de neige tomber, ou se faisait lire des histoires. Dès les premiers beaux jours, il s'en allait 40 sur sa mule le long des petits chemins, au bord des blés qui verdoyaient, et causait avec les manants[11], auxquels il donnait des conseils. Après beaucoup d'aventures[12], il avait pris pour femme une demoiselle[13] de haut lignage[14].

Elle était très blanche, un peu fière et sérieuse. Les cornes de son 45 hennin[15] frôlaient le linteau[16] des portes; la queue de sa robe de drap traînait de trois pas derrière elle. Son domestique[17] était réglé comme l'intérieur d'un monastère; chaque matin elle distribuait la besogne à ses servantes[18], surveillait les confitures et les onguents[19], filait à la quenouille[20] ou brodait des nappes d'autel. A force de prier Dieu, 50 il lui vint un fils.

Alors il y eut de grandes réjouissances, et un repas qui dura trois jours et quatre nuits[21], dans l'illumination des flambeaux, au son

---

1. Muraille entre les tours. — 2. Guérite construite en saillie sur la tour ou la courtine. — 3. Grandes pièces de laine ou de soie, servant à revêtir les murs. — 4. Salles où l'on rangeait le vin et les provisions; elles étaient situées au rez-de-chaussée. — 5. Peuplade ennemie des Juifs, que combattit Saül. — 6. Tribus africaines qui vivaient au sud de la Numidie. Dans *Salammbô*, Flaubert souligne leur férocité et leur barbarie. — 7. Épées courtes et larges. — 8. Principale. — 9. C'est le lieu où l'on élève la température pour provoquer la transpiratiou. Ici, sans doute, une « salle de bains ». — 10. Robe fourrée de peau. Gargantua, enfant, en portait une. — 11. Paysans (sans valeur péjorative). — 12. Guerrières. — 13. Jeune fille noble. — 14. L'ensemble des membres d'une « lignée » (famille) .— 15. Coiffe conique haute, à une ou deux pointes (ou cornes). — 16. Traverse supérieure. — 17. L'intérieur de son ménage; sens classique. — 18. *Var. :* « *à ses* suivantes ». — 19. Médicament de consistance molle, pour usage externe. — 20. Canne qu'on entoure à un bout du lin ou de la laine à filer. — 21. *Var. :* « quatre *jours et* trois nuits ».

des harpes, sur des jonchées[1] de feuillages. On y mangea les plus rares épices[2], avec des poules grosses comme des moutons; par
55 divertissement, un nain sortit d'un pâté; et, les écuelles[3] ne suffisant plus, car la foule augmentait toujours, on fut obligé de boire dans les oliphants[4] et dans les casques.

La nouvelle accouchée n'assista pas à ces fêtes. Elle se tenait dans son lit, tranquillement. Un soir, elle se réveilla, et elle aperçut, sous
60 un rayon de la lune qui entrait par la fenêtre, comme une ombre mouvante. C'était un vieillard en froc[5] de bure[6], avec un chapelet au côté, une besace[7] sur l'épaule, toute l'apparence d'un ermite. Il s'approcha de son chevet et lui dit, sans desserrer les lèvres :

— Réjouis-toi, ô mère ! ton fils sera un saint !

65 Elle allait crier; mais, glissant sur le rais[8] de la lune, il s'éleva dans l'air doucement, puis disparut. Les chants du banquet éclatèrent plus fort. Elle entendit les voix des anges; et sa tête retomba sur l'oreiller, que dominait un os de martyr dans un cadre d'escarboucles[9].

---

1. Grande quantité d'herbes, de fleurs ou de branches répandues à terre. — 2. Au singulier : produit aromatique; au pluriel : dragées, confitures... — 3. Toutes sortes de récipients — 4. Cors en ivoire. — 5. Vêtement monacal. — 6. Grosse étoffe de laine — 7. Sac porté surtout par les mendiants. — 8. Rayon; mot vieilli dès le XVIIe s... — 9. Vieux nom des rubis ou des pierres de couleur comparable.

- **« Le père et la mère de Julien habitaient un château... »** — C'est dans un monde clos que va naître l'enfant : autour des seigneurs et les protégeant, il y a les murailles, le parc, le village et le bois disposés en cercles concentriques; dans le château même, des provisions et des armes pour plusieurs années.

  ① Si différents que soient les rangs et les époques, ne retrouvez-vous pas là quelque chose de la vie bourgeoise comme la conçoivent Mme Aubain — et Flaubert lui-même?

  ② Essayez de sentir et d'expliquer la construction de ce début :
  — le mouvement alterné qui nous porte du château vers l'extérieur et de l'extérieur vers l'intérieur.
  — la composition interne de quelques paragraphes (l. 6-10; 18-22);
  — les avantages de l'emploi constant de l'imparfait.

  ③ Mais des fragments d'images forment-ils des tableaux? Préférez-vous ce style « moderne » à la manière d'un Chateaubriand décrivant Combourg (*Mémoires d'Outre-Tombe*, I, 3)?

- **« On [y] vivait en paix... »** (l. 18). — Le château est aussi peu militaire que possible (site, enceintes, salle d'armes-musée, soldats...) Et pourtant le drame est proche. Tout le laisse deviner : la juxtaposition du passé et du présent, une maison ancrée dans le roc mais pointant vers le ciel, le *basilic* (l. 9), symbole du mal, et l'*héliotrope* qui regarde le soleil...

70 Le lendemain, tous les serviteurs interrogés déclarèrent qu'ils n'avaient pas vu d'ermite. Songe ou réalité, cela devait être une communication du ciel; mais elle eut soin de n'en rien dire, ayant peur qu'on ne l'accusât d'orgueil.

Les convives s'en allèrent au petit jour; et le père de Julien se
75 trouvait en dehors de la poterne [1], où il venait de reconduire le dernier, quand tout à coup un mendiant se dressa devant lui, dans le brouillard. C'était un Bohème [2] à barbe tressée, avec des anneaux d'argent aux deux bras et les prunelles flamboyantes. Il bégaya d'un air inspiré ces mots sans suite :

80 — Ah! ah! ton fils!... beaucoup de sang!... beaucoup de gloire!... toujours heureux! la famille d'un empereur.

Et, se baissant pour ramasser son aumône, il se perdit dans l'herbe, s'évanouit.

Le bon châtelain regarda de droite et de gauche, appela tant qu'il
85 put. Personne! Le vent sifflait, les brumes du matin s'envolaient.

Il attribua cette vision à la fatigue de sa tête pour avoir [3] trop peu dormi.

« Si j'en parle, on se moquera de moi », se dit-il.

Cependant les splendeurs destinées à son fils l'éblouissaient, bien
90 que la promesse n'en fût pas claire et qu'il doutât même de l'avoir entendue.

Les époux se cachèrent leur secret. Mais tous deux chérissaient l'enfant d'un pareil amour; et, le respectant comme marqué de Dieu [4], ils eurent pour sa personne des égards infinis. Sa couchette [5]
95 était rembourrée du plus fin duvet; une lampe en forme de colombe [6] brûlait dessus [7], continuellement; trois nourrices le berçaient; et, bien serré dans ses langes [8], la mine rose et les yeux bleus, avec son manteau de brocart [9] et son béguin [10] chargé de perles, il ressemblait à un petit Jésus [11]. Les dents lui poussèrent sans qu'il pleurât une
100 seule fois.

Quand il eut sept ans, sa mère lui apprit à chanter. Pour le rendre courageux, son père le hissa sur un gros cheval. L'enfant souriait d'aise, et ne tarda pas à savoir tout ce qui concerne les destriers [12].

Un vieux moine très savant [13] lui enseigna l'écriture sainte, la
105 numération des Arabes [14], les lettres latines, et à faire sur le vélin [15]

1. Petite porte dérobée dans les fortifications. — 2. Bohémien, diseur de bonne aventure. — 3. Parce qu'il avait. — 4. Prédestiné. — 5. Lit d'enfant. — 6. Type ancien de lampe à huile. — 7. *Var.* : « au-*dessus* ». — 8. Étoffe où étaient enveloppés les enfants. — 9. Tissu multicolore, broché de soie, d'or, d'argent. — 10. Coiffe attachée sous le menton. — 11. Expression restée populaire. — 12. Les chevaux de bataille. — 13. *Var.* : « venu exprès des Calabres ». — 14. Nous parlons encore de « chiffres arabes ». — 15. Peau de veau préparée comme un parchemin.

des peintures mignonnes. Ils travaillaient ensemble, tout en haut d'une tourelle, à l'écart du bruit.

La leçon terminée, ils descendaient dans le jardin, où, se promenant pas à pas, ils étudiaient les fleurs.

110 Quelquefois on apercevait, cheminant au fond de la vallée, une file de bêtes de somme, conduites par un piéton, accoutré à l'orientale. Le châtelain, qui l'avait reconnu pour un marchand, expédiait vers lui un valet. L'étranger, prenant confiance, se détournait de sa route; et, introduit dans le parloir [1], il retirait de ses coffres des pièces de 115 velours et de soie, des orfèvreries, des aromates, des choses singulières d'un usage inconnu; à la fin le bonhomme s'en allait, avec un gros profit, sans avoir enduré aucune violence. D'autres fois, une troupe de pèlerins frappait à la porte. Leurs habits mouillés fumaient devant l'âtre; et, quand ils étaient repus, ils racontaient leurs voyages : 120 les erreurs [2] des nefs sur la mer écumeuse, les marches à pied dans les sables brûlants, la férocité des païens, les cavernes de la Syrie, la Crèche et le Sépulcre. Puis ils donnaient au jeune seigneur des coquilles [3] de leur manteau.

Souvent le châtelain festoyait ses vieux compagnons d'armes. 125 Tout en buvant, ils se rappelaient leurs guerres, les assauts des forteresses avec le battement [4] des machines et les prodigieuses blessures. Julien, qui les écoutait, en poussait des cris; alors son père ne doutait pas qu'il ne fût plus tard un conquérant. Mais le soir, au sortir de l'Angélus [5], quand il passait entre les pauvres inclinés, il puisait dans

1. Salle où l'on reçoit les étrangers. — 2. Voyages aventureux. — 3. Les *coquilles* Saint-Jacques (voir p. 58, n. 5) indiquant leur qualité de pèlerins. — 4. Choc produit sur les murs par les machines. — 5. Voir p. 74, n. 7.

- **La vie au château** nous est naturellement contée dès que nous connaissons le cadre. Mais la première partie n'était pas inerte et la seconde (l. 36-134) va aller de croquis en scènes sur un tissu narratif lâche.
  ① Distinguez-en les trois mouvements.

- **Les personnages** sont esquissés : le Seigneur est une sorte de roi d'Yvetôt (ou de Grandgousier), la Dame, très pieuse, bonne maîtresse de maison, n'existe que pour sa famille; mais il y a aussi, au fond de chacun d'eux, un rêve d'héroïsme qui les relie à leur temps.

- **La péripétie** (l. 135-167).

  ② Distinguez, dans les trois scènes qui constituent la péripétie, les trois phases de chaque meurtre : l'intention, l'acte, l'effet. Comparez-les.
  ③ La péripétie a été préparée. Comment? Mais est-elle expliquée? Si elle l'était, aurions-nous l'impression d'une légende?

130 son escarcelle [1] avec tant de modestie et d'un air si noble, que sa mère comptait bien le voir par la suite archevêque.

Sa place dans la chapelle était aux côtés de ses parents; et, si longs que fussent les offices, il restait à genoux sur son prie-Dieu, la toque [2] par terre et les mains jointes.

135 Un jour, pendant la messe, il aperçut, en relevant la tête, une petite souris blanche qui sortait d'un trou, dans la muraille. Elle trottina sur la première marche de l'autel, et, après deux ou trois tours de droite et de gauche, s'enfuit du même côté. Le dimanche suivant, l'idée qu'il pourrait la revoir le troubla. Elle revint; et, 140 chaque dimanche il l'attendait, en était importuné, fut pris de haine contre elle, et résolut de s'en défaire.

Ayant donc fermé la porte, et semé sur les marches les miettes d'un gâteau, il se posta devant le trou, une baguette à la main.

Au bout de très longtemps un museau rose parut, puis la souris 145 tout entière. Il frappa un coup léger, et demeura stupéfait devant ce petit corps qui ne bougeait plus. Une goutte de sang tachait la dalle. Il l'essuya bien vite avec sa manche, jeta la souris dehors, et n'en dit rien à personne.

Toutes sortes d'oisillons picoraient les graines du jardin. Il imagina 150 de mettre des pois dans un roseau creux [3]. Quand il entendait gazouiller dans un arbre, il en approchait avec douceur, puis levait son tube, enflait ses joues; et les bestioles lui pleuvaient sur les épaules si abondamment qu'il ne pouvait s'empêcher de rire, heureux de sa malice.

155 Un matin, comme il s'en retournait par la courtine [4], il vit sur la crête du rempart un gros pigeon [5] qui se rengorgeait au soleil. Julien s'arrêta pour le regarder; le mur en cet endroit ayant une brèche, un éclat de pierre se rencontra [6] sous ses doigts. Il tourna son bras, et la pierre abattit l'oiseau qui tomba d'un bloc dans le fossé.

160 Il se précipita vers le fond, se déchirant aux broussailles, furetant partout, plus leste qu'un jeune chien.

Le pigeon, les ailes cassées, palpitait, suspendu dans les branches d'un troène [7].

La persistance de sa vie irrita l'enfant. Il se mit à l'étrangler; et 165 les convulsions de l'oiseau faisaient battre son cœur, l'emplissaient d'une volupté sauvage et tumultueuse. Au dernier roidissement [8], il se sentit défaillir [9].

---

1. Bourse suspendue à la ceinture. — 2. Chapeau à petits bords, plat au-dessus, plissé tout autour. — 3. Une sarbacane. — 4. Voir p. 98, n. 1. — 5. *Var.* : « à pattes roses ». — 6. *Var.* : « *se rencontra* par hasard ». — 7. Arbrisseau à fleurs blanches odorantes. — 8. Raidissement; forme ancienne. — 9. Son cœur ralentit.

Le soir, pendant le souper [1], son père déclara [2] que l'on devait à son âge apprendre la vénerie [3]; et il alla chercher un vieux cahier d'écri-
170 ture contenant, par demandes et réponses, tout le déduit [4] des chasses. Un maître y démontrait à son élève l'art de dresser les chiens et d'affaiter [5] les faucons, de tendre les pièges, comment reconnaître le cerf à ses fumées [6], le renard à ses empreintes, le loup à ses déchaussures [7], le bon moyen de discerner leurs voies [8], de quelle manière
175 on les lance [9], où se trouvent ordinairement leurs refuges, quels sont les vents les plus propices, avec l'énumération des cris et les règles de la curée [10].

Quand Julien put réciter par cœur toutes ces choses, son père lui composa une meute.

180 D'abord on y distinguait vingt-quatre lévriers [11] barbaresques [12], plus véloces [13] que des gazelles, mais sujets à s'emporter; puis dix-sept couples de chiens bretons, tiquetés [14] de blanc sur fond rouge, inébranlables dans leur créance [15], forts de poitrine et grands hurleurs. Pour l'attaque du sanglier et les refuites [16] périlleuses, il y avait
185 quarante griffons [17], poilus comme des ours. Des mâtins [18] de Tartarie, presque aussi hauts que des ânes, couleur de feu, l'échine large et le jarret droit, étaient destinés à poursuivre les aurochs [19]. La robe noire des épagneuls [20] luisait comme du satin; le jappement des talbots [21] valait celui des bigles chanteurs [21]. Dans une cour à part, grondaient,
190 en secouant leur chaîne et roulant leurs prunelles, huit dogues [22] alains [23], bêtes formidables qui sautent au ventre des cavaliers et n'ont pas peur des lions.

Tous mangeaient du pain de froment, buvaient dans des auges de pierre, et portaient un nom sonore.

195 La fauconnerie, peut-être, dépassait la meute; le bon seigneur, à

---

1. Repas du soir; sens ancien. — 2. *Var. :* « lui *déclara* ». — 3. L'art de chasser aux chiens courants. Il comprend cinq parties : la formation de la meute; son dressage et son entretien; la recherche des traces; comment on lance; comment on réduit la bête. Mais Flaubert traite en même temps d'un autre art, celui de la fauconnerie, c'est-à-dire du choix, du dressage et de l'utilisation à la chasse des oiseaux de proie. — 4. Divertissement; ici : le train et l'équipage qui permet de prendre le *déduit* de la chasse. — 5. Dresser. — 6. Fientes. — 7. Marques de griffes. — 8. Passages. — 9. On les oblige à sortir de leur refuge pour les poursuivre. — 10. La dernière phase de la chasse à courre : on distribue aux chiens les entrailles sur le *cuir* de la bête écorchée : voir la ligne 231. — 11. Chiens à corps long et étroit, à museau pointu. — 12. Du nord de l'Afrique. — 13. Rapides; mot récent. — 14. Tachetés. — 15. On dit d'un chien qu'il est de bonne *créance* quand il est sûr à la chasse. — 16. Les passages habituels de la bête poursuivie, et aussi les ruses qu'elle emploie pour brouiller ses traces. — 17. Chiens à poil long, hérissé sur la tête et le devant du corps. — 18. Une des quatre variétés de chiens. — 19. Bœufs sauvages dont il reste quelques spécimens en Pologne et en Lithuanie. — 20. Une autre des quatre variétés de chiens; l'épagneul noir, ou gredin, est de petite taille. — 21. Chiens anglais, le premier plus grand que le second (en anglais *beagles*). — 22. Troisième des quatre variétés de chiens. — 23. Caucasiens, dont on se servait pour la guerre.

force d'argent, s'était procuré des tiercelets [1] du Caucase, des sacres [2] de Babylone, des gerfauts [3] d'Allemagne, et des faucons-pèlerins [4], capturés sur les falaises, au bord des mers froides, en de lointains pays. Ils logeaient dans un hangar couvert de chaume, et, attachés
200 par rang de taille sur le perchoir, avaient devant eux une motte de gazon, où de temps à autre on les posait afin de les dégourdir.

Des bourses [5], des hameçons [6], des chausse-trapes [7], toute sorte d'engins [8], furent confectionnés.

Souvent on menait dans la campagne des chiens d'oysel [9], qui
205 tombaient bien vite en arrêt. Alors les piqueurs [10], s'avançant pas à pas, étendaient avec précaution sur leurs corps impassibles un immense filet. Un commandement les faisait aboyer; des cailles s'envolaient; et les dames des alentours conviées avec leurs maris, les enfants, les camérières [11], tout le monde se jetait dessus, et les
210 prenait facilement.

D'autres fois, pour débûcher [12] les lièvres, on battait du tambour; des renards tombaient dans des fosses, ou bien un ressort, se débandant, attrapait un loup par le pied.

Mais Julien méprisa ces commodes artifices; il préférait chasser
215 loin du monde, avec son cheval et son faucon. C'était presque toujours un grand tartaret [13] de Scythie, blanc comme la neige. Son capuchon [14] de cuir était surmonté d'un panache, des grelots d'or tremblaient à ses pieds bleus: et il se tenait ferme sur le bras de son maître pendant que le cheval galopait, et que les plaines se déroulaient. Julien,
220 dénouant ses longes [15], le lâchait tout à coup; la bête hardie montait droit dans l'air comme une flèche; et l'on voyait deux taches inégales tourner, se joindre, puis disparaître dans les hauteurs de l'azur. Le faucon ne tardait pas à descendre en déchirant quelque oiseau, et revenait se poser sur le gantelet [16], les deux ailes frémissantes.

225 Julien vola [17] de cette manière le héron, le milan, la corneille et le vautour.

Il aimait, en sonnant de la trompe, à suivre ses chiens qui couraient sur le versant des collines, sautaient les ruisseaux, remontaient vers le bois; et, quand le cerf commençait à gémir sous les morsures, il

---

1. Rapace diurne mâle. — 2. Grand rapace du genre faucon. — 3. Le plus fort des rapaces du genre faucon. — 4. Le plus commun des faucons. On le prend en septembre, à son passage dans les îles ou *sur les falaises*. — 5. Poches que l'on place à l'entrée d'un terrier quand on chasse au furet. — 6. Au sens général d'instruments servant à prendre par ruse. — 7. Pièges à pointes de fer, pour prendre de gros animaux. — 8. Pièges. — 9. *Chiens* dressés pour chasser l'*oysel* (oiseau). Ils tombent en arrêt (s'arrêtent) quand ils le sentent. — 10. Valets à cheval, qui dirigent les chiens; prononcer *piqueux*. — 11. Servantes; mot vieilli. — 12. Débusquer, faire sortir des taillis ou des bois. — 13. Faucon de Tartarie, venu par la Russie du Sud ou *Scythie*. — 14. Qui couvre les yeux du rapace avant et après la chasse. — 15. Lanières. — 16. Gant de cuir et de métal. — 17. Chassa au vol.

230 l'abattait prestement, puis se délectait à la furie des mâtins qui le dévoraient, coupé en pièces sur sa peau fumante[1].

Les jours de brume, il s'enfonçait dans un marais pour guetter les oies, les loutres et les halbrans[2].

Trois écuyers, dès l'aube, l'attendaient au bas du perron; et le 235 vieux moine[3], se penchant à sa lucarne, avait beau faire des signes pour le rappeler, Julien ne se retournait pas. Il allait à l'ardeur du soleil, sous la pluie, par la tempête, buvait l'eau des sources dans sa main, mangeait en trottant des pommes sauvages, s'il était fatigué se reposait sous un chêne; et il rentrait au milieu de la nuit, couvert de 240 sang et de boue, avec des épines dans les cheveux et sentant l'odeur des bêtes farouches. Il devint comme elles. Quand sa mère l'embrassait, il acceptait froidement son étreinte, paraissant rêver à des choses profondes.

Il tua des ours à coups de couteau, des taureaux avec la hache, des 245 sangliers avec l'épieu[4]; et même une fois, n'ayant plus qu'un bâton, se défendit contre des loups qui rongeaient des cadavres au pied d'un gibet.

1. C'est la curée : voir p. 103, n. 10. — 2. Jeunes canards sauvages. — 3. Son précepteur: voir p. 100, l. 104. — 4. Pique courte et forte.

- **Le cours de la vie reprend.** — Nous revenons en arrière et, comme si la péripétie n'avait pas eu lieu (l. 135-167), le seigneur, initiant son fils à la chasse, tente — sans le savoir et en vain — de le détourner de son destin (l. 168-247).

① Comment la composition exprime-t-elle ce drame? Elle est faite en trois parties : les préparatifs (l. 168-203), la chasse seigneuriale (l. 204-213), la chasse sauvage. La troisième ne répète-t-elle pas la première en ordre inverse?

② Dans la première partie, l'énumération des bêtes, faite dans le goût romantique, crée une impression de raffinement et de barbarie. Convient-elle au château et aux châtelains que nous connaissons?

③ Les pauvres joies de la deuxième partie n'expliquent-elles pas, dans un certain sens, l'attitude de Julien?

④ Suivez, dans la troisième partie, la montée de la sauvagerie jusqu'à son aboutissement à la frénésie bestiale.

- **Le pittoresque**

⑤ Étudiez l'art de la description (choix du sujet, couleurs, formes, mouvements, composition) dans les lignes 214-224.

- **La prose de Flaubert** a, comme toujours, un rythme expressif, que le pittoresque de ces pages rend plus sensible.

⑥ Étudiez-en quelques formes, par exemple :
— le rythme ternaire des lignes 193-194;
— le rythme complexe des lignes 195-199.

Un matin d'hiver, il partit avant le jour, bien équipé, une arbalète[1] sur l'épaule et un trousseau de flèches à l'arçon[2] de la selle.
250 Son genet[3] danois, suivi de deux bassets[4], en marchant d'un pas égal faisait résonner la terre. Des gouttes de verglas se collaient à son manteau, une brise violente soufflait. Un côté[5] de l'horizon s'éclaircit; et, dans la blancheur du crépuscule[6], il aperçut des lapins sautillant au bord de leurs terriers. Les deux bassets, tout de suite, se précipi-
255 tèrent sur eux; et, çà et là, vivement, leur brisaient[7] l'échine.

Bientôt, il entra dans un bois. Au bout d'une branche, un coq de bruyère[8] engourdi par le froid dormait la tête sous l'aile. Julien, d'un revers d'épée, lui faucha les deux pattes, et sans le ramasser continua sa route.

260 Trois heures après, il se trouva sur la pointe d'une montagne tellement haute que le ciel semblait presque noir. Devant lui, un rocher pareil à un long mur s'abaissait, en surplombant un précipice; et, à l'extrémité, deux boucs sauvages regardaient l'abîme. Comme il n'avait pas ses flèches (car son cheval était resté en arrière), il imagina
265 de descendre jusqu'à eux; à demi courbé, pieds nus, il arriva enfin au premier des boucs, et lui enfonça un poignard sous les côtes. Le second, pris de terreur, sauta dans le vide. Julien s'élança pour le frapper, et, glissant du pied droit, tomba sur le cadavre de l'autre, la face au-dessus de l'abîme[9] et les deux bras écartés.

270 Redescendu dans la plaine, il suivit des saules qui bordaient une rivière. Des grues[10], volant très bas, de temps à autre passaient au-dessus de sa tête. Julien les assommait avec son fouet, et n'en manqua pas une.

Cependant l'air plus tiède avait fondu le givre, de larges vapeurs
275 flottaient, et le soleil se montra. Il vit reluire tout au loin un lac figé, qui ressemblait à du plomb. Au milieu du lac, il y avait une bête que Julien ne connaissait pas, un castor[11] à museau noir. Malgré la distance, une flèche l'abattit[12]; et il fut chagrin de ne pouvoir emporter la peau.

280 Puis il s'avança dans une avenue de grands arbres, formant avec leurs cimes comme un arc de triomphe, à l'entrée d'une forêt. Un chevreuil bondit hors d'un fourré, un daim parut dans un carrefour,

1. Arc de métal, monté sur un fût de bois terminé par une crosse. — 2. Pièces de bois formant l'avant et l'arrière de la selle; on y attache des fontes ou poches; Julien y a mis ses *flèches*. — 3. Cheval petit et robuste. — 4. Chiens à pattes courtes et larges. — 5. *Var. :* « Mais *un côté* ». — 6. Le moment du jour qui précède le lever ou suit le coucher du soleil. — 7. *Var. :* « cassaient ». — 8. Très bel oiseau, gros comme un paon, à plumage multicolore noir et ardoise. — 9. *Var. :* « en dehors du précipice ». — 10. Échassiers aquatiques. — 11. Gros rongeur aquatique, très sauvage. — 12. *Var. :* « l'atteignit ».

un blaireau [1] sortit d'un trou, un paon sur le gazon déploya sa queue; — et quand il les eut tous occis [2], d'autres chevreuils se présentèrent,
285 d'autres daims, d'autres blaireaux, d'autres paons, et des merles, des geais [3], des putois [4], des renards, des hérissons, des lynx [5], une infinité de bêtes, à chaque pas plus nombreuses. Elles tournaient autour de lui, tremblantes, avec un regard plein de douceur et de supplication. Mais Julien ne se fatiguait pas de tuer, tour à tour bandant son arba-
290 lète, dégainant l'épée, pointant [6] du coutelas, et ne pensait à rien, n'avait souvenir de quoi que ce fût. Il était en chasse dans un pays quelconque, depuis un temps indéterminé, par le fait seul de sa propre existence, tout s'accomplissant avec la facilité que l'on éprouve dans les rêves. Un spectacle extraordinaire l'arrêta. Des cerfs emplissaient
295 un vallon ayant la forme d'un cirque; et tassés, les uns près des autres, ils se réchauffaient avec leurs haleines que l'on voyait fumer dans le brouillard.

L'espoir d'un pareil carnage, pendant quelques minutes, le suffoqua de plaisir. Puis il descendit de cheval, retroussa ses manches, et se mit
300 à tirer.

Au sifflement de la première flèche, tous les cerfs à la fois tournèrent la tête. Il se fit des enfonçures [7] dans leur masse; des voix plaintives s'élevaient, et un grand mouvement agita le troupeau.

Le rebord du vallon était trop haut pour le franchir [8]. Ils bondis-
305 saient dans l'enceinte, cherchant à s'échapper. Julien visait, tirait; et les flèches tombaient comme les rayons d'une pluie d'orage. Les cerfs rendus furieux se battirent, se cabraient, montaient les uns par-dessus les autres; et leurs corps avec leurs ramures emmêlées faisaient un large monticule, qui s'écroulait, en se déplaçant.
310 Enfin ils moururent, couchés sur le sable, la bave aux naseaux, les entrailles sorties, et l'ondulation de leurs ventres s'abaissant par degrés. Puis tout fut immobile.

La nuit allait venir; et derrière le bois, dans les intervalles des branches, le ciel était rouge comme une nappe de sang.
315 Julien s'adossa contre un arbre. Il contemplait d'un œil béant l'énormité du massacre, ne comprenant pas comment il avait pu le faire.

De l'autre côté du vallon, sur le bord de la forêt, il aperçut [9] un cerf, une biche et son faon [10].

---

1. Petit mammifère, d'une odeur infecte, vivant dans un terrier. — 2. Tués; mot vieilli. — 3. Oiseau à plumage ardoisé, à ailes noires, blanches et bleues, assez semblable au corbeau dans son allure et dans son comportement. — 4. Petit mammifère carnassier nocturne. — 5. Félins souples et féroces, encore appelés loups-cerviers. — 6. Portant des coups avec la pointe du couteau. — 7. Creux faits par enfoncement. — 8. Pour être franchi. — 9. *Var.* : « Mais *de l'autre côté du vallon, sur le bord de la forêt,* tout à coup *il aperçut* ». — 10. Nom commun aux petits des cervidés.

320 Le cerf, qui était noir et monstrueux de taille, portait seize andouillers [1] avec une barbe blanche. La biche, blonde comme les feuilles mortes, broutait le gazon; et le faon tacheté, sans l'interrompre dans sa marche, lui tetait la mamelle.

L'arbalète encore une fois ronfla. Le faon, tout de suite, fut tué. 325 Alors sa mère, en regardant le ciel, brama [2] d'une voix profonde, déchirante, humaine. Julien exaspéré, d'un coup en plein poitrail, l'étendit par terre.

Le grand cerf l'avait vu, fit un bond. Julien lui envoya sa dernière flèche. Elle l'atteignit au front, et y resta plantée.

330 Le grand cerf n'eut pas l'air de la sentir; en enjambant par-dessus les morts, il avançait toujours, allait fondre sur lui, l'éventrer; et Julien reculait dans une épouvante indicible. Le prodigieux [3] animal s'arrêta; et les yeux flamboyants, solennel comme un patriarche [4] et comme un justicier, pendant qu'une cloche au loin tintait, il 335 répéta trois fois :

— Maudit! maudit! maudit! Un jour, cœur féroce, tu assassineras ton père et ta mère!

Il plia les genoux, ferma doucement ses paupières, et mourut.

Julien fut stupéfait [5], puis accablé d'une fatigue soudaine; et un 340 dégoût, une tristesse immense l'envahit. Le front dans les deux mains, il pleura pendant longtemps.

Son cheval était perdu; ses chiens l'avaient abandonné; la solitude qui l'enveloppait lui sembla toute menaçante de périls indéfinis [6]. Alors, poussé par un [7] effroi, il prit sa course à travers la campagne, 345 choisit au hasard un sentier, et se trouva presque immédiatement à la porte du château.

La nuit, il ne dormit pas. Sous le vacillement de la lampe [8] suspendue, il revoyait toujours le grand cerf noir. Sa prédiction l'obsédait [9]; il se débattait contre elle.

350 — Non! non! non! je ne peux pas les tuer!

Puis, il songeait [10] :

— Si je le voulais, pourtant?...

Et il avait peur que le Diable ne lui en inspirât l'envie.

Durant trois mois, sa mère en angoisse [11] pria au chevet de son lit, 355 et son père, en gémissant, marchait continuellement dans les couloirs. Il manda les maîtres[12] mires[13] les plus fameux, lesquels ordonnèrent

---

1. Ramifications des bois du cerf, dont le nombre augmente à mesure que l'animal vieillit. — 2. Cria (en parlant des cerfs). — 3. *Var.* : « Mais *le prodigieux...* » — 4. Vieillard vénérable. — 5. Sens classique : paralysé par une frayeur subite. — 6. Non pas illimités mais indéterminés, vagues. — 7. Apprécier cet emploi. — 8. Voir p. 100, l. 95. — 9. Le tourmentait constamment. — 10. *Var.* : « pensait ». — 11. Comparer à « angoissée », et apprécier ce tour. — 12. Ceux qui occupent le premier rang dans la corporation. — 13. Vieux nom des médecins; cf. *le Vilain mire*.

des quantités de drogues. Le mal de Julien, disaient-ils, avait pour cause un vent funeste [1], ou un désir d'amour. Mais le jeune homme, à toutes les questions, secouait la tête [2].

360 Les forces lui revinrent; et on le promenait dans la cour, le vieux moine et le bon seigneur le soutenant chacun par un bras.

Quand il fut rétabli complètement, il s'obstina à ne point chasser.

Son père, le voulant réjouir, lui fit cadeau d'une grande épée sarrasine [3].

365 Elle était au haut d'un pilier [4], dans une panoplie. Pour l'atteindre, il fallut une échelle. Julien y monta. L'épée trop lourde lui échappa des doigts, et en tombant frôla le bon seigneur de si près que sa houppelande [5] en fut coupée; Julien crut avoir tué son père, et s'évanouit.

Dès lors, il redouta les armes. L'aspect d'un fer nu le faisait pâlir. 370 Cette faiblesse [6] était une désolation pour sa famille.

Enfin le vieux moine, au nom de Dieu, de l'honneur et des ancêtres, lui commanda de reprendre ses exercices de gentilhomme.

---

1. Bien des maladies étaient attribuées à quelque « mauvais vent » (l'expression est encore en usage dans la campagne normande). — 2. Refusait de répondre. — 3. Voir p. 98, n. 7. — 4. Dans la salle d'armes décrite au début du conte : voir p. 98, l. 27 et suiv. — 5. Ample vêtement de dessus, à larges manches. — 6. Qui pouvait sembler une marque de lâcheté.

- **La dernière journée.** — Au bout d'une période de massacres qui l'ont enfoncé dans la bestialité, une dernière chasse allait permettre à Julien d'achever la traversée et, lui offrant un plein assouvissement de sa passion, l'en délivrer. Elle le ramenait à son point de départ quand le destin l'accable d'une prophétie menaçante.

- **La chasse merveilleuse** (l. 248-338)

① Distinguez-en les deux parties : la chasse du matin, le massacre.
② Voyez, dans le comportement de Julien, le besoin humain de vaincre la difficulté, et la joie de détruire pour détruire. Lequel l'emporte?
③ Étudiez un des tableaux, par exemple celui du départ (l. 248-256).
④ A la fin de la journée, Julien retrouve, en ordre inverse, les impressions de la péripétie : le plaisir suffocant le ramène à la tache de sang et à l'étonnement du meurtre. Quel est le sens de ce retour?

- **Le piège qui se referme** (l. 313-338)

⑤ Chaque avertissement reçu par Julien (son accident, son étonnement) n'est-il pas suivi d'une tentation qui l'annule (ici, l'exploit d'un tir difficile)? Et quand il y cède, n'est-il pas entraîné plus loin?
⑥ Étudiez la mise en scène romantique de la prophétie (l. 330-335) : le grossissement fantastique, la métamorphose du cerf, la cloche...

Les écuyers, tous les jours, s'amusaient au maniement de la javeline [1]. Julien y excella bien vite. Il envoyait la sienne dans le
375 goulot des bouteilles, cassait les dents des girouettes [2], frappait à cent pas les clous des portes.

Un soir d'été, à l'heure où la brume rend les choses indistinctes, étant sous la treille du jardin, il aperçut tout au fond deux ailes blanches qui voletaient à la hauteur de l'espalier [3]. Il ne douta pas
380 que ce ne fût une cigogne; et il lança son javelot.

Un cri déchirant partit.

C'était sa mère, dont le bonnet à longues barbes [4] restait cloué contre le mur.

Julien s'enfuit du château, et ne reparut plus.

---

1. Petit javelot mince qu'on lance à la main. — 2. Seules, les maisons seigneuriales portaient *des girouettes*. La bande de métal, mobile sur son pivot, qui en constitue la pièce principale était généralement découpée en forme de cheval, ou de dragon à gueule ouverte. — 3. Voir p. 73, n. 15. — 4. Bandes de toile ou de dentelle.

- **Le héros.** — Nous ne connaissions encore presque rien de l'âme de Julien, et lui-même ne la connaissait pas davantage. Il avait été un enfant sage, tenté par l'Église et par la guerre; puis il avait été emporté par la frénésie du meurtre. Jamais il n'avait cherché à se comprendre ou à se maîtriser. Va-t-il le faire maintenant (l. **339-384**)?

① Deux fois déjà, après avoir tué la souris blanche (l. **142-148**), et après le massacre des cerfs (l. **294-338**), il s'était arrêté un court instant, étonné. Ici (l. **339** et suiv.), l'arrêt est long. Julien parvient-il à pénétrer plus loin en lui-même?

② Il se trouve, on l'a vu (*la Dernière journée*, p. **109**), ramené à son point de départ. Il a, devant ses actes, un sentiment de terreur; devant sa personne, de la pitié. Cherche-t-il à conduire autrement sa vie?

③ En d'autres termes, voyons-nous le héros du conte comme celui d'un roman ou d'un drame?

- **La fatalité.** — C'est dans le monde de la tragédie antique que nous nous trouvons. Les hommes n'y sont pas conduits par leur prudence, mais par le destin. Même s'il leur est donné de le connaître, ils ne savent pas le comprendre, et ce qu'ils font pour échapper les y ramène.

④ Trois prophéties commandent à présent la vie de Julien (l. **64**; **80-81**; **336-337**). Rapprochez-les.

⑤ Le destin trouve des alliés dans ses victimes elles-mêmes. Que signifient en effet des phrases comme : *Je ne* peux *pas les tuer* (l. **350**); *Si je le* voulais *pourtant* (l. **352**)? Pourquoi Julien accepte-t-il l'épée que son père lui offre (l. **363-368**)? Pourquoi prend il goût au lancement de la javeline (l. **373-380**)?

⑥ Le destin sait faire peser sa menace de plus en plus lourdement. Montrez-le.

2

385 Il s'engagea dans une troupe d'aventuriers [1] qui passaient.

Il connut la faim, la soif, les fièvres et la vermine. Il s'accoutuma au fracas des mêlées, à l'aspect des moribonds. Le vent tanna sa peau. Ses membres se durcirent par le contact des armures; et comme il était très fort, courageux, tempérant, avisé [2], il obtint sans peine le 390 commandement d'une compagnie [3].

Au début des batailles, il enlevait [4] ses soldats d'un grand geste de son épée. Avec une corde à nœuds, il grimpait aux murs des citadelles, la nuit, balancé par l'ouragan, pendant que les flammèches du feu grégeois [5] se collaient à sa cuirasse, et que la résine bouillante 395 et le plomb fondu ruisselaient des créneaux [6]. Souvent le heurt d'une pierre [7] fracassa son bouclier. Des ponts [8] trop chargés d'hommes croulèrent sous lui. En tournant sa masse d'armes [9], il se débarrassa de quatorze cavaliers. Il défit, en champ clos [10], tous ceux qui se proposèrent [11]. Plus de vingt fois, on le crut mort.

400 Grâce à la faveur divine, il en réchappa toujours; car il protégeait les gens d'église, les orphelins, les veuves, et principalement les vieillards. Quand il en voyait un marchant devant lui, il criait pour connaître sa figure, comme s'il avait eu peur de le tuer par méprise.

---

1. Sens ancien : ceux qui font la guerre en volontaires. Il s'agit de bandes qui vendaient leurs services ou travaillaient pour leur propre compte. — 2. Intelligent dans l'action. — 3. Troupe de gens de guerre, de quelque importance qu'elle soit. — 4. Entraînait; se dit de l'action exercée sur une troupe ou sur une foule. — 5. Sorte de « lance-flammes » employé par les Byzantins (Grecs = *grégeois*), puis par les Sarrasins. Les Francs se contentaient de verser sur les assaillants de l'huile bouillante, de *la résine* ou du *plomb fondu*. — 6. Voir p. 97, n. 10. — 7. Lancée d'une muraille. — 8. Utilisés pour franchir les fossés, ils étaient de construction légère. — 9. Sorte de marteau hérissé de pointes, avec lequel on assommait. — 10. Fermé de barrières; les combattants s'interdisaient d'en sortir avant la fin du duel. — 11. Se présentèrent pour se battre.

Des esclaves[1] en fuite, des manants[2] révoltés, des bâtards sans
405 fortune, toutes sortes d'intrépides[3] affluèrent sous son drapeau[4],
et il se composa une armée[5].

Elle grossit. Il devint fameux. On le recherchait.

Tour à tour, il secourut le Dauphin de France et le Roi d'Angleterre[6],
les templiers[7] de Jérusalem, le suréna[8] des Parthes, le négud[9]
410 d'Abyssinie, et l'empereur de Calicut[10]. Il combattit des Scandinaves
recouverts[11] d'écailles de poisson, des Nègres munis de rondaches[12]
en cuir d'hippopotame et montés sur des ânes rouges, des Indiens
couleur d'or et brandissant par-dessus leurs diadèmes de larges
sabres, plus clairs que des miroirs. Il vainquit les Troglodytes[13] et
415 les Anthropophages[14]. Il traversa des régions si torrides que sous
l'ardeur du soleil les chevelures s'allumaient d'elles-mêmes, comme des
flambeaux; et d'autres qui étaient si glaciales, que les bras, se déta-
chant du corps, tombaient par terre; et des pays où il y avait tant de
brouillards que l'on marchait environné de fantômes.

420 Des républiques en embarras[15] le consultèrent. Aux entrevues
d'ambassadeurs, il obtenait des conditions inespérées. Si un monarque
se conduisait trop mal, il arrivait tout à coup, et lui faisait des
remontrances. Il affranchit des peuples. Il délivra des reines enfer-
mées dans des tours. C'est lui, et pas un autre, qui assomma la
425 guivre[16] de Milan et le dragon[17] d'Oberbirbach.

Or l'empereur d'Occitanie[18], ayant triomphé des Musulmans
espagnols[19], s'était joint par concubinage à la sœur du calife[20] de
Cordoue[21]; et il en conservait une fille, qu'il avait élevée chrétienne-
ment. Mais le calife, faisant mine de vouloir se convertir, vint lui
430 rendre visite, accompagné d'une escorte nombreuse, massacra toute
sa garnison, et le plongea dans un cul de basse-fosse[22], où il le traitait
durement, afin d'en extirper[23] des trésors.

Julien accourut à son aide, détruisit l'armée des infidèles, assiégea
la ville, tua le calife, coupa sa tête, et la jeta comme une boule par-

---

1. Serfs. — 2. Voir p. 98, n. 11. — 3. Adjectif employé comme nom. — 4. Sens figuré : pour se mettre à ses ordres. — 5. Troupe indépendante, même de médiocre importance. — 6. *Var. :* « *le* Roi *de France et le* Dauphin *d'Angleterre* ». — 7. Ordre religieux et militaire fondé en 1118 pour la défense des Lieux saints. — 8. Général (Corneille a écrit une tragédie qui porte ce titre). — 9. Négus : souverain d'Abyssinie. — 10. Ville, autrefois importante, du sud de l'Inde. — 11. Cuirassés. — 12. Boucliers ronds. — 13. Peuplade qui aurait vécu dans des souterrains sur le bord du golfe Persique. — 14. Considérés comme formant une peuplade. — 15. Voir (l. 354) *sa mère* en *angoisse*. — 16. Serpent (vipère), dans la langue du blason. — 17. Autre animal fabuleux. — 18. Le Languedoc et les régions voisines. — 19. On sait que les Arabes restèrent en Espagne jusqu'à la fin du XVe s.; ils y auraient soutenu trois mille sept cents batailles ! — 20. Le « vicaire » (successeur) de Mahomet. — 21. Le califat *de Cordoue*, fondé en 756, disparut en 1031. — 22. Cachot creusé dans la *basse-fosse*, qui est elle-même un cachot souterrain. — 23. Extorquer. Mais Flaubert tenait à *extirper*, qui signifie : arracher avec les racines.

435 dessus les remparts. Puis il tira l'empereur de sa prison, et le fit remonter sur son trône, en présence de toute sa cour.

L'empereur, pour prix d'un tel service, lui présenta dans des corbeilles beaucoup d'argent; Julien n'en voulut pas. Croyant qu'il en désirait davantage [1], il lui offrit les trois quarts de ses richesses;
440 nouveau refus; puis de partager son royaume [2]; Julien le remercia; et l'empereur en pleurait de dépit [3], ne sachant de quelle manière témoigner sa reconnaissance, quand il se frappa le front [4], dit un mot à l'oreille d'un courtisan; les rideaux d'une tapisserie [5] se relevèrent [6], et une jeune fille parut.

445 Ses grands yeux noirs brillaient comme deux lampes très douces. Un sourire charmant écartait ses lèvres. Les anneaux de sa chevelure s'accrochaient aux pierreries de sa robe entrouverte; et, sous la transparence de sa tunique, on devinait la jeunesse de son corps. Elle était toute mignonne et potelée, avec la taille fine.

450 Julien fut ébloui d'amour, d'autant plus qu'il avait mené jusqu'alors [7] une vie très chaste.

Donc il reçut en mariage la fille de l'empereur, avec un château qu'elle tenait de sa mère; et, les noces étant terminées, on se quitta, après des politesses infinies de part et d'autre.

455 C'était un palais de marbre blanc, bâti à la moresque [8], sur un promontoire, dans un bois d'orangers. Des terrasses de fleurs [9] descendaient jusqu'au bord d'un golfe, où des coquilles roses craquaient sous les pas. Derrière le château, s'étendait une forêt ayant le dessin d'un éventail. Le ciel continuellement était bleu, et les
460 arbres se penchaient tour à tour sous la brise de la mer et le vent des montagnes, qui fermaient au loin l'horizon.

Les chambres, pleines de crépuscule, se trouvaient éclairées par les incrustations des murailles. De hautes colonnettes, minces comme des roseaux, supportaient la voûte des coupoles, décorées de reliefs
465 imitant les stalactites [10] des grottes.

Il y avait des jets d'eau dans les salles, des mosaïques dans les cours, des cloisons festonnées [11], mille délicatesses d'architecture, et partout un tel silence que l'on entendait le frôlement d'une écharpe ou l'écho d'un soupir.

470 Julien ne faisait plus la guerre. Il se reposait, entouré d'un peuple

---

1. *Var.* : « Alors, *croyant qu'il en désirait davantage* ». — 2. De lui donner la moitié de ce royaume. — 3. Car rester l'obligé de quelqu'un, c'est se reconnaître son inférieur. — 4. *Var.* : « *quand*, tout à coup, *il se frappa le front* ». — 5. Voir p. 98, n.3. — 6. S'écartèrent pour livrer passage. — 7. *Var.* : « *jusqu*'à présent ». — 8. Type d'architecture importé par les Maures en Espagne. — 9. Comparer à « terrasses fleuries ». — 10. Concrétions qui se forment à la voûte de certaines grottes; il s'agit peut-être des arabesques. — 11. Percées comme une broderie anglaise à feston.

tranquille; et chaque jour, une foule passait devant lui, avec des génuflexions et des baise-mains à l'orientale.

Vêtu de pourpre [1], il restait accoudé dans l'embrasure [2] d'une fenêtre, en se rappelant ses chasses d'autrefois; et il aurait voulu
475 courir sur [3] le désert après les gazelles et les autruches, être caché dans les bambous à l'affût des léopards, traverser des forêts pleines de rhinocéros [4], atteindre au sommet des monts les plus inaccessibles pour viser mieux les aigles, et sur les glaçons de la mer combattre les ours blancs.

480 Quelquefois, dans un rêve, il se voyait comme notre père Adam au milieu du Paradis, entre toutes les bêtes; en allongeant le bras, il les faisait mourir; ou bien, elles défilaient, deux à deux, par rang de taille, depuis les éléphants et les lions jusqu'aux hermines [5] et aux canards, comme le jour qu'elles entrèrent dans l'arche de Noé. A
485 l'ombre d'une caverne, il dardait sur elles [6] des javelots infaillibles; il en survenait d'autres; cela n'en finissait pas; et il se réveillait en roulant des yeux farouches.

Des princes de ses amis l'invitèrent à chasser. Il s'y refusa toujours, croyant, par cette sorte de pénitence, détourner son malheur; car
490 il lui semblait que du meurtre des animaux dépendait le sort de ses parents. Mais il souffrait de ne pas les voir [7], et son autre envie devenait insupportable.

Sa femme, pour le récréer, fit venir des jongleurs [8] et des danseuses.

Elle se promenait avec lui, en litière ouverte, dans la campagne;
495 d'autres fois, étendus [9] sur le bord d'une chaloupe, ils regardaient les poissons vagabonder dans l'eau, claire comme le ciel. Souvent elle lui jetait [10] des fleurs au visage; accroupie devant ses pieds, elle tirait des airs d'une mandoline à trois cordes [11]; puis, lui posant sur l'épaule ses deux mains jointes, disait d'une voix timide :

500 — Qu'avez-vous donc, cher seigneur?

Il ne répondait pas, ou éclatait en sanglots; enfin, un jour, il avoua son horrible pensée.

Elle la combattit, en raisonnant très bien : son père et sa mère, probablement, étaient morts; si jamais il les revoyait, par quel hasard,
505 dans quel but, arriverait-il à cette abomination [12]? Donc, sa crainte n'avait pas de cause, et il devait se remettre à chasser.

---

1. D'un vêtement teint *de pourpre*, couleur impériale. — 2. Ouverture du mur, encadrant la fenêtre. — 3. Comparer à « dans le désert ». — 4. Qui vivent en effet dans les forêts marécageuses. — 5. Choisies pour leur taille, mais aussi comme une des deux fourrures du blason, et pour leur valeur symbolique (pureté). — 6. Il tirait *sur elles* avec des « dards ». — 7. *Var.* : « *de ne pas les* revoir ». — 8. Au sens ancien : musiciens, danseurs, illusionnistes. — 9. *Var.* : « ou bien, *étendus...* ». — 10. *Var.* : « Quelquefois *elle lui jetait* ». — 11. Flaubert pense sans doute au « rebec », ce violon à trois cordes, à la sonorité aiguë, qui ressemblait à une mandoline. — 12. Au sens étymologique, est abominable ce qui vient d'un mauvais présage.

- **Le second épisode recommence le premier.** — Julien, qui a fui le château de ses pères, cherche et trouve à l'extérieur de ses enceintes ce qu'il connaissait à l'intérieur. Tout se passe comme si, sans avoir tout à fait oublié les avertissements de sa dernière chasse et la prophétie du cerf, il reprenait une pente naturelle (l. 385-508).

- **Mais le second épisode introduit de nouveaux éléments de développement**
① Le héros n'évolue pas psychologiquement, mais son rôle change : d'abord guerrier comme il était chasseur, il devient le « bon » soldat, celui qui protège les prêtres et les faibles (l. 400-403), puis le justicier (l. 422). A quoi est dû ce progrès? N'offre-t-il pas une possibilité de conciliation entre les aspirations religieuses et guerrières? Pourra-t-elle être utilisée, alors que la violence frénétique reste au fond de ses rêves?
② Julien devient amoureux (l. 450). Il n'y a dans ce sentiment aucun mystère, aucun « je ne sais quoi » : il s'adresse à la jeunesse, au bonheur de vivre. Mais il donne à Julien les moyens, matériels et moraux, d'échapper à lui-même. En profitera-t-il?

Le prodigieux animal s'arrêta... (p. 108, l. 332)

▼

Cl. R. de Jouvenel - Atlas

Julien souriait en l'écoutant, mais ne se décidait pas à satisfaire son désir.

Un soir du mois d'août qu'ils étaient dans leur chambre, elle
510 venait de se coucher et il s'agenouillait pour sa prière quand il entendit le jappement[1] d'un renard, puis des pas légers sous la fenêtre; et il entrevit dans l'ombre comme des apparences d'animaux. La tentation était trop forte. Il décrocha son carquois[2].

Elle parut surprise.

515 — C'est pour t'obéir! dit-il, au lever du soleil, je serai revenu.

Cependant elle redoutait une aventure funeste[3].

Il la rassura, puis sortit, étonné de l'inconséquence[4] de son humeur.

Peu de temps après, un page vint annoncer que deux inconnus, à défaut du seigneur absent, réclamaient[5] tout de suite la seigneuresse[6].

520 Et bientôt entrèrent dans la chambre un vieil homme et une vieille femme, courbés, poudreux[7], en habits de toile, et s'appuyant chacun sur un bâton[8].

Ils s'enhardirent et déclarèrent qu'ils apportaient à Julien des nouvelles de ses parents.

525 Elle se pencha pour les entendre.

Mais, s'étant concertés du regard, ils lui demandèrent s'il les aimait toujours, s'il parlait d'eux quelquefois.

— Oh! oui! dit-elle.

Alors, ils s'écrièrent :

530 — Eh bien! c'est nous!

Et ils s'assirent, étant fort las[9] et recrus de fatigue[10].

Rien n'assurait à la jeune femme que son époux fût leur fils.

Ils en donnèrent la preuve, en décrivant des signes particuliers qu'il avait sur la peau.

535 Elle sauta hors de sa couche, appela son page, et on leur servit un repas.

Bien qu'ils eussent grand'faim, ils ne pouvaient guère manger; et elle observait à l'écart le tremblement de leurs mains osseuses, en prenant les gobelets[11].

540 Ils firent mille questions sur Julien. Elle répondait à chacune, mais eut soin de taire l'idée funèbre qui les concernait.

Ne le voyant pas revenir, ils étaient partis de leur château; et ils marchaient depuis plusieurs années, sur de vagues indications, sans

1. Se dit du cri du renard, qui ressemble à celui du chien; il le fait entendre quand il chasse. — 2. Étui à flèches. — 3. Sens étymologique : qui apporte la mort; voir plus loin (l. 541) : *idée funèbre*. — 4. Manque de suite ou de cohérence. — 5. Demandaient avec instance. — 6. Féminin de type archaïque, inusité; la Dame. — 7. Poussiéreux; sens classique. — 8. De pèlerin. — 9. *Var. : « étant fort* essoufflés ». — 10. Pléonasme usuel, *recru* signifiant : excédé de fatigue. — 11. Vase à boire, sans anse, de forme ronde.

perdre l'espoir. Il avait fallu tant d'argent au péage [1] des fleuves et
545 dans les hôtelleries, pour les droits [2] des princes et les exigences des voleurs, que le fond de leur bourse était vide, et qu'ils mendiaient maintenant. Qu'importe, puisque bientôt ils embrasseraient leur fils? Ils exaltaient son bonheur d'avoir une femme aussi gentille [3], et ne se lassaient point de la contempler et de la baiser.

550 La richesse de l'appartement [4] les étonnait beaucoup; et le vieux, ayant examiné les murs, demanda pourquoi s'y trouvait le blason [5] de l'empereur d'Occitanie [6].

Elle répliqua :

— C'est mon père!

555 Alors il tressaillit, se rappelant la prédiction du Bohême; et la vieille songeait à la parole de l'Ermite [7]. Sans doute la gloire de son fils n'était que l'aurore des splendeurs éternelles [8]; et tous les deux restaient béants [9], sous la lumière du candélabre qui éclairait la table.

560 Ils avaient dû être très beaux dans leur jeunesse. La mère avait encore tous ses cheveux, dont les bandeaux [10] fins, pareils à des plaques de neige, pendaient jusqu'au bas de ses joues; et le père, avec sa taille haute et sa grande barbe, ressemblait à une statue d'église.

565 La femme de Julien les engagea à ne pas l' [11]attendre. Elle les coucha elle-même dans son lit [12], puis ferma la croisée; ils s'endormirent. Le jour allait paraître, et, derrière le vitrail [13], les petits oiseaux commençaient à chanter.

1. Lieu où l'on paie un droit de passage, et ce droit lui-même. — 2. Taxes perçues lors de la traversée des États. — 3. Au sens propre : de bonne race; et au sens figuré : agréable de manières. — 4. Voir p. 82, n. 8. — 5. Les ornements peints sur l'écu seigneurial permettent d'identifier le seigneur. — 6. Voir p. 112, n. 18. — 7. Pour ces deux prédictions, voir les lignes 64 et 81. — 8. Langue mystique. — 9. Pleins d'étonnement; exactement : bouche. (et yeux) grand ouverts. — 10. Voir p. 83, n. 12. — 11. Julien. — 12. Pour leur faire honneur. — 13. Fenêtre à panneaux de verre assemblés par compartiments. Le singulier est rare.

- **La seconde péripétie** se produit, comme la première, dans un château qui paraissait paisible (l. 509-517).
  ① Mais le mouvement est, ici, plus fortement motivé. Pourquoi?
  ② Dans les deux cas, Julien se décide pendant la prière et parce qu'une bête vient le provoquer. Comment expliquer cela (autrement que par la coïncidence)?

- **L'arrivée des vieux parents** (l. 518-568)
  ③ Appréciez le réalisme de la scène : la peinture des vieillards, la méfiance de la jeune femme, la curiosité du père, etc. Comment et pourquoi ce réalisme est-il corrigé dans les derniers paragraphes? Pourquoi rappeler alors les prophéties (l. 555)?

Julien avait traversé le parc; et il marchait dans la forêt d'un pas
570 nerveux, jouissant de la mollesse du gazon et de la douceur de l'air.

Les ombres des arbres s'étendaient sur la mousse. Quelquefois la lune faisait des taches blanches dans les clairières, et il hésitait à s'avancer, croyant apercevoir une flaque d'eau, ou bien la surface des mares tranquilles se confondait avec la couleur de l'herbe. C'était
575 partout un grand silence; et il ne découvrait aucune des bêtes qui, peu de minutes auparavant, erraient à l'entour de son château.

Le bois s'épaissit, l'obscurité devint profonde. Des bouffées de vent chaud passaient, pleines de senteurs amollissantes. Il enfonçait dans des tas de feuilles mortes, et il s'appuya contre un chêne pour
580 haleter [1] un peu.

Tout à coup, derrière son dos, bondit une masse plus noire, un sanglier. Julien n'eut pas le temps de saisir son arc [2], et il s'en affligea comme d'un malheur.

Puis, étant sorti du bois, il aperçut un loup qui filait [3] le long d'une
585 haie.

Julien lui envoya une flèche. Le loup s'arrêta, tourna la tête pour le voir et reprit sa course. Il trottait [4] en gardant toujours la même distance [5], s'arrêtait de temps à autre, et, sitôt qu'il était visé, recommençait à fuir.

590 Julien parcourut de cette manière une plaine interminable, puis des monticules de sable, et enfin il se trouva sur un plateau dominant un grand espace de pays. Des pierres plates étaient clairsemées entre des caveaux [6] en ruines. On trébuchait sur des ossements de morts; de place en place, des croix vermoulues se penchaient d'un air lamen-
595 table. Mais des formes remuèrent dans l'ombre indécise des tombeaux; et il en surgit des hyènes [7], tout effarées [8], pantelantes [9]. En faisant claquer leurs ongles sur les dalles, elles vinrent à lui et le flairaient avec un bâillement [10] qui découvrait leurs gencives. Il dégaina son sabre. Elles partirent à la fois dans toutes les directions, et, conti-
600 nuant leur galop boiteux [11] et précipité, se perdirent au loin sous un flot de poussière.

Une heure après, il rencontra dans un ravin un taureau furieux, les cornes en avant, et qui grattait le sable avec son pied. Julien lui pointa [12] sa lance sous les fanons [13]. Elle éclata [14], comme si l'animal

1. Respirer précipitamment (parce qu'il était hors d'*haleine*). — 2. Sans doute l'arbalète dont il se servait à la chasse : voir p. 106, n. 1. — 3. Allait rapidement et régulièrement. — 4. Il allait d'une allure modérée (entre le pas et le galop). — 5. Entre lui et Julien. — 6. Édifices en partie souterrains destinés aux sépultures. — 7. Mammifère nocturne, qui se nourrit de charognes. — 8. Troublées; se dit des hommes. — 9. Haletantes. — 10. Le rictus des fauves. — 11. La hyène a une marche oblique, qui donne une impression de boitement. — 12. Voir p. 107, n. 6. — 13. Peau qui pend sous le cou des bœufs ou des taureaux. — 14. Se brisa par éclats; il s'agit de la hampe.

eût été de bronze; il [1] ferma les yeux, attendant sa mort. Quand il les rouvrit, le taureau avait disparu.

Alors son âme s'affaissa de honte. Un pouvoir supérieur détruisait sa force; et, pour s'en retourner chez lui, il rentra dans la forêt. Elle était embarrassée de lianes; et il les coupait avec son sabre quand une fouine [2] glissa brusquement entre ses jambes, une panthère fit un bond par dessus son épaule, un serpent monta en spirale autour d'un frêne.

Il y avait dans son feuillage un choucas [3] monstrueux, qui regardait Julien; et, çà et là, parurent entre les branches quantité de larges étincelles, comme si le firmament eût fait pleuvoir dans la forêt toutes ses étoiles. C'étaient des yeux d'animaux, des chats sauvages [4], des écureuils, des hiboux, des perroquets, des singes.

Julien darda [5] contre eux ses flèches; les flèches, avec leurs plumes, se posaient sur les feuilles comme des papillons blancs. Il leur jeta des pierres; les pierres, sans rien toucher, retombaient. Il se maudit, aurait voulu se battre [6], hurla des imprécations, étouffait de rage.

Et tous les animaux qu'il avait poursuivis se représentèrent, faisant autour de lui [7] un cercle étroit. Les uns étaient assis sur leur croupe, les autres dressés de toute leur taille. Il restait au milieu, glacé de terreur, incapable du moindre mouvement. Par un effort suprême de sa volonté, il fit un pas; ceux qui perchaient sur les arbres ouvrirent leurs ailes, ceux qui foulaient le sol déplacèrent leurs membres; et tous l'accompagnaient.

Les hyènes marchaient devant lui, le loup et le sanglier par derrière. Le taureau, à sa droite, balançait la tête; et, à sa gauche, le serpent ondulait dans les herbes, tandis que la panthère, bombant son dos, avançait à pas de velours et à grandes enjambées. Il allait le plus lentement possible pour ne pas les irriter; et il voyait sortir de la profondeur des buissons des porcs-épics [8], des renards, des vipères, des chacals et des ours.

Julien se mit à courir; ils coururent. Le serpent sifflait, les bêtes puantes [9] bavaient. Le sanglier lui frottait les talons avec ses défenses, le loup l'intérieur des mains avec les poils de son museau. Les singes le pinçaient en grimaçant, la fouine se roulait sur ses pieds. Un ours, d'un revers de patte, lui enleva son chapeau; et la panthère, dédaigneusement, laissa tomber une flèche qu'elle portait dans sa gueule [10].

---

1. Julien. — 2. Petit carnassier du genre des martres. — 3. Nom donné à certaines sortes de corbeaux. — 4. Chats gris brun, à ondes transversales plus foncées, qui vivent à l'état sauvage. — 5. Voir p. 114, n. 6. — 6. *Se battre* lui-même. — 7. *Var. :* « formant *autour de lui* ». — 8. Rongeurs au corps couvert de piquants; ils sont inoffensifs. — 9. Nom donné aux blaireaux, aux fouines, aux putois, aux renards, etc. — 10. *Var. : « qu'elle portait* à *sa gueule* ».

Une ironie[1] perçait dans leurs allures sournoises. Tout en l'observant du coin de leurs prunelles, ils semblaient méditer un plan[2] de vengeance; et, assourdi par le bourdonnement des insectes, battu
645 par des queues d'oiseau, suffoqué par des haleines, il marchait les bras tendus et les paupières closes comme un aveugle, sans même avoir la force de crier « grâce ! »

Le chant d'un coq[3] vibra dans l'air. D'autres y répondirent; c'était le jour; et il reconnut, au-delà des orangers, le faîte de son palais.
650 Puis, au bord d'un champ, il vit, à trois pas d'intervalle, des perdrix rouges qui voletaient[4] dans les chaumes[5]. Il dégrafa son manteau, et l'abattit sur elles comme un filet[6]. Quand il les eut découvertes[7], il n'en trouva qu'une seule, et morte depuis longtemps, pourrie.

1. Apprécier cet emploi du nom. — 2. *Var.* : « *ils semblaient* ruminer *un plan* ». — 3. *Var.* : « Tout à coup, *le chant d'un coq* ». — 4. Les perdrix ont un vol court et saccadé. — 5. Tiges des céréales qui restent sur pied après la moisson, et aussi les champs où restent ces tiges. — 6. Voir p. 104, l. 207. — 7. Elles étaient couvertes par le manteau.

- **La nuit fantastique.** — Pour Julien, la grande traversée, celle de la violence, s'était véritablement achevée au cours de la dernière chasse. Il avait connu le plein accomplissement de sa nature, une sorte d'épanouissement dont le souvenir le poursuit. Depuis, il a fait la guerre en pensant au bien, et vécu en paix en rêvant de massacres. Ces recommencements imparfaits lui ont apporté de moins en moins de satisfaction. Il cherche donc à rejoindre son passé et il n'en retrouve que les fantômes, qui le rejettent (l. 569-654).

  Le monde, cette nuit-là, semble se dissoudre :
  — le héros avance comme une ombre parmi *les ombres* (l. 571);
  — il se perd dans un désert sans fin (l. 590-600);
  — les gestes n'ont plus de valeur : le pied ne frappe pas le sol, la flèche se pose comme un papillon, la lance se brise...;
  — les images se décomposent en taches lumineuses que séparent parfois quelques objets (l. 571-574; 592-596).

  Mais le monde devient de plus en plus dense :
  — *le bois*, *l'obscurité*, l'étouffement;
  — la marche trébuchante dans le désert et les tombes;
  — la forêt aux *lianes* (l. 609 et suiv.;
  — les animaux qui l'enferment, puis le bousculent...
  — Et il finit par repousser l'intrus.

  ① Montrez la symétrie retournée entre cette « chasse » et la précédente.

- **Le jeu du destin.** — Julien a éprouvé, plus nettement que dans la première chasse, la présence d'une force supérieure à laquelle il devrait se soumettre. Mais son caractère n'en est pas modifié : il ne sort de l'accablement ou de la peur que pour revenir à la violence.

655 Cette déception l'exaspéra plus que toutes les autres. Sa soif de carnage le reprenait; les bêtes manquant, il aurait voulu massacrer des hommes.

Il gravit les trois terrasses, enfonça la porte d'un coup de poing; mais, au bas de l'escalier, le souvenir de sa chère femme détendit son 660 cœur. Elle dormait sans doute, et il allait la surprendre.

Ayant retiré ses sandales, il tourna doucement la serrure, et entra [1].

Les vitraux garnis [2] de plomb obscurcissaient la pâleur de l'aube. Julien se prit les pieds dans des vêtements, par terre; un peu plus loin, il heurta une crédence [3] encore chargée de vaisselle [4]. « Sans 665 doute [5], elle aura mangé », se dit-il; et il avançait vers le lit, perdu dans les ténèbres au fond de la chambre. Quand il fut au bord, afin d'embrasser sa femme, il se pencha sur l'oreiller où les deux têtes reposaient l'une près de l'autre. Alors, il sentit contre sa bouche l'impression [6] d'une barbe.

670 Il se recula, croyant devenir fou; mais il revint près du lit, et ses doigts, en palpant, rencontrèrent des cheveux qui étaient très longs [7]. Pour se convaincre de son erreur, il repassa lentement sa main sur l'oreiller. C'était bien une barbe, cette fois, et un homme! un homme couché avec sa femme!

675 Éclatant d'une colère démesurée [8], il bondit sur eux à coups de poignard; et il trépignait, écumait, avec des hurlements de bête fauve. Puis il s'arrêta. Les morts, percés au cœur [9], n'avaient pas même bougé. Il écoutait attentivement leurs deux râles presque égaux, et, à mesure qu'ils s'affaiblissaient, un autre, tout au loin, les 680 continuait. Incertaine [10] d'abord, cette voix plaintive, longuement poussée [11], se rapprochait, s'enfla [12], devint cruelle; et il reconnut, terrifié, le bramement du grand cerf noir [13].

Et comme il se retournait, il crut voir dans l'encadrure [14] de la porte, le fantôme de sa femme, une lumière à la main.

685 Le tapage du meurtre l'avait attirée. D'un large coup d'œil, elle comprit tout, et s'enfuyant d'horreur laissa tomber son flambeau.

Il le ramassa.

---

1. Dans la chambre. — 2. Les morceaux de verre qui composent le vitrail (voir p. 117, n. 13) sont sertis dans le *plomb*. — 3. Meuble où l'on dépose ce qui doit servir à table, ou qui a servi. — 4. Au Moyen Age, ce mot a souvent le sens d'argenterie. — 5. Assurément. — 6. Apprécier l'expression : *il sentit... l'impression d'une barbe*. — 7. Ceux de sa femme sont bouclés : voir p. 113, l. 446. — 8. Très violente, qui excède la *mesure* ordinaire. — 9. *Var. :* « frappés *au cœur*, tout de suite, *n'avaient pas même bougé* ». — 10. Mal discernable. — 11. Produite hors de la bouche; sens classique. — 12. *Var. :* « *se rapprochait*, s'enflait ». — 13. Voir p. 108, l. 320-338. — 14. Encadrement; le mot était courant à l'époque classique.

Son père et sa mère étaient devant lui, étendus sur le dos avec un trou dans la poitrine; et leurs visages, d'une majestueuse douceur, 690 avaient l'air de garder comme un secret éternel. Des éclaboussures et des flaques de sang s'étalaient au milieu de leur peau blanche, sur les draps du lit, par terre, le long d'un christ d'ivoire suspendu dans l'alcôve. Le reflet écarlate [1] du vitrail, alors frappé par le soleil, éclairait ces taches rouges, et en jetait de plus nombreuses dans tout 695 l'appartement. Julien marcha vers les deux morts en se disant, en voulant croire, que cela n'était pas possible, qu'il s'était trompé, qu'il y a parfois des ressemblances inexplicables. Enfin, il se baissa légèrement pour voir de tout près le vieillard; et il aperçut, entre ses paupières mal fermées, une prunelle éteinte qui le brûla comme du 700 feu. Puis il se porta de l'autre côté de la couche, occupé par l'autre corps, dont les cheveux blancs masquaient une partie de la figure. Julien lui passa les doigts sous ses bandeaux [2], leva sa tête; — et il la regardait, en la tenant au bout de son bras roidi [3] pendant que de l'autre main il s'éclairait avec le flambeau. Des gouttes, suintant du 705 matelas, tombaient une à une sur le plancher.

A la fin du jour, il se présenta devant sa femme; et, d'une voix différente de la sienne [4], il lui commanda [5] premièrement de ne pas lui répondre, de ne pas l'approcher, de ne plus même le regarder [6], et qu'elle eût à suivre, sous peine de damnation, tous ses ordres qui 710 étaient irrévocables.

Les funérailles seraient faites selon les instructions qu'il avait laissées par écrit, sur un prie-Dieu, dans la chambre des morts. Il lui abandonnait son palais, ses vassaux [7], tous ses biens, sans même retenir [8] les vêtements de son corps, et ses sandales, que l'on trouve-715 rait au haut de l'escalier.

Elle avait obéi à la volonté de Dieu, en occasionnant son crime, et devait prier pour son âme, puisque désormais il n'existait plus [9].

On enterra les morts avec magnificence, dans l'église d'un monastère à trois journées du château. Un moine en cagoule [10] rabattue 720 suivit le cortège, loin de tous les autres, sans que personne osât lui parler.

---

1. Rouge très vif; au Moyen Age, le mot ne désignait pas une couleur, mais sa qualité. On disait ainsi, d'un beau vert : « écarlate vert ». — 2. Voir p. 83, n. 12. — 3. Raidi; forme ancienne utilisée jusqu'au XVIIIe s. — 4. On dit encore : d'une voix changée par l'émotion. — 5. Prescrivit. — 6. Le contact d'un maudit est une souillure. — 7. Et les droits qu'il avait sur eux. — 8. Conserver. — 9. Ne plus exister au monde, c'est se consacrer au service de Dieu. — 10. Vêtement de moine, ample, sans manches, avec un capuchon que l'on rabat pour cacher le visage.

Il resta pendant la messe, à plat ventre au milieu du portail[1], les bras en croix, et le front dans la poussière.

Après l'ensevelissement[2], on le vit prendre le chemin qui menait 725 aux montagnes. Il se retourna plusieurs fois, et finit par disparaître.

1. L'entrée principale de l'église (et aussi sa façade). Julien, criminel, n'entre pas dans l'église même. — 2. La déposition des corps dans leur sépulture. Ne s'emploie en ce sens qu'en style noble.

- **« Son père et sa mère étaient devant lui »** (l. 655-717). — La grande scène finale du second épisode, le parricide, est l'effet ultime de la frénésie naturelle de Julien. Il n'a pu la satisfaire sur les bêtes, il « massacre des hommes ».
  ① Suivez le mouvement de cette scène (l. 655 et suiv.) : un premier balancement, de la colère à la douceur; un second, plus ample, de la fureur à la stupeur où tout s'arrête.
  ② Notez, encore une fois, le caractère brusque, rudimentaire, des réactions de Julien (et leur convenance au style de l'œuvre). Mais ne voyez-vous pas une courte hésitation avant le geste meurtrier? Et la journée qui suit n'est-elle pas consacrée à une méditation? Pourquoi Flaubert ne nous la fait-il pas connaître?
  ③ Comparez les lignes 688-705 à la veillée funèbre de Virginie (p. 70), puis à celle du Baptiste (p. 183).
- **Le métier du dramaturge.** — Dans *la Légende dorée* (voir p. 93), et chez les Bollandistes, le récit du meurtre était fait autrement. Julien tuait, sortait de sa chambre aussitôt et rencontrait sa femme qui lui expliquait la présence de ses parents dans leur demeure. Il comprenait ainsi que son destin s'était accompli.
  ④ La façon dont Flaubert présente les événements ne leur donne-t-elle pas plus de force dramatique? Comment combine-t-elle le naturel et le surnaturel?
  ⑤ Êtes-vous sensible aux grands effets — volontairement chargés — que comporte la scène : le bramement du cerf (l. 682) qui continue et amplifie le râle des parents; les taches de sang qui tombent du vitrail et du lit (l. 690-695)?
  ⑥ Étudiez et appréciez le tableau du meurtrier devant ses victimes (l. 688-705) : composition, rôle de l'éclairage et des couleurs, signification.
- **« On enterra les morts »** (l. 718-725)
  ⑦ Quel est le caractère du style de cet épilogue? Le changement dans le rythme de la durée y est-il perceptible? Comparez l'emploi des temps ici et dans les lignes 675-682.
  ⑧ Commentez cette phrase de Flaubert (*Notes de voyage*, II, p. 356) : « L'excès est preuve d'idéalité : aller au delà du besoin! »
- **Le second épisode** (p. 111-123)
  ⑨ Comparez-en le plan à celui de l'épisode précédent.
  ⑩ On y a vu (Pauphilet) de l'arbitraire, du convenu, la partie la plus artificielle de *la Légende*. Qu'en pensez-vous?

3

Il s'en alla, mendiant sa vie par le monde.

Il tendait sa main aux cavaliers sur les routes, avec des génuflexions s'approchait des moissonneurs, ou restait immobile devant la barrière des cours; et son visage était si triste que jamais on ne
730 lui refusait l'aumône.

Par esprit d'humilité, il racontait son histoire; alors tous s'enfuyaient [1], en faisant des signes de croix [2]. Dans les villages où il avait déjà passé, sitôt qu'il était reconnu, on fermait les portes, on lui criait des menaces, on lui jetait des pierres. Les plus charitables
735 posaient une écuelle [3] sur le bord de leur fenêtre, puis fermaient [4] l'auvent [5] pour ne pas l'apercevoir.

Repoussé de partout, il évita les hommes; et il se nourrit de racines [6], de plantes, de fruits perdus, et de coquillages qu'il cherchait le long des grèves.

740 Quelquefois, au tournant d'une côte, il voyait sous ses yeux une confusion de toits pressés, avec des flèches de pierre, des ponts, des tours, des rues noires s'entre-croisant, et d'où montait jusqu'à lui un bourdonnement continuel.

Le besoin de se mêler à l'existence des autres le faisait descendre
745 dans la ville. Mais l'air bestial des figures, le tapage des métiers [7], l'indifférence des propos glaçaient son cœur. Les jours de fête, quand le bourdon [8] des cathédrales mettait en joie dès l'aurore le peuple entier, il regardait les habitants sortir de leurs maisons, puis les

1. *Var. : « alors, tous* s'éloignaient ». — 2. Pour éloigner « l'esprit malin ». — 3. Voir p. 99, n. 3. — 4. *Var. : « puis* tiraient *l'auvent* ». — 5. Toit en saillie qui garantit de la pluie. Le sens est obscur : on ne « ferme » pas un auvent. Il ne peut s'agir non plus du contrevent, le panneau de bois posé de l'extérieur pour protéger la fenêtre (sur le bord de laquelle l'écuelle a été posée). Flaubert pense peut-être au volet proprement dit, qui est la fermeture intérieure. Il emploierait alors le mot *auvent* dans un sens local ou familial. — 6. Peut désigner les racines comestibles (carottes, navets, etc.). Mais on pensera plutôt aux *racines* non consommées habituellement; cf. La Bruyère, *Caractères*, XI, 128. — 7. Activités professionnelles, et aussi machines (de tisserand en particulier). — 8. La grosse cloche, au son grave, qui s'entend de très loin.

danses sur les places, les fontaines de cervoise [1] dans les carrefours, les
750 tentures de damas [2] devant le logis [3] des princes, et le soir venu, par le vitrage des rez-de-chaussée [4], les longues tables de famille où des aïeux tenaient des petits enfants sur leurs genoux; des sanglots l'étouffaient et il s'en retournait vers la campagne.

Il contemplait avec des élancements [5] d'amour les poulains dans
755 les herbages, les oiseaux dans leurs nids, les insectes sur les fleurs [6]; tous, à son approche, couraient plus loin, se cachaient effarés [7], s'envolaient bien vite.

Il rechercha les solitudes. Mais le vent apportait à son oreille comme des râles d'agonie; les larmes de la rosée tombant par terre lui rappe-
760 laient d'autres gouttes d'un poids plus lourd. Le soleil, tous les soirs, étalait du sang dans les nuages; et chaque nuit, en rêve, son parricide recommençait.

Il se fit un cilice [8] avec des pointes de fer. Il monta sur les deux genoux toutes les collines ayant une chapelle à leur sommet. Mais
765 l'impitoyable pensée obscurcissait la splendeur [9] des tabernacles [10], le torturait à travers les macérations [11] de la pénitence.

Il ne se révoltait pas contre Dieu qui lui avait infligé cette action, et pourtant se désespérait de l'avoir pu commettre.

Sa propre personne lui faisait tellement horreur qu'espérant s'en
770 délivrer il l'aventura dans des périls. Il sauva des paralytiques des incendies, des enfants du fond des gouffres [12]. L'abîme le rejetait, les flammes l'épargnaient.

Le temps n'apaisa pas sa souffrance. Elle devenait intolérable. Il résolut de mourir.

775 Et un jour qu'il se trouvait au bord d'une fontaine, comme il se penchait dessus pour juger de la profondeur de l'eau, il vit paraître en face de lui un vieillard tout décharné, à barbe blanche et d'un aspect si lamentable qu'il lui fut impossible de retenir ses pleurs. L'autre, aussi, pleurait. Sans reconnaître son image [13], Julien se
780 rappelait confusément une figure ressemblant à celle-là. Il poussa [14] un cri; c'était son père; et il ne pensa plus à se tuer.

---

1. Sorte de bière, que connaissaient déjà les Gaulois. *Les fontaines* (de vin ou de bière) sont des tonneaux, placés dans les rues, où chacun peut boire à son gré et sans payer. — 2. Tissu dans lequel se voient des fleurs ou d'autres motifs; nous parlons encore de linge « damassé » (il était autrefois importé de *Damas*). — 3. Le lieu où logeaient... — 4. Dans la *salle* : voir p. 47, n. 11. — 5. Mouvements de l'âme; le mot a aussi un sens mystique : voir *Tartuffe*, v. 287. — 6. *Var. : « les insectes* aux ailes d'or posés *sur les fleurs* ». — 7. Voir p. 118, n. 8. — 8. Étoffe grossière, généralement de crin, portée à même la peau, en ceinture ou en chemise, pour « mortifier » le corps, c'est-à-dire pour le faire disparaître (mourir) dans la mesure où il est un obstacle à la vie de l'âme. — 9. L'éclat; sens religieux. — 10. Voir p. 60, n. 6. — 11. Les austérités : voir la n. 8. — 12. *Var. : « des* voyageurs *du fond des gouffres* ». — 13. *Var. : « son* visage ». — 14. *Var. :* « Tout à coup *il poussa* ».

Ainsi, portant le poids de son souvenir, il parcourut beaucoup de pays; et il arriva près d'un fleuve dont la traversée était dangereuse, à cause de sa violence et parce qu'il y avait sur les rives une grande
785 étendue de vase. Personne depuis longtemps n'osait plus le passer.

Une vieille barque, enfouie à l'arrière, dressait sa proue dans les roseaux. Julien en l'examinant découvrit une paire d'avirons; et l'idée lui vint d'employer son existence au service des autres.

Il commença par établir sur la berge une manière de chaussée [1]
790 qui permettrait de descendre jusqu'au chenal [2]; et il se brisait les ongles à remuer les pierres énormes, les appuyait contre son ventre pour les transporter, glissait dans la vase, y enfonçait, manqua périr plusieurs fois.

Ensuite, il répara le bateau avec des épaves de navires [3], et il se
795 fit une cahute [4] avec de la terre glaise et des troncs d'arbres.

Le passage étant connu, les voyageurs se présentèrent. Ils l'appelaient de l'autre bord, en agitant des drapeaux [5]; Julien bien vite sautait dans sa barque. Elle était très lourde; et on la surchargeait par toutes sortes de bagages et de fardeaux, sans compter les bêtes
800 de somme, qui, ruant de peur, augmentaient l'encombrement. Il ne demandait rien pour sa peine; quelques-uns lui donnaient des restes de victuailles qu'ils tiraient de leur bissac [6] ou les habits trop usés dont ils ne voulaient plus. Des brutaux vociféraient des blasphèmes [7]. Julien les reprenait [8] avec douceur; et ils ripostaient par des injures.
805 Il se contentait de les bénir.

Une petite table, un escabeau, un lit de feuilles mortes et trois coupes d'argile, voilà tout ce qu'était son mobilier. Deux trous dans la muraille servaient de fenêtres. D'un côté, s'étendaient à perte de vue des plaines stériles ayant sur leur surface de pâles étangs, çà et là;
810 et le grand fleuve, devant lui, roulait ses flots verdâtres. Au printemps, la terre humide avait une odeur de pourriture. Puis, un vent désordonné [9] soulevait la poussière en tourbillons. Elle entrait partout, embourbait [10] l'eau, craquait sous les gencives. Un peu plus tard, c'était des nuages de moustiques, dont la susurration [11] et les
815 piqûres ne s'arrêtaient ni jour ni nuit. Ensuite, survenaient d'atroces gelées qui donnaient aux choses la rigidité de la pierre, et inspiraient un besoin fou de manger de la viande.

---

1. Au sens initial de « levée de terre », servant de route. — 2. Sens usuel : passage pratiqué dans une rivière ou à l'entrée d'un port; ici, la partie navigable de la rivière. — 3. Bâtiments qui servent à naviguer sur la mer; le sens est ici plus général. — 4. Maison sommairement construite. — 5. Lambeaux de draps. — 6. Ou besace: voir p. 99, n. 7. — 7. Paroles qui outragent la divinité. — 8. Leur faisait des reproches; voir *Tartuffe*, vers 150. — 9. Excessif. — 10. En faisait une sorte de boue; le sens habituel d'*embourber* est : engager dans un bourbier. — 11. Bruit léger, comparable à un murmure.

Des mois s'écoulaient sans que Julien vît personne[1]. Souvent il fermait les yeux, tâchant, par la mémoire, de revenir dans sa jeu-
820 nesse; — et la cour d'un château apparaissait avec des lévriers[2] sur un perron, des valets dans la salle d'armes, et, sous un berceau de pampres[3], un adolescent à cheveux blonds entre un vieillard couvert de fourrures et une dame à grand hennin[4]; tout à coup, les deux cadavres étaient là. Il se jetait à plat ventre sur son lit, et répé-
825 tait en pleurant :

— Ah! pauvre père! pauvre mère! pauvre mère!

Et tombait dans un assoupissement où les visions funèbres continuaient.

1. Cette notation n'est pas contradictoire avec les lignes 796-805 : on voyage dans la bonne saison. — 2. Voir p. 103, n. 11. — 3. Voir p. 69, n. 8. — 4. Voir p. 98, n. 15.

- **Le troisième épisode.** — Julien, criminel, doit expier dans la prière et dans les mortifications. Comme Œdipe, maintenant qu'il a, malgré lui, commis l'acte que les destins lui avaient préparé, il va s'en aller sur les routes jusqu'au jour où, ayant assez payé, il pourra s'arrêter (l. 726-828).

① Distinguez ces deux mouvements.

② Le passage du second au troisième épisode (il... *finit par disparaître. Il s'en alla...*) n'est-il pas fait dans un style que nous serions tentés d'appeler cinématographique? Il ramène le héros seul au centre du récit. Comment et pourquoi? Avons-nous déjà vu, dans les *Trois Contes*, une telle succession de « plans »?

- **Le repentir.** — Le premier mouvement est tout entier de l'invention de Flaubert. Il est admirable.

③ La construction dramatique y est faite de deux séries de scènes : le monde, la solitude, que suit un épilogue où Julien, ayant enfin dépouillé le vieil homme, se rejoint lui-même dans le miroir des eaux. Étudiez une de ces scènes (l. 754-757). Quelle progression suivent-elles?

④ Le héros acquiert une densité, une continuité psychologique que sa vie antérieure ne laissait pas soupçonner : il découvre les désirs élémentaires et les plus élevés : le besoin d'être aimé tel qu'on est, celui de la chaleur humaine ou de la paix du cœur, celui de la quiétude en Dieu.

⑤ Mais le réalisme dramatique et psychologique ne supprime pas les belles images poétiques. Étudiez-en deux différentes :
— Le tableau de la ville médiévale : l. 740-743;
— Le tableau final de Julien à la fontaine (l. 775-781) où se fondent les éléments dramatiques, psychologiques et décoratifs.

- **La charité** (l. 782 et suiv.). — Par un procédé que nous avons déjà relevé, Flaubert paraît recommencer son récit indépendamment de ce qui le précède, et faire agir son héros comme poussé de l'extérieur.

⑥ Après quatre paragraphes de préparation, le mouvement est fait de trois scènes. Lesquelles? N'aurait-il pas été plus logique de les disposer dans l'ordre inverse? Pourquoi Flaubert a-t-il choisi cet ordre?

⑦ Étudiez le tableau de l'ermitage : composition (de l'intérieur vers l'extérieur), valeur picturale et symbolique, mode de vie qu'il suggère.

Une nuit qu'il dormait, il crut entendre quelqu'un l'appeler. Il 830 tendit l'oreille et ne distingua que le mugissement des flots.

Mais la même voix reprit :

— Julien !

Elle venait de l'autre bord, ce qui lui parut extraordinaire, vu la largeur du fleuve.

835 Une troisième fois on appela :

— Julien !

Et cette voix haute [1] avait l'intonation [2] d'une cloche d'église.

Ayant allumé sa lanterne, il sortit de la cahute. Un ouragan furieux emplissait la nuit. Les ténèbres étaient profondes, et çà et là 840 déchirées par la blancheur des vagues qui bondissaient.

Après une minute d'hésitation, Julien dénoua l'amarre. L'eau, tout de suite, devint tranquille, la barque glissa dessus et toucha l'autre berge, où un homme attendait.

Il était enveloppé d'une toile en lambeaux, la figure pareille à un 845 masque de plâtre et les deux yeux plus rouges que des charbons. En approchant de lui la lanterne, Julien s'aperçut qu'une lèpre [3] hideuse le recouvrait; cependant, il avait dans son attitude comme une majesté de roi [4].

Dès qu'il entra dans la barque, elle enfonça prodigieusement, 850 écrasée par son poids; une secousse la remonta; et Julien se mit à ramer.

A chaque coup d'aviron, le ressac [5] des flots la soulevait par l'avant. L'eau, plus noire que de l'encre, courait avec furie des deux côtés du bordage. Elle creusait des abîmes, elle faisait des montagnes, et la 855 chaloupe [6] sautait dessus, puis redescendait dans des profondeurs où elle tournoyait [7], ballottée par le vent.

Julien penchait son corps, dépliait les bras, et, s'arc-boutant des pieds, se renversait avec une torsion de la taille, pour avoir plus de force. La grêle cinglait ses mains, la pluie coulait dans son dos, la 860 violence de l'air l'étouffait, il s'arrêta. Alors le bateau fut emporté à la dérive. Mais, comprenant qu'il s'agissait d'une chose considérable, d'un ordre auquel il ne fallait pas désobéir, il reprit ses avirons; et le claquement des tolets [8] coupait la clameur de la tempête.

La petite lanterne brûlait devant lui. Des oiseaux, en voletant, la 865 cachaient par intervalles. Mais toujours il apercevait les prunelles

---

1. Aiguë. — 2. On parle de la « voix » des cloches. — 3. Maladie répandue en Europe, surtout après les premières Croisades. Le lépreux était considéré comme mort, et tenu à l'écart. — 4. Apprécier cet emploi du nom. — 5. Retour des vagues sur elles-mêmes. — 6. Voir p. 114, l. 495. — 7. Sens propre : tournait en faisant plusieurs tours. Sens dérivé : s'écartait de la ligne droite. — 8. Chevilles du plat-bord où s'accrochent les avirons.

du Lépreux qui se tenait debout à l'arrière, immobile comme une colonne.

Et cela dura longtemps, très longtemps!

Quand ils furent arrivés dans la cahute, Julien ferma la porte;
870 et il le vit [1] siégeant [2] sur l'escabeau. L'espèce de linceul qui le recouvrait était tombé jusqu'à ses hanches; et ses épaules, sa poitrine, ses bras maigres disparaissaient sous des plaques de pustules [3] écailleuses [4]. Des rides énormes labouraient son front. Tel qu'un squelette, il avait un trou à la place du nez; et ses lèvres bleuâtres
875 dégageaient une haleine épaisse comme un brouillard, et nauséabonde.

— J'ai faim! dit-il.

Julien lui donna ce qu'il possédait, un vieux quartier [5] de lard et les croûtes d'un pain noir.

880 Quand il les eut dévorés, la table, l'écuelle et le manche du couteau portaient les mêmes taches que l'on voyait sur son corps.

Ensuite, il dit :

— J'ai soif!

Julien alla chercher sa cruche; et, comme il la prenait, il en sortit
885 un arome qui dilata son cœur et ses narines. C'était du vin; quelle trouvaille! mais le Lépreux avança le bras, et d'un trait vida toute la cruche.

Puis il dit :

— J'ai froid!

890 Julien, avec sa chandelle, enflamma un paquet de fougères, au milieu de la cabane.

Le Lépreux vint s'y chauffer; et, accroupi sur les talons, il tremblait de tous ses membres, s'affaiblissait; ses yeux ne brillaient plus, ses ulcères [6] coulaient, et, d'une voix presque éteinte, il murmura :

895 — Ton lit!

Julien l'aida doucement à s'y traîner, et même étendit sur lui, pour le couvrir, la toile de son bateau.

Le Lépreux gémissait. Les coins de sa bouche découvraient ses dents, un râle [7] accéléré lui secouait la poitrine, et son ventre, à
900 chacune de ses aspirations, se creusait jusqu'aux vertèbres.

Puis il ferma les paupières.

— C'est comme de la glace dans mes os! Viens près de moi!

Et Julien, écartant la toile, se coucha sur les feuilles mortes, près de lui, côte à côte.

---

1. *Var. :* « *et,* tout à coup, *il le vit* ». — 2. Apprécier le choix du verbe. — 3. Petites tumeurs qui suppurent. — 4. La lèpre est une maladie « squameuse » (qui produit des écailles). — 5. Morceau (au sens propre : le quart). — 6. Plaies suppurantes, qui ne se cicatrisent pas. — 7. Bruit produit par la respiration des mourants.

905 Le lépreux tourna la tête.

— Déshabille-toi, pour que j'aie la chaleur de ton corps!

Julien ôta ses vêtements; puis, nu comme au jour de sa naissance, se replaça dans le lit; et il sentait contre sa cuisse la peau du Lépreux, plus froide qu'un serpent et rude comme une lime[1].

910 Il tâchait de l'encourager; et l'autre répondait, en haletant :

— Ah! je vais mourir!... Rapproche-toi, réchauffe-moi! Pas avec les mains[2]! non! toute ta personne.

Julien s'étala dessus complètement, bouche contre bouche, poitrine sur poitrine.

915 Alors le lépreux l'étreignit; et ses yeux tout à coup prirent une clarté d'étoiles; ses cheveux s'allongèrent comme les rais[3] du soleil; le souffle de ses narines avait la douceur des roses; un nuage d'encens s'éleva du foyer, les flots chantaient.

Cependant une abondance de délices, une joie surhumaine descen-
920 dait comme une inondation dans l'âme de Julien pâmé; et celui dont les bras le serraient toujours grandissait, grandissait, touchant de sa tête et de ses pieds les deux murs de la cabane. Le toit s'envola, le firmament se déployait; — et Julien monta vers les espaces bleus, face à face avec Notre-Seigneur Jésus, qui l'emportait dans le ciel.

925 Et voilà l'histoire de saint Julien l'Hospitalier, telle à peu près qu'on la trouve, sur un vitrail d'église, dans mon pays.

---

1. Voir la n. 4, p. 129. — 2. *Var.* : « *avec* tes *mains* ». — 3. Voir p. 99, n. 8.

Dieu, qui avait tant éprouvé Julien le Frénétique, va éprouver Julien le Saint. Et parce que, cette fois encore, il aura été jusqu'au bout, il verra enfin s'ouvrir les portes de la céleste demeure.

- **La dernière épreuve** occupe trois scènes (la traversée, le lépreux dans la cabane, sa mort : l. 829-914).
- **La récompense.** — Flaubert montre son héros « s'endormant dans le sein du Seigneur ». Mais il le fait en poète, en donnant la traduction sensible de l'expression pieuse, et son conte s'achève ainsi en épopée.

  ① C'est d'abord une transfiguration (celle du corps du lépreux, celle de l'âme de Julien, celle de l'univers). Ne ressemble-t-elle pas à l'extase de Félicité?

  ② C'est aussi le jeu des orgues, le grand carillon à la sortie de la cathédrale. Étudiez le rythme des trois phrases de l'avant-dernier paragraphe; l'emploi et la valeur des verbes; les sonorités dominantes.
- **Le post-scriptum** (l. 925-926)

  ③ Efforcez-vous d'en discerner les différents sens : est-il simplement explicatif?

HÉRODIAS

1. Le dossier d' « Hérodias »

A la fin d'avril 1876, à Paris, Flaubert annonce à Tourgueneff et à Mme Roger son intention d'écrire une Histoire de saint Jean-Baptiste. Il termine d'abord *Un Cœur simple* (**16** août), et, le lendemain, écrit à sa nièce :

Maintenant que j'en ai fini avec Félicité, Hérodias se présente et je vois (nettement, comme je vois la Seine) la surface de la mer Morte scintiller au soleil. Hérode et sa femme sont sur un balcon d'où l'on découvre les tuiles dorées du Temple. Il me tarde de m'y mettre et de piocher furieusement cet automne.

Piocher, cela veut dire écrire. Mais auparavant Flaubert doit réunir la documentation dont il a besoin. Il s'informe auprès de ses amis : Frédéric Baudry, Maury, Renan ; auprès du théologien Sabatier et de l'orientaliste Clermont-Ganneau. Il lit énormément : la Bible (*Prophètes* et *Psaumes*) ; les Évangiles; *la Guerre juive* et *les Antiquités juives* de Flavius Josèphe; Suétone; et des ouvrages modernes sur la citadelle de Machærous et sur le Temple, sur la géographie et l'histoire, sur les religions et les pratiques, sur Hérode et ses prédécesseurs, sur le mode de vie et l'administration romaine en Palestine, etc.

A la fin de septembre, le gros du travail préalable terminé, Flaubert se met à composer son sujet, dont déjà la masse l'effraie :

Je me suis embarqué dans une petite œuvre qui n'est pas commode, à cause des explications dont le lecteur français a besoin, écrit-il à Tourgueneff. *Faire clair et vif avec des éléments aussi complexes offre des difficultés gigantesques.*

Il travaille au développement de son scénario pendant tout le mois d'octobre, tout en complétant une documentation qu'il enrichira jusqu'en janvier. Il s'agit, comme à l'ordinaire, de fondre les documents, de trouver la tonalité dominante, d'organiser les mouvements et les sonorités générales, de prévoir et d'éviter les points faibles, de disposer les « plans ».

Au début de novembre, il se met à écrire. La première partie est terminée le **8** décembre, la seconde au milieu de janvier, la troisième le 31 janvier 1877. Flaubert a fourni un travail acharné, « frénétique », trop rapide à son gré, et dont le résultat l'inquiète :

Je ne suis pas sans inquiétudes sur « Hérodias », écrit-il à sa nièce. *Il y manque je ne sais quoi. Il est vrai que je n'y vois plus goutte! Mais pourquoi n'en suis-je pas sûr, comme je l'étais de mes deux autres contes? Quel mal je me donne!*

De cette précipitation (relative), les ébauches que nous avons gardées portent trace : une troisième série, commencée, n'a pas été poursuivie.

Le départ de Tourgueneff pour la Russie (où il devait faire paraître les *Trois Contes*) l'explique pour l'essentiel. La fatigue et de nouvelles difficultés dans les affaires de Commanville ont fait le reste. Qu'on ne s'y trompe pas pourtant : *Hérodias*, toutes proportions gardées, n'a pas été écrite sensiblement plus vite que *Madame Bovary*, et elle a donné autant de peine :
Votre ami a travaillé cet hiver d'une façon qu'il ne comprend pas lui-même, écrit-il le 15 février. *Pendant les derniers huit jours j'ai dormi en tout dix heures* (sic). *Je ne me soutenais plus qu'à force de café et d'eau froide. Bref, j'étais en proie à une effrayante exaltation* [...]. *Il était temps de s'arrêter!*

2. Les sources

Pourquoi, quand et comment Flaubert a-t-il choisi ce sujet?
Au Salon de 1876, GUSTAVE MOREAU [1] avait exposé une *Salomé* (dansant devant son oncle Hérode-Antipas). Flaubert a visité le Salon, et quand il parle à Tourgueneff (lui-même possesseur d'une remarquable Galerie) de son projet d'écrire un *Iaokhanan*, il associe le souvenir de cette visite à l'œuvre future. On peut donc penser que c'est du tableau de Gustave Moreau que l'inspiration est venue, comme, pour *la Tentation de saint Antoine*, elle était venue de celui de Breughel. En fait, dans l'un et l'autre cas, le peintre a donné, non pas le thème, mais le désir de le réaliser. La *Tentation de saint Antoine* existe, en Flaubert, avant 1845; et *Hérodias* avant 1876. Dans le *Carnet* de 1871, on trouve une bibliographie assez complète déjà sur le sujet, et cela invite à le rattacher à *la Tentation de saint Antoine*, une nouvelle fois mise sur le chantier. Si l'on veut remonter plus haut, on rencontre la floraison d'études religieuses de la fin du Second Empire : la *Vie de Jésus* de Renan (que Flaubert lut en 1863) donne l'essentiel et une partie des détails du conte.
Plus haut encore, ce sont les souvenirs du voyage en Égypte et en Palestine (1850) où le romancier a vu les almées danser comme dansait Salomé, et le site, maintenant désolé, de Jérusalem; c'est enfin le tympan du portail latéral nord de la cathédrale de Rouen, qui représente la danse de Salomé, entre le festin d'Hérode et la décollation du Baptiste. Quand, épousant la thèse de Maxime du Camp, on accepte cette dernière origine, on fait d'*Hérodias* une pensée de jeunesse, lentement mûrie, et réalisée dans l'âge mûr.

---

1. Gustave Moreau a peint plusieurs *Salomé*. Celle du Salon de 1876 est la plus célèbre. Dans *A Rebours* (1884), Huysmans imaginera que son Des Esseintes a une *Salomé* accrochée chez lui. Le sujet est du reste « dans l'air » : Mallarmé travaille à *Hérodiade* depuis 1864 et en publie un fragment en 1871, dans la seconde série du *Parnasse Contemporain*; Laforgue le reprendra dans ses *Moralités légendaires* (1887).

Ce qu'a été le lent cheminement de cette pensée, nous ne pouvons le saisir qu'aux moments où elle affleure, en 1871 et en 1876. Mais pourquoi, justement, affleure-t-elle alors, et avec ce visage?

En avril 1876, Flaubert voit son sujet comme la peinture d'un vieux couple où la femme, qui n'est plus aimée, reste maîtresse : « La vacherie [1] d'Hérode pour Hérodias m'excite! » écrit-il à Mme Roger des Genettes. Deux mois après, les personnages se sont enrichis et ont réintégré un contexte historique :

« Ce qui me séduit là-dedans, c'est la mine officielle d'Hérode (qui était un vrai préfet) et la figure farouche d'Hérodias, une sorte de Cléopâtre et de Maintenon », confie-t-il à la même correspondante. Dans le *Carnet* de 1871, à côté de la bibliographie d'*Hérodias*, il y a des notes sur un projet de roman (auquel Flaubert pensera encore en 1877) qui se serait intitulé *Monsieur le Préfet*. Le héros, assez ignoble, propre à dégoûter des pouvoirs établis, aurait été bon homme au demeurant. Entre ces deux mouvements, le rapport est apparent : il n'y a qu'une vérité humaine, qui est médiocre. Les méchants ne sont pas si cruels, les grands hommes ne s'élèvent pas bien haut, et nos sentiments sont des habitudes, comme nos actions des rôles.

Cela légitime une certaine vue de l'histoire. Dans ses dernières années, Flaubert rêvait d'écrire une *Bataille des Thermopyles* où les guerriers seraient apparus comme ils avaient dû être dans la vie : de petites gens, remplis de petits soucis, pour qui l'héroïsme n'est que l'obéissance à des sous-officiers redoutés, et qui sont pourtant, sans le savoir et presque malgré eux, les héros d'une belle aventure.

Flaubert peut être assez respectueux de l'autorité intellectuelle d'un Renan ou d'un Taine pour s'efforcer de voir, comme eux, la « race » au départ des grands conflits politiques ou religieux. Il a le goût du bric-à-brac, et il soigne le cadre, le « milieu », au point de le laisser envahir le tableau. Mais l'essentiel reste l'explication psychologique. Le cruel Hérode n'est qu'un haut fonctionnaire qui a peur des maîtres romains, des sujets juifs, de sa femme, et qui « s'arrange » pour éviter les difficultés : un homme comme les autres, le Félix qu'avait déjà peint Corneille dans *Polyeucte*. Il sera trop lâche pour sauver Jean, trop bon pour ne pas le pleurer. Autour de lui, chacun joue aussi son petit jeu, sans commune mesure avec le rôle que le destin lui a attribué, et qu'il ne voit pas. Vitellius fait carrière, Hérodias intrigue pour une couronne qu'elle mendie aux Romains, Aulus bâfre, et Salomé s'amuse à plaire.

Mais les personnages ne sont pas simplement conçus, ils sont vécus. L'homme qui a dit « Madame Bovary, c'est moi! » aurait pu dire : Hérode, c'est moi. L'Hérodias ambitieuse, impérieuse, qui déverse sa colère en injures populacières, c'est bien un peu Louise Colet, qu'il a aimée, et puis supportée avant de la chasser. Elle vient de

1. *Vacherie*, dans la langue des lettres, doit s'entendre : veulerie.

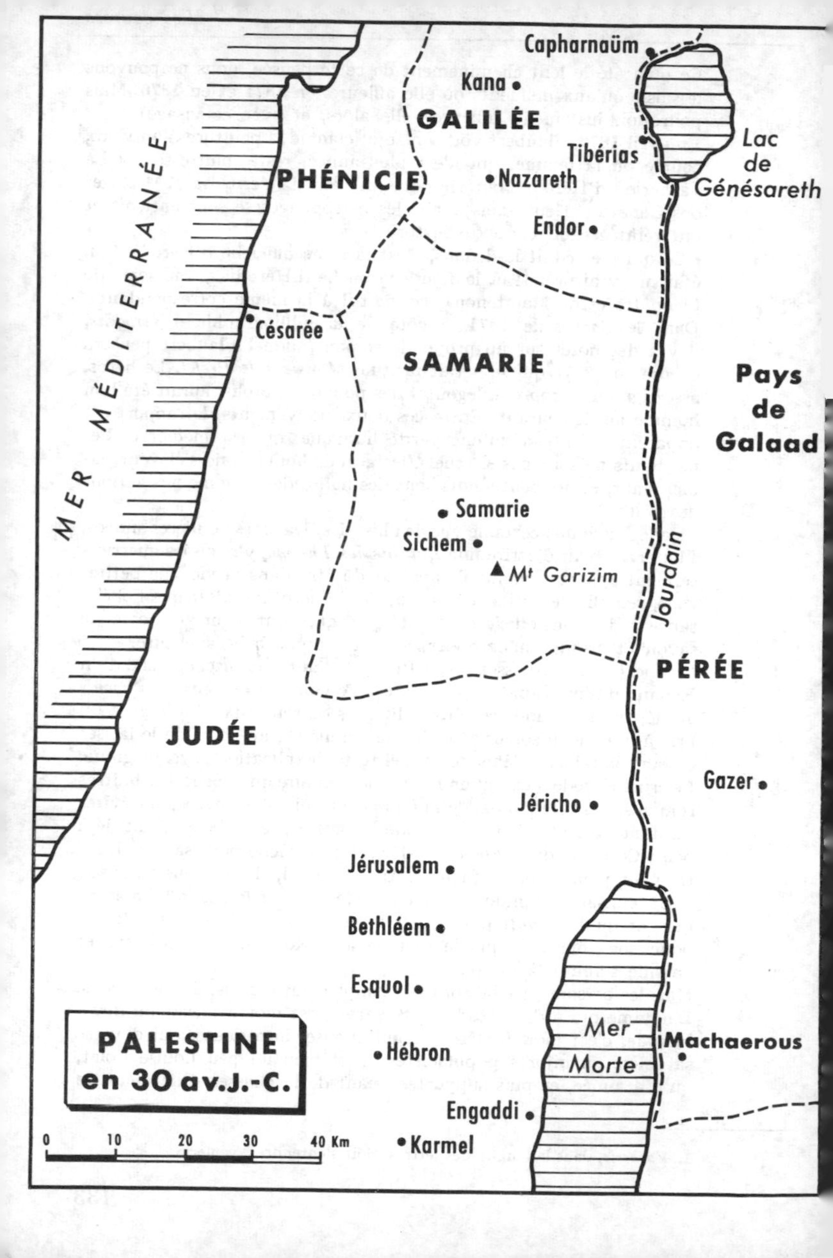

PALESTINE en 30 av. J.-C.

mourir (8 mars 1876), et l'émotion a ramené le souvenir trouble, rappelé l'interminable conflit. Pour la nièce qui obtient tout ce qu'elle veut du vieil oncle, il ne faut pas la chercher loin.

Cela pourtant est accessoire. Dans les *Trois Contes*, Flaubert n'avait pas encore trouvé « sa » place (le petit Paul, ce n'est pas lui ou ce n'est plus lui). Hérode la lui donnait. Il était l'homme vieillissant, amer et inquiet. Il était celui qui se cramponne au présent et au passé, parce qu'il croit qu'au-delà, pour lui du moins, il n'y aura plus rien.

Nous sommes ainsi ramenés au thème central des *Trois Contes :* celui de la route qui monte vers le salut. Félicité, la pauvre d'esprit, sera bienheureuse. Julien, le grand coupable, sera un grand saint. Hérode ne peut être qu'un témoin. Derrière lui, l'effervescence religieuse du temps se devine, mais elle manque de vigueur : Jean répète les Prophètes, Jésus est loin, et les Juifs ne font que ressembler à l'image qu'on se fait d'eux. Hérode est intelligent. Il sait que d'autres ont trouvé leur voie. Il s'y intéresse à l'occasion. Mais il n'a pas assez de caractère pour dépasser la curiosité. Il s'accepte trop facilement pour tenter de se vaincre. Le monde nouveau s'arrêtera à sa porte. Avec lui, comme avec Flaubert, nous allons être parmi ceux qui ont vu, et qui n'ont pas cru.

3. La Palestine au début de l'ère chrétienne

Les origines. — Les Israélites formèrent d'abord des tribus errantes, dans les déserts syro-arabes. On pensait, au XIXe siècle, qu'elles étaient d'origine mésopotamienne, et Flaubert peindra ses personnages dans le style « assyrien ».

Elles semblent avoir mis très longtemps à s'installer en Palestine, puis à en assimiler les occupants, et ce n'est que bien plus tard encore, avec Saül, David et Salomon, qu'elles purent s'unir et former un royaume puissant, véritablement indépendant, qui occupait toute la Palestine et les régions voisines (fin du XIe, début du Xe siècle av. J.-C.). De ce royaume de Salomon, les Juifs devaient toujours garder la nostalgie.

Dès 930, il se coupait en deux États : Israël et Juda, qui allaient mener l'existence précaire à laquelle les condamnaient leurs dissensions, leurs conflits entre eux et avec leurs voisins. Les Égyptiens d'abord, les Assyriens ensuite revenaient, et en 722 le royaume d'Israël disparaissait. La rivalité de ses grands voisins assura une survie plus longue à l'indépendance nominale de Juda. Mais Nabuchodonosor, roi de Babylone, prit Jérusalem, et finit par la détruire en 586.

Les Asmonéens. — Les Perses, vainqueurs des Lydiens, des Chaldéens et des Égyptiens, accordèrent aux Juifs — comme aux autres petits peuples — une large autonomie. Les déportés purent rentrer. On rebâtit le Temple (fin du VIe siècle), puis, un siècle plus tard, les murs de Jérusalem.

Quand Alexandre eut détruit l'Empire perse, la Palestine dépendit d'abord des rois grecs d'Égypte (IIIe siècle), puis de ceux de Syrie

(IIe siècle). La domination syrienne, trop pesante, trop peu respectueuse des usages et de la religion, provoqua, en **167**, la révolte de Matathias, petit-fils d'Asmon.
Les princes asmonéens surent profiter des querelles dynastiques des rois de Syrie pour assurer à la Palestine un siècle d'une demi-indépendance. Les Juifs trouvaient dans leur succès de nouvelles raisons d'espérer : leur nation redevenait un État.

Les Hérodes. — Ce que le courage et l'habileté des Asmonéens, servis par des circonstances favorables, avaient pu leur donner, des querelles dynastiques, et plus encore la marche inexorable de l'avance romaine, le leur reprirent.
En **63**, Pompée, qui venait de vaincre Mithridate, intervenait en Palestine, prenait Jérusalem, et rétablissait Hyrcan II qu'avait détrôné son jeune frère Aristobule. Les Romains tenaient le pays, et entendaient bien le garder.
Ils trouvèrent un excellent instrument dans un jeune Arabe d'Idumée, Hérode, fils d'Antipater, qui eut l'adresse rare de plaire successivement à César, à Antoine et à Octave, et dont ils firent un roi des Juifs, ami et allié du peuple romain (**40**). Les derniers princes asmonéens, s'entre-tuant ou tués par l'Iduméen, avaient disparu. Leur héritière, Mariamne, fut épousée par Hérode, puis tuée à son tour.

La province romaine. — Le royaume d'Hérode avait eu belle apparence, tant à l'intérieur,où les constructions publiques s'étaient multipliées, qu'à l'extérieur où sa générosité (par exemple à l'occasion des Jeux Olympiques) lui valait une grande réputation. Hérode mort (**4** av. J.-C.), la Palestine fut partagée entre trois de ses fils : Archelaüs eut la Judée, Hérode-Philippe la Batanée et les possessions du nord, Hérode-Antipas la Galilée et la Pérée. Hérode avait-il devancé les Romains ou avaient-ils exigé le partage? En tout cas ils agirent aussitôt en maîtres: les princes ne furent pas déclarés rois, mais tétrarques. Le premier, Archelaüs, que sa mauvaise administration rendait gênant, fut destitué en **6**, et la Judée devint une province de seconde classe. Philippe mourut en **34** et ne fut pas d'abord remplacé. Antipas fut envoyé en exil par Caligula. La Palestine fut pourtant reconstituée en **41**, par Claude, au profit d'Hérode-Agrippa, favori de Caligula, dénonciateur d'Antipas et grand ami des Romains. Mais à sa mort, en **44**, le régime des Procurateurs fut rétabli.

Les révoltes. — Les Juifs n'avaient pas toujours aimé les Asmonéens, et les Hérodes étaient pour eux des étrangers. Mais l'administration directe des Romains leur fut intolérable. Les plus ardents d'entre eux, les « Zélotes », proclamaient qu'obéir aux Romains c'était violer la Loi. Les incidents se multiplièrent. Ponce-Pilate, procurateur à partir de **26**, eut à en réprimer plusieurs, — et le fit rudement.

		167 Révolte de Matathias contre les Syriens.
146 La Macédoine et la Grèce deviennent provinces romaines.	**150** av. J.-C.	
	110	
104 La Numidie se soumet aux Romains.		104 Aristobule prend le titre de roi.
87 L'Italie romanisée.	**90**	Guerres dynastiques entre les Asmonéens.
	70	
63 Mithridate vaincu par Pompée. L'Empire romain s'étend jusqu'à l'Euphrate.		63 Prise de Jérusalem par Pompée.
	50	
47 César en Égypte et en Asie.		47 Hérode protégé par César.
44 Mort de César.		40 Hérode, roi des Juifs.
31 Octave conquiert l'Égypte et réunifie l'Empire.	**30**	
10 Les Romains s'installent sur le Danube.	**10**	
		4 Partage du royaume d'Hérode entre ses fils.

		6 La Judée, province romaine.
9 Désastre de Varus en Germanie.	**10** ap. J.-C.	
14 Tibère empereur.		
		26 Ponce-Pilate procurateur.
	30	(?)30 **Mort de Jean.**
		(?)33 Mort de Jésus.
37 Caïus Caligula empereur.		
41 Claude empereur.		41 Hérode-Agrippa reconstitue le royaume d'Hérode le Grand.

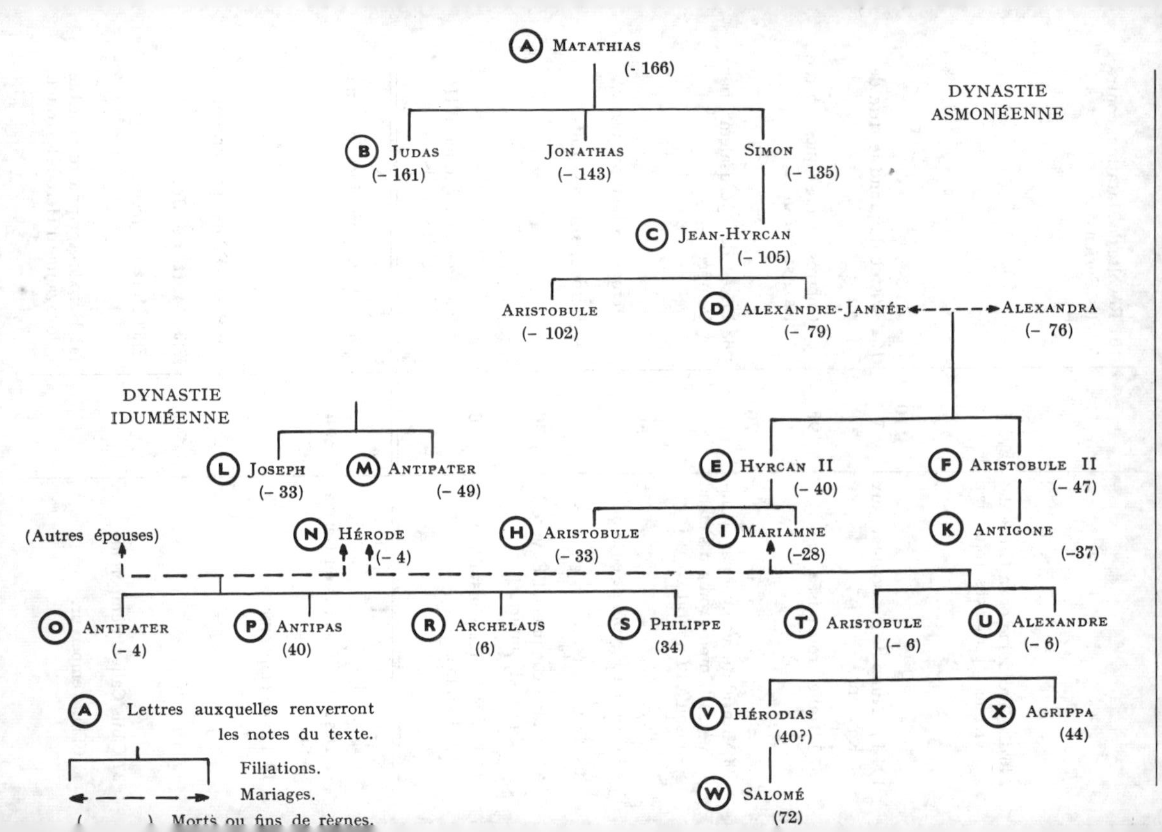
A MATATHIAS
(- 166)
DYNASTIE
ASMONÉENNE
B JUDAS
(- 161)
JONATHAS
(- 143)
SIMON
(- 135)
C JEAN-HYRCAN
(- 105)
ARISTOBULE
(- 102)
D ALEXANDRE-JANNÉE
(- 79)
ALEXANDRA
(- 76)
DYNASTIE
IDUMÉENNE
L JOSEPH
(- 33)
M ANTIPATER
(- 49)
E HYRCAN II
(- 40)
F ARISTOBULE II
(- 47)
(Autres épouses)
N HÉRODE
(- 4)
H ARISTOBULE
(- 33)
I MARIAMNE
(-28)
K ANTIGONE
(-37)
O ANTIPATER
(- 4)
P ANTIPAS
(40)
R ARCHELAUS
(6)
S PHILIPPE
(34)
T ARISTOBULE
(- 6)
U ALEXANDRE
(- 6)
A Lettres auxquelles renverront
les notes du texte.
Filiations.
Mariages.
( ) Morts ou fins de règnes.
V HÉRODIAS
(40?)
X AGRIPPA
(44)
W SALOMÉ
(72)

La grande révolte éclata sous le règne de Néron, en 66. Il fallut quatre ans de guerre et soixante mille hommes pour en venir à bout : Jérusalem fut prise et incendiée en 70. Plus d'un demi-million de Juifs furent tués ou réduits en esclavage.
Ils se soulevèrent pourtant encore une fois en 132, quand Hadrien voulut rebâtir Jérusalem et y édifier un temple à Jupiter. Ils furent écrasés après trois ans de lutte. Jérusalem perdit jusqu'à son nom, et il fut interdit aux Juifs d'y pénétrer. La nation juive disparaissait.

Le temple d'Hérode le Grand. — Hérode avait voulu rendre au Temple de Jérusalem toute la splendeur de celui de Salomon, et même faire plus grand encore. Il fallut dix ans de travail à dix mille ouvriers pour venir à bout de la tâche; et les constructions accessoires ne furent terminées qu'en 64.
Au nord-ouest, une forteresse bâtie par les Asmonéens, et renforcée par Hérode, dominait le Temple. C'était une énorme tour quadrangulaire, où les Romains mirent garnison, et où ils conservèrent les ornements sacerdotaux, qu'ils ne remettaient aux prêtres qu'à l'occasion des fêtes.
Le Temple lui-même se présentait comme une succession d'enceintes (la plus grande de 1 680 mètres), étagées les unes au-dessus des autres, et couronnées par les gigantesques pylônes du sanctuaire, construits en marbre blanc. Tous ceux qui l'ont vu ont proclamé leur admiration :

Quand les rayons du soleil levant frappaient sur les lames de métal qui recouvraient les portes et le toit du sanctuaire, quand ils éclairaient les dorures de la façade et la gigantesque vigne d'or qui s'enroulait sur le marbre blanc du pronaos, les yeux éblouis étaient obligés de se détourner [...] et l'étranger qui apercevait au loin le Temple croyait voir une montagne couverte d'une neige étincelante (Josèphe).

4. Jean-Baptiste et les Évangiles

L'homme

Jean était vêtu d'une étoffe de poil de chameau, avec une ceinture de peau autour des reins. Il mangeait des sauterelles et du miel sauvage (*Matthieu*, III, 4).

Son action

Il parcourut tout le pays du Jourdain, prêchant le baptême de pénitence pour la rémission des péchés [...]. Il disait aux gens venus pour le baptême : « Race de vipères, qui vous a avertis de vous soustraire à la colère prochaine? [...] Déjà la hache est à la racine des arbres. Et tout arbre qui ne porte pas de bons fruits sera coupé et mis au feu! » Les gens lui demandaient : « Que ferons-nous? » Il répondait : « Celui qui a deux tuniques, qu'il en donne une à qui n'en a pas, celui qui a à manger, qu'il fasse de même! » (*Luc*, III, 3).

Il annonce le Christ

Il en viendra un plus puissant que moi, et je ne suis pas digne de délier les courroies de sa chaussure (*Luc*, III, 16).

Il baptise Jésus

Jésus vint de Galilée auprès de Jean, pour être baptisé. Mais Jean refusait : « C'est moi qui dois être baptisé par toi, disait-il, et tu viens à moi? » [...] Jésus, baptisé, sortit de l'eau, et voici que les cieux s'ouvrirent, et qu'il vit l'Esprit Saint descendre et venir sur lui comme une colombe. Une voix du ciel disait : « Celui-ci est mon fils bien aimé! » (*Matthieu*, III, 13).

Hérode l'emprisonne

Hérode avait fait arrêter Jean, et il l'avait enchaîné dans une prison. Il avait en effet épousé Hérodias, la femme de son frère Philippe, et Jean lui disait : « Tu n'as pas le droit d'avoir la femme de ton frère. » Hérodias était à l'affût, elle cherchait à le faire mourir, sans le pouvoir : Hérode craignait Jean, le savait honnête et pieux, et il le gardait. Il agissait souvent d'après ses avis, et il l'écoutait volontiers (*Marc*, VI, 17).

Jean envoie deux disciples à Jésus

Jean qui, dans sa prison, avait appris l'action du Christ, lui envoya deux de ses disciples et lui fit dire : « Es-tu celui qui doit venir, ou faut-il en attendre un autre? » Jésus répondit : « Allez rapporter à Jean ce que vous avez vu et entendu : les aveugles voient, les boiteux marchent, les lépreux sont guéris, les sourds entendent, les morts ressuscitent » (*Matthieu*, XI, 2).

Mort de Jean

Hérode offrit un banquet d'anniversaire aux chefs, aux officiers et aux notables galiléens. La fille d'Hérodias y était venue et y avait dansé. Elle avait plu à Hérode et aux invités. Le roi dit à la fillette : « Demande-moi ce que tu veux, et je te le donnerai ». Et il lui jura que, quoi qu'elle demandât, il le lui donnerait, fût-ce la moitié de son royaume. Elle sortit et dit à sa mère : « Que demander? » Et elle : « La tête de Jean. » La jeune fille revint aussitôt auprès du roi et lui dit : « Je veux que tu me donnes la tête de Jean sur un plateau. » Le roi en eut de la peine, mais, à cause de son serment et des invités, il ne voulut pas l'affliger. Il fit venir le bourreau et lui ordonna d'apporter la tête sur un plateau. Jean fut décapité dans la prison, et sa tête, apportée sur un plateau, fut donnée à la jeune fille qui la donna à sa mère (*Marc*, VI, 21).

Ses disciples rejoignent Jésus

Ses disciples vinrent, prirent son corps et l'enterrèrent. Ils allèrent annoncer la nouvelle à Jésus (*Matthieu*, XIV, 12).

5. Les autres personnages

Hérodias

Un des caractères le plus fortement marqués de cette tragique famille des Hérode était Hérodias, petite-fille d'Hérode le Grand. Violente, ambitieuse, passionnée, elle détestait le judaïsme et méprisait ses lois. Elle avait été mariée, probablement malgré elle, à un oncle [...] qu'Hérode le Grand avait déshérité et qui n'eut jamais de rôle public. La position inférieure de son mari, à l'égard des autres personnes de sa famille, ne lui laissait aucun repos; elle voulait être souveraine à tout prix. Antipas fut l'instrument dont elle se servit (Renan, *Vie de Jésus*, 5).

Hérode Antipas. — Nous avons peu de documents qui nous permettent de nous représenter le Tétrarque. Saint Luc (XIII, 32) le traite de renard, et Josèphe nous dit (*Ant. Jud.*, XVIII, 7, 2) qu'il aimait sa tranquillité. Il s'est efforcé de ménager Juifs et Grecs, et son attitude à l'égard de Jean (voir ci-dessus) nous montre que sa bienveillance était assez générale. Il manquait apparemment d'autorité. Mais les Romains l'ont soupçonné de cacher, derrière cette faiblesse, beaucoup d'astuce et quelques mauvaises intentions.

Lucius Vitellius

Homme actif et adroit, [...] il était fort habile à pratiquer la flatterie. Le premier, il proposa d'adorer Caligula comme un dieu. A son retour de Syrie, il n'osa l'aborder que la tête voilée, [...] puis il se prosterna [...]. C'est lui qui, le jour où Claude célébrait les Jeux séculaires, lui dit : « Puisses-tu les donner souvent ! » (Suétone, *Vitellius*).

Aulus Vitellius

Il passa son enfance et son adolescence à Caprée, au milieu des filles et des favoris de Tibère [...]. Il dut à cela, et sa propre fortune, et celle de son père (Suétone).
Pour les gens sérieux, il était plat. Mais ses amis vantaient son affabilité et sa bonté : sans compter, sans choisir, il faisait cadeau de ce qu'il possédait, et il distribuait le bien d'autrui (Tacite, *Histoires*, I, 52).

Les Esséniens forment un « ordre », mi-religieux, mi-laïque, où l'on n'est admis qu'après noviciat et baptême. Ils vivent en communautés sous la direction de Supérieurs. Leur journée est réglée, silencieuse, laborieuse; elle commence et finit par la prière. Le peu que nous savons de leur doctrine ne nous permet pas de l'apprécier. Mais la tentation qu'on a eue au XIXe siècle, et qu'éprouve Flaubert, de rattacher à leurs communautés les premiers chrétiens ou même les disciples de Jean, prête aujourd'hui à discussion.

Pharisiens et Sadducéens. — Les Sadducéens sont des conservateurs : en religion, ils rejettent tout ce qui n'est pas la Loi authentique, sous sa forme la plus ancienne; en politique, ils acceptent le régime établi, dès lors qu'il respecte la religion. Ce sont des gens considérés, que l'on accuse de faiblesse à l'égard des Hérodes et des Romains. Les Pharisiens vénèrent et la Loi et la Tradition, et sont portés à s'en faire les « casuistes ». Ils ne sont pas hostiles aux nouveautés qui leur semblent dans la ligne judaïque. Ils ne croient pas possible d'accepter un État qui ne soit pas religieux. S'ils n'encouragent pas les révoltes, ils ne les découragent pas non plus. Ils sont suspects aux Romains, mais Hérode les ménage à cause de leur influence.

6. Scénario du conte (texte de Flaubert)

I. *Machærous.*

Antipas sur sa terrasse — sa situation politique. Une voix — il a peur.
Le Samaritain reçoit l'ordre de tenir Jean bien serré.
Hérodias. Son frère est mort — regrette sa fille — caresse Antipas.
L'Essénien se montre.
Jean nuit à Hérodias comme politique. Pourquoi elle le déteste personnellement — reproches à son mari, mais on aperçoit une jeune fille. Elle se calme.
L'Essénien parle pour Jean. Antipas se tait.
Courrier annonçant l'arrivée de Vitellius.

II. *Vitellius, avec son fils — compliments.*

— Les prêtres de Jérusalem — leurs réclamations, plaintes sur Ponce Pilate.
Murmures à propos des boucliers.
— Vitellius visite le château et découvre les munitions.
— La fosse — Jean.
Ses discours rapportés par l'interprète — tableau.
Vitellius met des sentinelles — Jean ne sera pas sauvé.

— Prédiction de l'Essénien.
Peur d'Antipas. Sa femme lui donne une médaille.

III. *La salle du festin — aspect général.*

Parfums — le Baaras[1] *— il est question de Jésus.*
Colère des prêtres. Matathias le défend, il a guéri son fils, c'est peut-être le Messie.
— Dispute sur le Messie. Il faut des signes avant-coureurs.
Mais Élie est venu.
Ce que c'est qu'Élie.
Élie c'est Jean.
Discussion sur la Résurrection.
Scandale à propos d'une viande immonde.
— Le peuple au pied du château.
Tous ont intérêt à la mort de Jean.
Le festin devient farouche. Antipas et Vitellius se trouvent menacés.
— Hérodias porte la santé de l'Empereur.
Salomé danse. — Sa requête. — La peur du bourreau.
On apporte la tête. Elle circule. Pleurs d'Antipas. Tableau final.

Retour des deux hommes. Conversion subite de l'Essénien. Il explique...

1. Voir la note 14, p. 173.

« Au salon, de 1876, Gustave Moreau avait exposé une *Salomé*... » (voir p. 132).

Cl. Bulloz

HÉRODIAS

1

La citadelle de Machærous [1] se dressait à l'orient de la mer Morte, sur un pic de basalte ayant la forme d'un cône. Quatre vallées profondes l'entouraient, deux vers les flancs, une en face, la quatrième au-delà. Des maisons se tassaient contre sa base, dans le cercle d'un mur qui ondulait suivant les inégalités du terrain; et, par un chemin en zigzag tailladant [2] le rocher, la ville se reliait à la forteresse, dont les murailles étaient hautes de cent vingt coudées [3], avec des angles nombreux, des créneaux [4] sur le bord, et, çà et là, des tours qui faisaient comme des fleurons à cette couronne de pierres, suspendue au-dessus [5] de l'abîme.

Il y avait dans l'intérieur un palais orné de portiques [6], et couvert d'une terrasse que fermait une balustrade en bois de sycomore [7], où des mâts étaient disposés pour tendre un vélarium [8].

Un matin, avant le jour, le Tétrarque [9] Hérode-Antipas [10] vint s'y accouder, et regarda.

Les montagnes, immédiatement sous lui, commençaient à découvrir leurs crêtes, pendant que leur masse, jusqu'au fond des abîmes [11], était encore dans l'ombre. Un brouillard flottait, il se déchira, et les contours de la mer Morte apparurent. L'aube, qui se levait derrière Machærous, épandait [12] une rougeur. Elle illumina bientôt les sables

---

Les majuscules qui suivent les noms des rois renvoient à la page 138.

1. Bâtie par Alexandre-Jannée (**D**) et restaurée par Hérode (**N**). « Les constructions de Machæro, entreprises en quelque sorte contre nature, ces chambres d'une beauté merveilleuse, ces citernes inépuisables au milieu du site le plus terrible, élevées comme un défi au désert arabe, frappèrent d'admiration tous ceux qui les virent » (Renan). — 2. Noter la valeur expressive. — 3. La coudée romaine vaut 442 mm. — 4. Voir p. 97, n. 10. — 5. *Var. :* « se tenant *au-dessus* ». — 6. Galeries couvertes. — 7. Ou figuier d'Égypte; il passait pour imputrescible. — 8. Mot latin désignant le voile tendu pour protéger du soleil. — 9. La Palestine, à la mort d'Hérode (**N**), a été partagée en quatre provinces; elle est donc une « tétrarchie ». Mais les Romains donnaient le titre de Tétrarque à toutes sortes de princes tributaires. — 10. *Hérode-Antipas* (**P**) était un des fils d'Hérode le Grand (**N**). Il gouverna la Galilée et la Pérée. — 11. *Var. : « des* ravins ». — 12. Voir p. 58, n. 11.

de la grève[1], les collines, le désert, et, plus loin, tous les monts de la Judée, inclinant leurs surfaces raboteuses et grises. Engaddi[2], au milieu, traçait une barre noire; Hébron[3], dans l'enfoncement, s'arrondissait en dôme; Esquol[4] avait des grenadiers, Sorek[5] des 25 vignes, Karmel[6] des champs de sésame[7]; et la tour Antonia[8], de son cube monstrueux, dominait Jérusalem. Le Tétrarque en détourna la vue pour contempler, à droite, les palmiers de Jéricho[9]; et il songea aux autres villes de sa Galilée[10] : Capharnaüm, Endor, Nazareth[11], Tibérias[12] où peut-être il ne reviendrait plus. Cependant 30 le Jourdain coulait sur la plaine aride[13]. Toute blanche, elle éblouissait comme une nappe de neige. Le lac, maintenant, semblait en lapis-lazuli[14]; et à sa pointe méridionale, du côté de l'Yémen[15], Antipas reconnut ce qu'il craignait d'apercevoir. Des tentes brunes étaient dispersées; des hommes avec des lances circulaient entre les 35 chevaux, et des feux s'éteignant brillaient comme des étincelles à ras du sol.

C'étaient les troupes du roi des Arabes[16], dont il avait répudié la fille pour prendre Hérodias[17], mariée à l'un de ses frères[18], qui vivait en Italie, sans prétentions au pouvoir.

40 Antipas attendait les secours des Romains; et Vitellius[19], gouverneur de la Syrie[20], tardant à paraître, il se rongeait d'inquiétudes.

Agrippa[21], sans doute, l'avait ruiné chez l'Empereur[22] Philippe[23], son troisième frère, souverain de la Batanée[24], s'armait clandestine-

---

1. De la mer Morte. — 2. Près de la mer Morte; la région est fameuse pour ses vignobles; c'est là que s'étaient retirés les anachorètes esséniens. — 3. La plus ancienne ville de Palestine; Adam y serait mort; Jean-Baptiste en serait originaire. — 4. Voir la carte, p. 134. — 5. Il n'existe pas de ville de ce nom : le Sorek est un torrent qui coule près de Jérusalem. Flaubert avait d'abord écrit *Gazer*, nom d'une ville située au nord de Machærous, mais qu'on ne voit sans doute pas de la place. Il a cherché un autre mot de deux syllabes. — 6. Ne pas confondre cette ville avec le *Karmel*, mont situé au sud de la Phénicie. — 7. Dont la graine donne une bonne huile et de la farine. — 8. Cette *tour*, qui s'élève au nord du Temple (voir p. 139), servait alors de forteresse à la garnison romaine. — 9. Voir la carte, p. 134. — 10. La *Galilée* était la contrée la plus riante du domaine d'Hérode. — 11. Voir la carte, p. 134. — 12. Ville de Galilée, fondée par Hérode-Antipas, et ainsi nommée en l'honneur de l'empereur Tibère. — 13. Au nord de la mer Morte. — 14. Voir p. 87, n. 9. — 15. Nous désignons de ce nom le sud-ouest de la péninsule d'Arabie. Flaubert semble le prendre en un sens plus large. — 16. Le *roi* Arétas, émir de Pétra (au sud de la mer Morte). C'est après la mort du Baptiste qu'Antipas fit appel à Vitellius pour se défendre contre lui. Flaubert « resserre » les faits. — 17. *Hérodias* (**V**) était une petite-fille d'Hérode le Grand (**N**), donc une nièce d'Antipas (**P**). — 18. Un des nombreux fils d'Hérode (**N**), selon Flaubert et les érudits; Hérode-Philippe (**S**), selon les Évangiles. — 19. Lucius *Vitellius*, père du futur empereur, Aulus Vitellius ; voir p. 140. — 20. Sous ce nom, les Romains englobaient toute la région qui va de la Palestine à l'Euphrate. — 21. Cet *Agrippa* (**X**) était le frère d'Hérodias. Élevé à Rome, il avait d'abord servi Antipas, son oncle. Reparti pour Rome, il y était devenu l'intime de Caïus Caligula, héritier de Tibère. Il fut emprisonné en 37, longtemps après la mort du Baptiste. — 22. *L'avait* perdu dans l'esprit de Tibère. — 23. Voir la n. 18. — 24. Au nord de la Pérée.

ment. Les Juifs ne voulaient plus de ses mœurs idolâtres [1], tous les
45 autres de sa domination; si bien qu'il hésitait entre deux projets : adoucir les Arabes ou conclure une alliance avec les Parthes [2]; et, sous le prétexte de fêter son anniversaire, il avait convié, pour ce jour même, à un grand festin [3], les chefs de ses troupes, les régisseurs de ses campagnes et les principaux de la Galilée.

50 Il fouilla d'un regard aigu toutes les routes. Elles étaient vides. Des aigles volaient au-dessus de sa tête; les soldats, le long du rempart, dormaient contre les murs; rien ne bougeait dans le château.

1. Voir p. 98, l. 35. On trouvera plus loin (l. 378) d'autres marques de l'hostilité des Juifs à l'« idolâtrie ». — 2. Ils occupaient, à l'est de la Syrie, les régions du Tigre et de l'Euphrate. Trajan lui-même devra renoncer à les soumettre. — 3. Voir l'Évangile selon saint Matthieu (XIV, 6) et selon saint Marc (VI, 21).

- **Une exposition de tragédie.** — Le Tétrarque Hérode-Antipas, que l'inquiétude a éveillé avant l'aube — comme Agamemnon dans l'*Iphigénie* de Racine ou Agrippine dans *Britannicus* —, parce que le moment est venu de décider et d'agir, revient sur ses raisons de crainte et d'espoir.

La **méditation** (l. 42-49) remplace le monologue ou le dialogue avec un confident.

① Essayez de la transcrire d'une part en style direct, d'autre part en style indirect. Partez de là pour définir le style indirect libre (verbe introductif, tours du style direct, formes du style indirect).

Les **tableaux** créent l'atmosphère, rappellent l'histoire, donnent une équivalence des états d'âme.

② Donnez quelques exemples de chacune de ces fonctions.

③ Quel effet produisent sur vous les noms étranges (l. 22-32)? Évoquent-ils quelque chose de précis? N'ont-ils pas cependant une couleur poétique? Comparez au début du *Moïse* de Vigny.

La **durée** prend une nouvelle consistance. Les événements sont resserrés sur un espace de temps très court, malgré l'histoire : ainsi voit-on paraître le roi des Arabes le jour de la mort du Baptiste; ainsi apprendra-t-on l'emprisonnement d'Agrippa et l'arrivée de Vitellius au même moment.

④ Comment l'impatience du Tétrarque se manifeste-t-elle? Quel en est l'intérêt dramatique?

L'**action** s'ébauche, liée aux caractères. Dans la situation initiale, un élément de trouble apparaît : la présence d'une armée ennemie (l. 33). En même temps, la solution s'esquisse.

⑤ Faites le portrait moral du Tétrarque.

- **Présence de l'auteur**

⑥ Flaubert a visité les régions qu'il décrit ici. Voici ce qu'il écrivait à son ami Bouilhet le 20 août 1850 :
« Nous sommes revenus hier du Jourdain et de la mer Morte. Pour t'en donner une idée, il faudrait se livrer à un style des plus pompeux, ce qui m'ennuierait et toi aussi sans doute. » Le passage que vous venez de lire est-il *pompeux?* Vous ennuie-t-il?

Tout à coup, une voix lointaine, comme échappée des profondeurs de la terre, fit pâlir le Tétrarque. Il se pencha pour écouter; elle avait 55 disparu. Elle reprit; et en claquant dans ses mains, il cria :

— Mannaëi ! Mannaëi !

Un homme se présenta, nu jusqu'à la ceinture, comme les masseurs des bains. Il était très grand, vieux, décharné, et portait sur la cuisse un coutelas dans une gaîne de bronze. Sa chevelure, relevée[1] par un 60 peigne, exagérait la longueur de son front. Une somnolence[2] décolorait ses yeux, mais ses dents brillaient, et ses orteils posaient légèrement sur les dalles, tout son corps ayant la souplesse d'un singe, et sa figure l'impassibilité d'une momie.

— Où est-il? demanda le Tétrarque.

65 Mannaëi répondit, en indiquant avec son pouce un objet derrière eux :

— Là ! toujours !

— J'avais cru l'entendre !

Et Antipas, quand il eut respiré largement, s'informa de Iaoka-70 nann, le même que les Latins appellent saint Jean-Baptiste[3]. Avait-on revu ces deux hommes[4], admis par indulgence, l'autre mois, dans son cachot, et savait-on, depuis lors, ce qu'ils étaient venus faire?

Mannaëi répliqua :

— Ils ont échangé avec lui des paroles mystérieuses, comme les 75 voleurs, le soir, aux carrefours des routes. Ensuite ils sont partis vers la Haute-Galilée[5], en annonçant qu'ils apporteraient une grande nouvelle[6].

Antipas baissa la tête, puis d'un air d'épouvante :

— Garde-le ! garde-le ! Et ne laisse entrer personne ! Ferme bien 80 la porte ! Couvre la fosse ! On ne doit pas même soupçonner qu'il vit !

Sans avoir reçu ces ordres, Mannaëi les accomplissait; car Iaokanann était Juif, et il exécrait les Juifs comme tous les Samaritains[7].

Leur temple de Garizim[8], désigné par Moïse pour être le centre d'Israël, n'existait plus depuis le roi Hyrcan[9]; et celui de Jérusalem

1. Participe à sens causal. — 2. Apprécier cet emploi du nom. — 3. Parenthèse de l'auteur. Est-elle nécessaire? Quel en est l'effet? — 4. Voir l'Évangile selon saint Luc (VII, 19). Ce sont les deux disciples de Jean envoyés vers Jésus. — 5. C'est en Galilée que Jésus, après son baptême et sa retraite dans le désert, a commencé sa prédication. — 6. *Évangile* se traduit par Bonne Nouvelle. — 7. Après la mort de Salomon (930 av. J.-C.?), le Schisme avait séparé les tribus israélites en deux royaumes. Celui du nord, dont la capitale fut Sichem, puis Samarie, refusa de reconnaître comme seul Temple celui de Jérusalem, capitale du royaume du sud. Un schisme religieux suivit donc le schisme politique. Même après le rétablissement de l'unité, à la suite de la captivité de Babylone, l'hostilité persista entre les Samaritains et les « vrais » Juifs. — 8. Montagne située au sud-est de Samarie. — 9. Jean *Hyrcan* (**C**) avait détruit Samarie en 108 av. J.-C. « La haine juive s'en donna à cœur joie. La ville fut détruite avec des raffinements pour qu'il n'en restât aucune trace. Le jour de sa destruction fut inscrit au calendrier des bons jours » (Renan).

85 les mettait dans la fureur d'un outrage, et d'une injustice permanente. Mannaëi s'y était introduit, afin d'en souiller l'autel avec des os de morts. Ses compagnons, moins rapides, avaient été décapités.

Il l'aperçut [1] dans l'écartement de deux collines. Le soleil faisait resplendir ses murailles de marbre blanc et les lames d'or de sa 90 toiture. C'était comme une montagne lumineuse, quelque chose de surhumain, écrasant tout de son opulence et de son orgueil.

Alors il étendit les bras du côté de Sion [2]; et, la taille droite, le visage en arrière, les poings fermés, lui jeta un anathème [3], croyant que les mots avaient un pouvoir effectif [4].

95 Antipas écoutait, sans paraître scandalisé.

Le Samaritain dit encore :

— Par moments il s'agite, il voudrait fuir, il espère une délivrance. D'autres fois, il a l'air tranquille d'une bête malade; ou bien je le vois qui marche dans les ténèbres, en répétant : « Qu'importe? Pour qu'il [5] 100 grandisse, il faut que je diminue [6] ! »

Antipas et Mannaëi se regardèrent. Mais le Tétrarque était las de réfléchir.

Tous ces monts autour de lui, comme des étages de grands flots pétrifiés, les gouffres noirs sur le flanc des falaises, l'immensité du 105 ciel bleu, l'éclat violent du jour, la profondeur des abîmes le troublaient; et une désolation l'envahissait au spectacle du désert, qui figure [7], dans le bouleversement de ses terrains, des amphithéâtres et des palais abattus. Le vent chaud apportait, avec l'odeur du soufre, comme l'exhalaison des villes maudites [8], ensevelies plus bas que le 110 rivage sous les eaux pesantes. Ces marques d'une colère immortelle effrayaient sa pensée; et il restait les deux coudes sur la balustrade, les yeux fixes et les tempes dans les mains. Quelqu'un l'avait touché. Il se retourna. Hérodias était devant lui.

---

1. Le temple d'Hérode le Grand. — 2. Une des collines de Jérusalem et, par la suite, Jérusalem elle-même. — 3. Une malédiction. — 4. Qui produit des effets; langue théologique. — 5. Jésus. — 6. Voir l'Évangile selon saint Jean, III, 30. — 7. Qui a la forme de. — 8. Détruites au temps d'Abraham : voir p. 60, n. 8. A leur place s'étendit la mer Morte, ou lac Asphaltite, dont l'odeur est caractéristique.

- **Une voix lointaine.** — L'exposition se complète d'une donnée nouvelle, proprement tragique : la présence d'une volonté surhumaine (l. 53-113). ① C'est le mystère de cette présence qui trouble le Tétrarque; dans la mesure où il peut la relier à des manifestations anciennes ou compréhensibles, il se rassure. Montrez comment la symétrie de la construction (centrée sur le Temple) fait apparaître ses différents états d'âme. ② Étudiez le tableau final : valeur picturale et valeur symbolique.

Une simarre[1] de pourpre légère l'enveloppait jusqu'aux sandales.
115 Sortie précipitamment de sa chambre, elle n'avait ni colliers ni pendants d'oreilles; une tresse de ses cheveux noirs lui tombait sur un bras, et s'enfonçait, par le bout, dans l'intervalle de ses deux seins. Ses narines, trop remontées, palpitaient; la joie d'un triomphe[2] éclairait sa figure; et, d'une voix forte, secouant le Tétrarque :

120 — César[3] nous aime! Agrippa[4] est en prison!

— Qui te l'a dit?

— Je le sais!

Elle ajouta :

— C'est pour avoir souhaité l'empire à Caïus[5]!

125 Tout en vivant de leurs aumônes[6], il avait brigué le titre de roi[7], qu'ils ambitionnaient comme lui. Mais dans l'avenir plus de craintes!

— Les cachots de Tibère s'ouvrent difficilement, et quelquefois l'existence n'y est pas sûre!

Antipas la comprit; et, bien qu'elle fût la sœur d'Agrippa, son
130 intention atroce lui sembla justifiée. Ces meurtres étaient une conséquence des choses, une fatalité des maisons royales. Dans celle d'Hérode, on ne les comptait plus[8].

Puis elle étala son entreprise : les clients[9] achetés, les lettres découvertes, des espions à toutes les portes, et comment elle était
135 parvenue à séduire[10] Eutychès[11] le dénonciateur.

— Rien ne me coûtait! Pour toi, n'ai-je pas fait plus?... J'ai abandonné ma fille[12]!

Après son divorce, elle avait laissé dans Rome cette enfant, espérant bien en avoir d'autres du Tétrarque. Jamais elle n'en parlait. Il se
140 demanda pourquoi son accès de tendresse.

On avait déplié le vélarium[13] et apporté vivement de larges coussins auprès d'eux. Hérodias s'y affaissa, et pleurait, en tournant le dos. Puis elle passa la main sur les paupières, dit qu'elle n'y voulait plus songer, qu'elle se trouvait heureuse; et elle lui rappela leurs

---

1. Robe longue et ample. — 2. Apprécier cet emploi du nom. — 3. Tibère. Les empereurs romains étaient habituellement désignés par les noms de César (fondateur de la première dynastie) et d'Auguste (titre honorifique de son successeur Octave). — 4. Voir p. 144, n. 21. — 5. *Caïus* Caligula, qui succédera à Tibère. — 6. Celles d'Hérode et d'Hérodias. — 7. Hérode-Antipas n'est que Tétrarque. *Le titre de roi* en ferait le successeur d'Hérode le Grand, et le maître de la Palestine. — 8. Hérode le Grand fit tuer ses fils Alexandre (**U**), Aristobule (**T**) et Antipater (**O**), sa femme Mariamne l'Asmonéenne (**I**), et bien d'autres membres de sa famille. — 9. Au sens romain : les obligés d'un grand personnage. — 10. Détourner du droit chemin. — 11. *Eutychès*, qui doit sa liberté à Agrippa, l'a trahi : il a surpris une conversation entre lui et Caligula, où la mort de l'empereur était souhaitée, et l'a rapportée à Tibère. Ces événements se placent quelques mois avant la mort de Tibère, donc en 36, plusieurs années après la mort du Baptiste. — 12. Salomé (**W**), *fille* du premier mariage d'Hérodias. — 13. Voir p. 143, n. 8.

145 causeries là-bas, dans l'atrium [1], les rencontres aux étuves [2], leurs promenades le long de la voie Sacrée [3], et les soirs, dans les grandes villas [4], au murmure des jets d'eau, sous des arcs de fleurs, devant la campagne romaine. Elle le regardait comme autrefois, en se frôlant contre sa poitrine, avec des gestes câlins. — Il la repoussa. L'amour
150 qu'elle tâchait de ranimer était si loin, maintenant! Et tous ses malheurs en découlaient; car, depuis douze ans bientôt, la guerre continuait. Elle avait vieilli le Tétrarque. Ses épaules se voûtaient dans une toge [5] sombre, à bordure violette; ses cheveux blancs se mêlaient à sa barbe, et le soleil, qui traversait la voile [6], baignait de
155 lumière son front chagrin. Celui d'Hérodias également avait des plis; et, l'un en face de l'autre, ils se considéraient d'une manière farouche.

---

1. Initialement : la pièce principale de l'habitation romaine, où se trouvait le foyer (l'*âtre*), et qui prenait jour par une ouverture carrée dans le toit. A l'époque impériale l'*atrium* est une pièce de séjour et de réception, plus luxueuse, mais de même type. — 2. Où l'on prenait des bains de vapeur. C'était une partie des thermes, publics ou privés, qui comprenaient en outre des salles de bain, chaud ou tiède, des piscines, un vestiaire et une salle de massage, des annexes pour le jeu ou la promenade. — 3. La rue de Rome la plus fréquentée. — 4. Nom donné par les Romains à leurs propriétés de campagne. Ils les voulaient luxueuses. — 5. Manteau national des Romains, fait d'une étoffe de laine, taillée en demi-cercle, que l'on drapait sur soi. — 6. Le vélarium.

- **Hérode et Hérodias.** — Hérode est au centre de l'exposition et sera présent dans toutes les scènes du conte. Il a une nature d'artiste, une tendance à éprouver, à s'émouvoir, qui l'éloigne, sinon de l'action, du moins de l'acharnement et de la constance nécessaires au succès. Il cède à ses passions plus volontiers qu'il ne poursuit de grands desseins. Cela le rend le personnage intéressant, celui à travers qui nous éprouvons le drame; mais le personnage actif, c'est Hérodias (l. **144-156**).

- **La reine et la femme.** — Flaubert, pour la dessiner, pensait à Cléopâtre; à Livie, femme d'Auguste; à Julie, femme de Tibère. Il voyait en elle une de ces femmes qui méprisent les hommes dont elles font leurs instruments, mais qui sont obligées de les tromper pour leur commander.

① Le personnage que nous avons devant nous est-il aussi schématique que ce qui précède le laissait prévoir? Hérodias ne commet-elle pas des maladresses? Ne donne-t-elle pas quelques fausses notes?

② Considérez le tableau final. N'est-ce pas celui de deux vieux époux dans une période d'amertume et de regrets? N'y a-t-il pas quelque chose de pathétique qui nous rapproche d'eux?

③ Le véritable pouvoir d'Hérodias n'est-il pas dans la connaissance qu'elle a de son époux, et aussi dans son activité? En a-t-elle conscience?

- **Le système de Flaubert**

④ Commentez cette phrase de l'auteur de *Salammbô* et d'*Hérodias :* « J'ai voulu fixer un mirage en appliquant à l'antiquité les procédés du roman moderne. »

Les chemins dans la montagne commencèrent à se peupler. Des pasteurs[1] piquaient des bœufs, des enfants tiraient des ânes, des palefreniers conduisaient des chevaux. Ceux qui descendaient les
160 hauteurs au-delà de Machærous disparaissaient derrière le château; d'autres montaient le ravin en face, et, parvenus à la ville, déchargeaient leurs bagages dans les cours. C'étaient les pourvoyeurs[2] du Tétrarque, et des valets, précédant ses convives.

Mais au fond de la terrasse, à gauche, un Essénien[3] parut, en robe
165 blanche, nu-pieds, l'air stoïque[4]. Mannaëi, du côté droit, se précipitait en levant son coutelas.

Hérodias lui cria :

— Tue-le!

— Arrête! dit le Tétrarque.

170 Il devint immobile; l'autre aussi.

Puis ils se retirèrent, chacun par un escalier différent, à reculons, sans se perdre des yeux.

— Je le connais! dit Hérodias, il se nomme Phanuel, et cherche à voir Iaokanann, puisque tu as l'aveuglement de le conserver!

175 Antipas objecta qu'il pouvait un jour servir. Ses attaques contre Jérusalem gagnaient à eux le reste des Juifs.

— Non! reprit-elle, ils acceptent tous les maîtres, et ne sont pas capables de faire une patrie!

Quant à celui qui remuait le peuple avec des espérances conservées
180 depuis Néhémias[5], la meilleure politique était de le supprimer.

Rien ne pressait, selon le Tétrarque[6]. Iaokanann dangereux! Allons donc! Il affectait d'en rire.

— Tais-toi!

Et elle redit son humiliation, un jour qu'elle allait vers Galaad[7],
185 pour la récolte du baume[8].

— Des gens, au bord du fleuve, remettaient leurs habits. Sur un monticule, à côté, un homme parlait. Il avait une peau de chameau autour des reins, et sa tête ressemblait à celle d'un lion. Dès qu'il m'aperçut, il cracha sur moi toutes les malédictions des prophètes.
190 Ses prunelles flamboyaient; sa voix rugissait; il levait les bras, comme pour arracher le tonnerre. Impossible de fuir! les roues de

1. Ceux qui faisaient paître les troupeaux. — 2. Ceux qui apportaient les provisions. — 3. Voir p. 141. — 4. Rapprochement suggéré entre les groupements stoïciens et les Esséniens. — 5. Les Juifs avaient été déportés en Assyrie et en Babylonie aux VIIe et VIe siècles av. J.-C. Cyrus les autorisa à rentrer chez eux à partir de 538, et ils purent rebâtir le Temple. Mais ce n'est qu'en 445 qu'Artaxerxès autorisa son favori *Néhémias* à rebâtir les murailles de Jérusalem. Avec lui renaissait une nation juive et l'espoir de reconstituer le royaume de Salomon. — 6. *Var.* : « suivant *le Tétrarque* ». — 7. Pays de la rive gauche du Jourdain. — 8. On donne ce nom à une résine odoriférante et à des plantes aromatiques. On utilise le *baume* pour la fabrication de remèdes et de parfums.

mon char avaient du sable jusqu'aux essieux; et je m'éloignais lentement, m'abritant sous mon manteau, glacée par ces injures qui tombaient comme une pluie d'orage.

195 Iaokanann l'empêchait de vivre. Quand on l'avait pris et lié avec des cordes, les soldats devaient le poignarder s'il résistait; il s'était montré doux. On avait mis des serpents dans sa prison; ils étaient morts.

L'inanité de ces embûches exaspérait Hérodias. D'ailleurs, pour-200 quoi sa [1] guerre contre elle [2]? Quel intérêt [3] le poussait? Ses discours, criés à des foules, s'étaient répandus, circulaient; elle les entendait partout, ils emplissaient l'air. Contre des légions elle aurait eu de la bravoure. Mais cette force plus pernicieuse [4] que les glaives, et qu'on ne pouvait saisir, était stupéfiante [5]; et elle parcourait la terrasse, 205 blêmie par sa colère, manquant de mots pour exprimer ce qui l'étouffait.

Elle songeait aussi que le Tétrarque, cédant à l'opinion, s'aviserait peut-être de la répudier. Alors tout serait perdu! Depuis son enfance, elle nourrissait le rêve d'un grand empire. C'était pour y atteindre 210 que, délaissant son premier époux, elle s'était jointe à celui-là, qui l'avait dupée, pensait-elle.

— J'ai pris un bon soutien, en entrant dans ta famille [6]!

— Elle vaut la tienne! dit simplement le Tétrarque.

Hérodias sentit bouillonner dans ses veines le sang des prêtres et 215 des rois ses aïeux.

— Mais ton grand-père balayait le temple d'Ascalon [7]! Les autres étaient bergers, bandits, conducteurs de caravanes, une horde, tributaire de Juda [8] depuis le roi David [9]! Tous mes ancêtres ont battu les tiens! Le premier des Makkabi [10] vous a chassés d'Hébron [11], 220 Hyrcan [12] forcés à vous circoncire [13]!

Et, exhalant le mépris de la patricienne [14] pour le plébéien [15], la haine de Jacob [16] contre Édom [17], elle lui reprocha son indifférence

1. Celle de Jean. — 2. Hérodias, en épousant Hérode, frère de son mari vivant, a violé la loi religieuse. — 3. Josèphe, dans les *Antiquités judaïques*, présente lui aussi la mort de Jean-Baptiste comme conforme aux intérêts politiques d'Hérode. — 4. Au sens propre : qui cause la mort. — 5. Paralysante (comme celle des stupéfiants). — 6. Hérodias (**V**) était petite-fille d'Hérode (**N**), mais, par sa grand-mère Mariamne (**I**), elle appartenait à la dynastie asmonéenne. Les Hérodes au reste étaient d'une bonne famille iduméenne. Ce qui est dit ici de leur origine « infâme » est une calomnie répandue à la fin du Ier siècle. Mais il est vrai que les Juifs méprisaient les Iduméens. — 7. Au nord de Gaza. — 8. La principale tribu juive et, par extension, les Juifs dans leur ensemble. — 9. Voir p. 135. — 10. Judas Macchabée (**B**). — 11. Voir p. 144, n. 3. — 12. Voir p. 138 (**C**). — 13. A vous intégrer au peuple juif. — 14. D'un mot latin qui désignait les membres des vieilles familles. — 15. D'un mot latin qui désignait les familles romanisées. — 16. Second fils d'Isaac. Il eut lui-même douze fils dont les descendants formèrent les douze tribus d'Israël, installées en Palestine. — 17. Ésaü, frère aîné de Jacob, dépossédé par lui de son droit d'aînesse, resta longtemps son ennemi. Il s'établit « au pays d'*Édom* », au sud de la Palestine. De ce pays, l'Idumée, sont originaires les ancêtres d'Hérode le Grand.

aux outrages, sa mollesse envers les Pharisiens qui le trahissaient, sa lâcheté pour le peuple qui la détestait.

225 — Tu es comme lui, avoue-le! et tu regrettes la fille arabe [1] qui danse autour des pierres. Reprends-la! Va-t'en vivre avec elle, dans sa maison de toile! dévore son pain cuit sous la cendre! avale le lait caillé de ses brebis! baise ses joues bleues! et oublie-moi!

Le Tétrarque n'écoutait plus. Il regardait la plate-forme d'une 230 maison, où il y avait une jeune fille, et une vieille femme tenant un parasol à manche de roseau, long comme la ligne d'un pêcheur. Au milieu du tapis, un grand panier de voyage restait ouvert. Des ceintures, des voiles, des pendeloques d'orfèvrerie en débordaient confusément. La jeune fille, par intervalles, se penchait vers ces 235 choses, et les secouait à l'air. Elle était vêtue comme les Romaines [2], d'une tunique calamistrée [3] avec un péplum à glands d'émeraude; et des lanières [4] bleues enfermaient sa chevelure, trop lourde, sans doute, car, de temps à autre, elle y portait la main. L'ombre du parasol se promenait au-dessus d'elle, en la cachant à demi. Antipas 240 aperçut deux ou trois fois son col délicat, l'angle d'un œil, le coin d'une petite bouche. Mais il voyait, des hanches à la nuque, toute sa taille qui s'inclinait pour se redresser d'une manière élastique. Il épiait le retour de ce mouvement, et sa respiration devenait plus forte; des flammes s'allumaient dans ses yeux. Hérodias l'observait.

245 Il demanda :

— Qui est-ce?

Elle répondit n'en rien savoir, et s'en alla soudainement apaisée.

---

1. La première femme d'Antipas. — 2. Elle portait une *stola*, robe longue que Flaubert appelle *tunique*, et une *palla*, sorte de châle qu'il désigne du nom grec de *péplum*. — 3. Ondulée au fer chaud (*calamister*, en latin). — 4. Les Romaines se servaient de résilles.

- **La grande scène** du premier acte rappelle devant nous les acteurs et, rapprochant les fils de l'intrigue, lui donne de la force (l. 157-247).

① Le premier paragraphe, un « panorama » (l. 157-163), sépare cette scène de la précédente. Reportez-vous aux lignes 50-52 et 103-113, et demandez-vous quelle est la valeur dramatique et artistique de telles transitions. L'écoulement du temps ne paraît-il pas plus rapide?

② Une série de mouvements dramatiques court le long des fils de l'intrigue : celui de Mannaëi et de Phanuel; celui de Jean et d'Hérodias; celui d'Hérodias et de Salomé. Montrez qu'ils sont naturellement liés et qu'ils suivent une progression.

③ Étudiez le tableau de la rencontre d'Hérodias et de Jean (l. 186-194).

④ A la fin de la scène, comment vous représentez-vous les positions respectives d'Hérodias et de Jean? Que symbolise chacun d'eux?

Le Tétrarque était attendu sous les portiques par des Galiléens, le maître des écritures, le chef des pâturages, l'administrateur des
250 salines [1] et un Juif de Babylone [2], commandant ses cavaliers. Tous le saluèrent d'une acclamation. Puis, il disparut vers les chambres intérieures.

Phanuel surgit à l'angle d'un couloir.

— Ah! encore? Tu viens pour Iaokanann, sans doute?

255 — Et pour toi! j'ai à t'apprendre une chose considérable.

Et, sans quitter Antipas, il pénétra, derrière lui, dans un appartement obscur.

Le jour tombait [3] par un grillage, se développant tout du long sous la corniche [4]. Les murailles étaient peintes d'une couleur grenat,
260 presque noir. Dans le fond, s'étalait un lit d'ébène, avec des sangles [5] en peau de bœuf. Un bouclier d'or, au-dessus, luisait comme un soleil.

Antipas traversa toute la salle, se coucha sur le lit.

Phanuel était debout. Il leva son bras, et dans une attitude ins-
265 pirée :

— Le Très-Haut envoie par moments un de ses fils [6]. Iaokanann en est un. Si tu l'opprimes, tu seras châtié.

— C'est lui qui me persécute! s'écria Antipas. Il a voulu de moi une action impossible [7]. Depuis ce temps-là il me déchire. Et je n'étais
270 pas dur, au commencement! Il a même dépêché de Machærous des hommes qui bouleversent mes provinces. Malheur à sa vie! Puisqu'il m'attaque, je me défends!

— Ses colères ont trop de violence, répliqua Phanuel. N'importe! Il faut le délivrer.

275 — On ne relâche pas les bêtes furieuses! dit le Tétrarque.

L'Essénien répondit :

— Ne t'inquiète plus! Il ira chez les Arabes, les Gaulois, les Scythes [8]. Son œuvre doit s'étendre jusqu'au bout de la terre!

Antipas semblait perdu dans une vision.

280 — Sa puissance est forte!... Malgré moi, je l'aime!

— Alors, qu'il soit libre?

Le Tétrarque hocha la tête. Il craignait Hérodias, Mannaëi, et l'inconnu.

---

1. *Salines* de la mer Morte. — 2. Il y restait une communauté juive, faite de gens qui n'avaient pas voulu rentrer en Palestine, malgré l'autorisation de Cyrus : voir p. 135. — 3. *Var. : « le jour* y *tombait »*. — 4. L'entablement d'un édifice, c'est-à-dire sa partie supérieure, comprend trois parties : l'architrave, qui repose sur les colonnes, la frise, *la corniche*. Des baies à claire-voie (*grillage*) ont ici été pratiquées à la place de la frise. — 5. Voir p. 81, n. 4. — 6. Un prophète. — 7. Le renvoi d'Hérodias. — 8. Désignation vague des peuples de l'est de l'Europe.

Phanuel essaya de le persuader, en alléguant, pour garantie de ses
285 projets, la soumission des Esséniens aux rois[1]. On respectait ces hommes pauvres, indomptables par les supplices, vêtus de lin, et qui lisaient l'avenir dans les étoiles[2].

Antipas se rappela un mot de lui, tout à l'heure.

— Quelle est cette chose, que tu m'annonçais comme importante?

290 Un nègre survint. Son corps était blanc de poussière. Il râlait et ne put que dire :

— Vitellius[3] !

— Comment? il arrive?

— Je l'ai vu. Avant trois heures, il est ici.

295 Les portières des corridors furent agitées comme par le vent. Une rumeur emplit le château, un vacarme de gens qui couraient, de meubles qu'on traînait, d'argenteries s'écroulant; et, du haut des tours, des buccins[4] sonnaient, pour avertir les esclaves dispersés.

---

1. La doctrine essénienne nous est mal connue. Flaubert paraît en faire, dans ce passage, un premier christianisme. — 2. Les Esséniens étudiaient l'astrologie. — 3. Le gouverneur de Syrie : voir p. 144, n. 19. — 4. Trompettes courtes, à pavillon ouvert, employées par les soldats romains.

- **L'équilibre** des forces antagonistes, sans lequel il n'y a pas d'intérêt dramatique, était rompu au profit d'Hérodias. Il paraît se rétablir par un balancement habituel au théâtre (l. 248-298).
  ① Avez-vous le sentiment que Phanuel, personnellement, possède une puissance égale à celle d'Hérodias? Cet homme blanc, sans corps et sans visage, n'est-il pas un symbole? De quoi?
  ② Au moment où Phanuel va faire connaître *une chose considérable* (l. 255 et 289), on apprend l'arrivée de Vitellius (l. 292). Là aussi, l'équilibre se fait. Qu'y a-t-il dans chaque plateau de la balance?
  ③ Le mouvement s'accélère encore. L'impulsion finale est-elle tout à fait un coup de théâtre (voir p. 144, l. 40-41)?
- **La première partie du conte** est construite sur le modèle des tragédies.
  ④ Y aurait-il un gros effort de transposition à faire pour la donner à la scène? En quels endroits perdrait-on beaucoup?
  ⑤ Les milieux, les caractères, les projets des personnages, les manifestations de la fatalité, la concentration des événements et leur progression ne rappellent-ils pas ce qu'on trouve chez Corneille ou chez Racine?
  ⑥ Mais la psychologie de Flaubert n'est pas aussi ambitieuse que celle du XVIIe siècle. Nous voyons bien par exemple ce qu'Hérodias manifeste d'elle-même, consciemment ou non. Mais n'y a-t-il pas en elle des démarches de l'esprit, des sentiments importants qui nous échappent?
  ⑦ Le sujet n'est pas traité « de face ». Flaubert nous montre les incidences d'un événement capital, non l'événement. Cette façon de présenter et de faire agir les personnages n'est-elle pas « réaliste »?
  ⑧ Les tableaux expliquent souvent mieux que les dialogues. Montrez-le.

2

Les remparts étaient couverts de monde quand Vitellius entra
300 dans la cour. Il s'appuyait sur le bras de son interprète, suivi d'une grande litière rouge ornée de panaches et de miroirs [1], ayant la toge [2], le laticlave [3], les brodequins [4] d'un consul et des licteurs [5] autour de sa personne.

Ils plantèrent contre la porte leurs douze faisceaux, des baguettes
305 reliées par une courroie avec une hache dans le milieu. Alors, tous frémirent devant la majesté du peuple romain [6].

La litière, que huit hommes manœuvraient, s'arrêta. Il en sortit un adolescent, le ventre gros, la face bourgeonnée, des perles le long des doigts. On lui offrit une coupe pleine de vin et d'aromates [7].
310 Il la but, et en réclama une seconde.

Le Tétrarque était tombé aux genoux du Proconsul [8], chagrin, disait-il, de n'avoir pas connu plus tôt la faveur de sa présence. Autrement, il eût ordonné [9] sur les routes tout ce qu'il fallait pour les Vitellius. Ils descendaient de la déesse Vitellia [10]. Une voie, menant
315 du Janicule [11] à la mer [12], portait encore leur nom. Les questures [13], les consulats étaient innombrables dans la famille; et quant à Lucius, maintenant son hôte, on devait le remercier comme vainqueur des Clites [14] et père de ce jeune Aulus [15], qui semblait revenir dans son

1. Les *miroirs* des Latins étaient des plaques de métal poli. Mais il peut s'agir ici des fenêtres garnies de mica que comportaient les litières. — 2. Voir p. 149, n. 5. — 3. Tunique à larges bandes de pourpre verticales, réservée aux sénateurs. — 4. *Brodequins* patriciens de cuir rouge, ornés d'une lunule. *Toge, laticlave* et *brodequins* constituaient les insignes consulaires; mais ils n'étaient portés qu'aux jours solennels — 5. Appariteurs et agents des magistrats romains; ils portaient les *faisceaux*; leur nombre (ici *douze*) variait avec l'importance des magistrats. — 6. Expression usuelle, formule vague et redoutable; elle désignait la grandeur et la dignité de Rome. — 7. Substances végétales utilisées en médecine, en parfumerie ou, comme ici, pour l'« assaisonnement » (muscade, canelle, anis, etc.). — 8. Généralement un ancien consul qui commandait en province. — 9. Disposé comme il faut; sens classique. — 10. Mentionnée par Suétone (*Vitellius*, 1), mais qu'on ne connaît pas autrement. — 11. Une des sept collines, à l'ouest de Rome. — 12. Adriatique, après avoir traversé l'Italie centrale. — 13. Premier degré des magistratures « curules » (importantes). — 14. Peuplade de Cilicie qui refusait de payer l'impôt, et qu'un lieutenant de Vitellius avait ramenée à l'obéissance. — 15. Le futur empereur, que l'on vient de voir dans sa litière.

domaine, puisque l'Orient était la patrie des dieux. Ces hyperboles [1]
320 furent exprimées en latin. Vitellius les accepta impassiblement.

Il répondit que le grand Hérode [2] suffisait à la gloire d'une nation [3]. Les Athéniens lui avaient donné la surintendance [4] des jeux Olympiques [5]. Il avait bâti des temples en l'honneur d'Auguste, était patient, ingénieux, terrible, et fidèle toujours aux Césars.

325 Entre les colonnes à chapiteaux d'airain, on aperçut Hérodias qui s'avançait d'un air d'impératrice, au milieu de femmes et d'eunuques tenant sur des plateaux de vermeil des parfums allumés.

Le Proconsul fit trois pas à sa rencontre; et, l'ayant saluée [6] d'une inclinaison de tête :

330 — Quel bonheur! s'écria-t-elle, que désormais Agrippa, l'ennemi de Tibère, fût [7] dans l'impossibilité de nuire!

Il ignorait l'événement, elle lui parut dangereuse; et comme Antipas jurait qu'il ferait tout pour l'Empereur, Vitellius ajouta :

— Même au détriment des autres [8]?

335 Il avait tiré des otages du roi des Parthes, et l'Empereur n'y songeait plus; car Antipas, présent à la conférence, pour se faire valoir, en avait tout de suite expédié la nouvelle [9]. De là, une haine profonde, et les retards à fournir des secours [10].

Le Tétrarque balbutia. Mais Aulus dit en riant :

340 — Calme-toi, je te protège!

Le Proconsul feignit de n'avoir pas entendu. La fortune du père dépendait de la souillure du fils; et cette fleur des fanges de Caprée [11] lui procurait des bénéfices tellement considérables, qu'il l'entourait d'égards, tout en se méfiant, parce qu'elle était vénéneuse.

345 Un tumulte s'éleva sous la porte. On introduisait une file de mules blanches, montées par des personnages en costume de prêtres. C'étaient des Sadducéens [12] et des Pharisiens [12], que la même ambition poussait à Machærous, les premiers voulant obtenir la sacrificature [13], et les autres la conserver. Leurs visages étaient sombres, ceux des
350 Pharisiens surtout [14], ennemis de Rome et du Tétrarque. Les pans de

1. Exagérations. — 2. Hérode le Grand (**N**). — 3. Et non seulement à celle d'une famille : autre hyperbole. — 4. Direction d'un service de notre ancien régime; le mot a une couleur archaïque. — 5. Les plus célèbres de la Grèce; ils ont duré douze siècles. — 6. Participe à valeur temporelle : après qu'il l'eût *saluée*. — 7. Expliquer et apprécier la concordance. — 8. Allusion à l'incident rapporté ci-dessous. — 9. Donner des otages le premier montrait une intention de négocier comme si Rome avait été victorieuse. Mais Tibère ne sut pas gré à Vitellius de ce succès, parce qu'il en avait reçu la nouvelle d'Hérode Antipas. — 10. Voir la ligne 40. — 11. Tibère s'était retiré dans l'île de *Caprée* (Capri, près de Naples) par misanthropie, et pour vivre à son gré. Les débauches auxquelles il s'y livrait sont restées légendaires. Aulus Vitellius avait passé son enfance à Caprée auprès de Tibère, et sa réputation fut toujours mauvaise. — 12. Voir p. 141. — 13. La fonction de sacrificateur. Le Grand Sacrificateur était le Grand Prêtre. « Depuis que Jérusalem dépendait des procurateurs, la charge de grand prêtre était devenue une fonction amovible; les destitutions s'y succédaient presque chaque année » (Renan, *Vie de Jésus*, 19). — 14. Ils étaient xénophobes, alors que les Sadducéens passaient pour plus ouverts au monde extérieur.

leur tunique les embarrassaient dans la cohue; et leur tiare [1] chancelait à leur front par-dessus des bandelettes de parchemin, où des écritures étaient tracées [2].

Presque en même temps, arrivèrent des soldats de l'avant-garde. 355 Ils avaient mis leurs boucliers dans des sacs, par précaution contre la poussière; et derrière eux était Marcellus, lieutenant du Proconsul, avec des publicains [3], serrant sous leurs aisselles des tablettes [4] de bois.

Antipas nomma les principaux de son entourage : Tolmaï, Kan- 360 thera, Séhon, Ammonius d'Alexandrie, qui lui achetait de l'asphalte [5], Naâmann, capitaine de ses vélites [6], Iaçim le Babylonien [7].

Vitellius avait remarqué Mannaëi.

— Celui-là, qu'est-ce donc?

Le Tétrarque fit comprendre, d'un geste, que c'était le bourreau. 365 Puis, il présenta les Sadducéens.

Jonathas, un petit homme libre d'allures et parlant grec, supplia le maître de les honorer d'une visite à Jérusalem. Il s'y rendrait probablement.

Éléazar, le nez crochu et la barbe longue [8], réclama pour les Phari- 370 siens le manteau du grand prêtre détenu dans la tour Antonia [9] par l'autorité civile.

Ensuite, les Galiléens dénoncèrent Ponce-Pilate [10]. A l'occasion [11] d'un fou qui cherchait les vases d'or de David dans une caverne, près de Samarie [12], il avait tué des habitants; et tous parlaient à la fois, 375 Mannaëi plus violemment que les autres. Vitellius affirma que les criminels seraient punis.

Des vociférations éclatèrent en face d'un portique, où les soldats avaient suspendu leurs boucliers. Les housses étant défaites, on voyait sur les *umbo* [13] la figure de César. C'était pour les Juifs une 380 idolâtrie [14]. Antipas les harangua, pendant que Vitellius, dans la colonnade, sur un siège élevé, s'étonnait de leur fureur. Tibère avait eu raison d'en exiler quatre cents [15] en Sardaigne. Mais chez eux ils étaient forts; et il commanda de retirer les boucliers.

---

1. Bonnet conique, tel qu'en portaient les Assyriens. Le Grand Prêtre était coiffé d'une *tiare* de lin, à couronne bleue et or. — 2. Les « phylactères », portés aussi au bras gauche. L'allure bizarre des Pharisiens faisait rire les Juifs eux-mêmes. — 3. Employés au service des sociétés fermières de l'impôt; leur réputation était détestable. — 4. Évidées et remplies de cire, elles servaient à prendre des notes, ou à écrire des textes courts. — 5. Produit de la mer Morte. — 6. L'infanterie légère. — 7. Voir p. 153, n. 2. — 8. Voir la note 2. — 9. Voir p. 144, n. 8. — 10. Procurateur de Judée; il procéda, à plusieurs reprises, à des répressions sanglantes qui finirent par amener sa destitution. — 11. Prenant *occasion* de; sens habituel : au sujet de. — 12. Voir p. 146, n. 7. — 13. Le bouclier romain était décoré; la bosse du centre (*umbo*) était ornée de gravures au trait ou niellées. — 14. Au sens propre : il y avait un culte impérial. — 15. Tacite parle de 4 000 (*Annales*, II, 85). Voir aussi Suétone (*Tibère*, 36) et Josèphe (*Antiquités*, XVIII, 3, 5).

Alors, ils entourèrent le Proconsul, en implorant des réparations
385 d'injustice, des privilèges, des aumônes. Les vêtements étaient déchirés, on s'écrasait; et, pour faire de la place, des esclaves avec des bâtons frappaient de droite et de gauche. Les plus voisins de la porte descendirent sur le sentier, d'autres le montaient; ils refluèrent; deux courants se croisaient dans cette masse d'hommes qui oscillait,
390 comprimée par l'enceinte des murs.

- **La foule orientale et ses maîtres.** — Le « milieu » simplement évoqué jusqu'ici ou aperçu du haut de la citadelle, envahit le conte. C'est, pour Flaubert, l'occasion de manifester son habileté dans la peinture et le maniement des foules. Il le fait avec ivresse.

Ce monde lointain vit parce que l'écrivain s'y est mêlé. La documentation de *Salammbô* (impressions de voyages et connaissances livresques) étaie celle d'*Hérodias*. Mais cette documentation est utilisée par un romancier, non par un historien.

① Expliquez et commentez ce passage d'une lettre à Léon Hennique (2 février 1880) :

Dieu sait jusqu'à quel point je pousse le scrupule en fait de documents, livres informations, voyages, etc. Eh bien, je regarde tout cela comme très secondaire et inférieur. La vérité matérielle, ou ce qu'on appelle ainsi, ne doit être qu'un tremplin pour s'élever plus haut. Me trouvez-vous assez godiche pour être convaincu que j'ai fait dans *Salammbô* une vraie reproduction de Carthage [...]? Ah! non, mais je suis sûr d'avoir exprimé l'idéal qu'on en a aujourd'hui.

Une **foule,** pour Flaubert, c'est le chaos et le bruit croissant qui battent les yeux et les oreilles jusqu'au vertige.

② Voyez comment on assiste à une montée prudente d'abord, puis brutale, du flot dans la cour du Palais et dans toute la citadelle (l. **345** et suiv.). Précisez les impressions qu'elle vous suggère, par exemple :
— le comique de la bousculade, de la juxtaposition d'individus différents, du désordre en général;
— le fanatisme, et l'impudence croissant avec l'impunité.
Arrêtez-vous sur le dernier mouvement (l. **384-390**), où l'ordre est rétabli à coups de bâtons. Quelles conclusions l'écrivain paraît-il suggérer? Les acceptez-vous?

③ Étudiez, dans ce dernier paragraphe, comment l'impression de foule est donnée par les sonorités, par les mouvements de la phrase. Lisez-le à haute voix en respectant la ponctuation. Quel rôle a-t-elle?

Les **maîtres**, romains ou sémites, présentent des visages divers à leurs différents interlocuteurs.

④ La puissance romaine n'impressionne-t-elle pas Antipas plus que les Juifs? Pourquoi Vitellius lui réserve-t-il son insolence?

⑤ Appréciez le mélange de l'hostilité et de la politesse, les manifestations des caractères d'Antipas et d'Hérodias, l'art de gouverner de Vitellius.

Vitellius demanda pourquoi tant de monde [1]. Antipas en dit la cause : le festin de son anniversaire [2]; et il montra plusieurs de ses gens, qui, penchés sur les créneaux, halaient d'immenses corbeilles de viandes, de fruits, de légumes, des antilopes et des cigognes, de
395 larges poissons couleur d'azur, des raisins, des pastèques, des grenades élevées en pyramides. Aulus n'y tint pas. Il se précipita vers les cuisines, emporté par cette goinfrerie qui devait surprendre l'univers [3].

En passant près d'un caveau, il aperçut des marmites pareilles à des cuirasses [4]. Vitellius vint les regarder; et exigea qu'on lui ouvrît
400 les chambres souterraines de la forteresse.

Elles étaient taillées dans le roc en hautes voûtes, avec des piliers de distance en distance. La première contenait de vieilles armures; mais la seconde regorgeait de piques, et [5] qui allongeaient toutes leurs pointes, émergeant d'un bouquet de plumes [6]. La troisième
405 semblait tapissée en nattes de roseaux, tant les flèches minces étaient perpendiculairement les unes à côté des autres [7]. Des lames de cimeterres [8] couvraient les parois de la quatrième. Au milieu de la cinquième, des rangs de casques faisaient, avec leurs crêtes, comme un bataillon de serpents rouges. On ne voyait dans la sixième que des
410 carquois [9]; dans la septième, que des cnémides [10]; dans la huitième, que des brassards [11]; dans les suivantes, des fourches, des grappins, des échelles, des cordages [12], jusqu'à des mâts pour les catapultes [13], jusqu'à des grelots pour le poitrail des dromadaires [14] ! et comme la montagne allait en s'élargissant vers sa base, évidée à l'intérieur
415 telle qu'une ruche d'abeilles, au-dessous de ces chambres il y en avait de plus nombreuses, et d'encore plus profondes.

Vitellius, Phinées son interprète, et Sisenna le chef des publicains, les parcouraient à la lumière des flambeaux, que portaient trois eunuques.

420 On distinguait dans l'ombre des choses hideuses inventées par les barbares : casse-têtes garnis de clous, javelots empoisonnant les

---

1. Apprécier la forme de l'interrogation. — 2. Voir p. 145, n. 3. — 3. Suétone l'a rendue légendaire. — 4. De grande taille et à ouverture large. Mais l'association d'idées conduit le proconsul à vérifier le bien-fondé de l'accusation qui finira par perdre Hérode Antipas : il a des magasins d'armes trop bien garnis. — 5. Voir p. 52, n. 2. — 6. Flaubert décrit ici des javelots; le fer, très long, est barbelé. On appréciera la comparaison en pensant aux plumes d'oie (dont Flaubert se servait pour écrire), réunies en bouquets, pointe en l'air, et en se souvenant que la tige d'une plume a aussi des « barbes ». — 7. Croisées en couches successives, comme une pile de nattes. — 8. Sabres courts, à lames convexes, connus des Romains, mais qui, pour nous, sont des armes arabes. — 9. Voir p. 116, n. 2. — 10. Pièces de l'armure destinées à protéger les jambes. — 11. Pour protéger les bras. L'antiquité ne les a guère connus. — 12. Outils de siège : la *fourche* qui sert à renverser l'échelle des assiégeants, le *grappin* qu'on lance et qui s'accroche à la muraille, les *cordes* ou les *échelles* d'assaut. — 13. Machines à lancer; c'étaient de grosses arbalètes (voir p. 106, n. 1) sur le mât desquelles glissaient les flèches. — 14. Communs en Arabie, ils assuraient déjà, selon Hérodote, une partie des transports militaires des Mèdes.

blessures, tenailles qui ressemblaient à des mâchoires de crocodiles [1]; enfin le Tétrarque possédait dans Machærous des munitions [2] de guerre pour quarante mille hommes.

425 Il les avait rassemblées en prévision d'une alliance de ses ennemis. Mais le Proconsul pouvait croire, ou dire, que c'était pour combattre les Romains, et il cherchait des explications [3].

Elles n'étaient pas à lui; beaucoup servaient à se défendre des brigands; d'ailleurs il en fallait contre les Arabes; ou bien, tout cela 430 avait appartenu à son père. Et, au lieu de marcher derrière le Proconsul, il allait devant, à pas rapides. Puis il se rangea le long du mur, qu'il masquait de sa toge, avec ses deux coudes écartés; mais le haut d'une porte dépassait sa tête. Vitellius la remarqua, et voulut savoir ce qu'elle enfermait.

435 Le Babylonien [4] pouvait seul l'ouvrir.

— Appelle le Babylonien!

On l'attendit.

Son père était venu des bords de l'Euphrate s'offrir au grand Hérode, avec cinq cents cavaliers, pour défendre les frontières 440 orientales. Après le partage du royaume, Iaçim était demeuré chez Philippe [5], et maintenant servait Antipas.

Il se présenta, un arc sur l'épaule, un fouet à la main. Des cordons multicolores serraient étroitement ses jambes torses. Ses gros bras sortaient d'une tunique sans manches, et un bonnet de fourrure 445 ombrageait sa mine [6], dont la barbe était frisée en anneaux [7].

D'abord, il eut l'air de ne pas comprendre l'interprète. Mais Vitellius lança un coup d'œil à Antipas, qui répéta tout de suite son commandement. Alors Iaçim appliqua ses deux mains contre la porte. Elle glissa dans le mur.

450 Un souffle d'air chaud s'exhala des ténèbres. Une allée descendait en tournant; ils la prirent et arrivèrent au seuil d'une grotte, plus étendue que les autres souterrains.

Une arcade [8] s'ouvrait au fond sur le précipice, qui de ce côté-là défendait la citadelle. Un chèvrefeuille, se cramponnant à la voûte, 455 laissait retomber ses fleurs en pleine lumière. A ras du sol, un filet d'eau murmurait.

---

1. Toutes ces choses sont *barbares* au sens ancien du terme : elles n'étaient utilisées ni par les armées grecques, ni par les armées romaines. — 2. Provisions nécessaires à une armée; il y a des munitions de bouche (les vivres) et des *munitions de guerre*. — 3. Des explications mensongères, qui changeaient à chaque cave. — 4. Voir p. 153, n. 2. — 5. Le tétrarque de Batanée (**S**), frère d'Hérode-Antipas. — 6. Son visage; le sens usuel est : apparence du visage. — 7. A la mode assyrienne. — 8. Ouverture en forme d'arc.

Des chevaux blancs étaient là, une centaine peut-être, et[1] qui mangeaient de l'orge sur une planche au niveau de leur bouche. Ils avaient tous la crinière peinte en bleu, les sabots dans des mitaines[2]
460 de sparterie[3], et les poils d'entre les oreilles bouffant sur le frontal[4], comme une perruque. Avec leur queue très longue, ils se battaient mollement les jarrets. Le Proconsul en resta muet d'admiration.

C'étaient de merveilleuses bêtes, souples comme des serpents, légères comme des oiseaux. Elles partaient avec[5] la flèche du cava-
465 lier, renversaient les hommes en les mordant au ventre[6], se tiraient de l'embarras des rochers, sautaient par-dessus des abîmes, et pendant tout un jour continuaient dans les plaines leur galop frénétique; un mot les arrêtait. Dès que Iaçim entra, elles vinrent à lui, comme des moutons quand paraît le berger; et, avançant leur encolure, elles
470 le regardaient inquiètes avec leurs yeux d'enfant. Par habitude, il lança du fond de sa gorge un cri rauque qui les mit en gaieté; et elles se cabraient, affamées d'espace, demandant à courir.

Antipas, de peur que Vitellius ne les enlevât, les avait emprisonnées dans cet endroit, spécial pour les animaux, en cas de siège.

475 — L'écurie est mauvaise, dit le Proconsul, et tu risques de les perdre[7] ! Fais l'inventaire, Sisenna !

Le publicain retira une tablette de sa ceinture, compta les chevaux et les inscrivit.

Les agents des compagnies fiscales[8] corrompaient les gouverneurs,
480 pour piller les provinces[9]. Celui-là flairait partout, avec sa mâchoire de fouine et ses paupières clignotantes.

Enfin, on remonta dans la cour.

Des rondelles de bronze au milieu des pavés, çà et là, couvraient les citernes. Il en observa une, plus grande que les autres, et qui
485 n'avait pas sous les talons leur sonorité. Il les frappa toutes alternativement[10], puis hurla, en piétinant :

— Je l'ai ! Je l'ai ! C'est ici le trésor d'Hérode[11] !

---

1. Voir p. 52, n. 2. — 2. Ici, des « gants » (pour un seul doigt évidemment); au sens propre : gants où le pouce seul est séparé, ou gants de femmes qui ne couvrent que la paume et le poignet. — 3. Ouvrage de « spart », un jonc que l'on tresse. — 4. L'os du front. — 5. En même temps, et aussi vite. — 6. Elles étaient dressées à cette forme de combat. — 7. De les voir mourir. — 8. Voir p. 157, n. 3. On observera que, dès l'époque de César, l'impôt direct, en Syrie, n'est plus affermé, mais perçu par les villes. — 9. Les règles de perception étaient fixées à Rome, mais il restait une bonne marge d'interprétation aux publicains qui n'étaient effectivement contrôlés que par les gouverneurs. Les notes prises par Sisenna lui permettent d'évaluer la fortune d'Hérode Antipas, donc de le taxer. — 10. Tour à tour; *alternativement* ne doit se dire que de deux choses; ici, on peut entendre: *il les frappa toutes*, en comparant successivement la sonorité de la plus grande et de chacune des autres. — 11. Hérode le Grand.

La recherche de ses trésors était une folie des Romains.
Ils n'existaient pas, jura le Tétrarque.

- **L'inspection de la citadelle.** — La présence de la foule était motivée par le festin; la visite de Machærous est provoquée par la méfiance des Romains à l'égard d'Antipas. Pour nous, c'est encore une fois l'occasion d'une excursion hors de notre temps, — hors du conte aussi peut-être (l. 391-489).

Provisions de bouche, qui suscitent la *goinfrerie* d'Aulus (l. 397), et provisions de guerre, devant lesquelles nous passons à la suite d'un Antipas maladroitement engagé dans ses explications, nous mènent à la grotte des chevaux blancs (l. 448-478).

① Nous sommes dans un monde merveilleux : porte à secret (l. 448), rideau de fleurs naturelles (l. 454), etc. Dans quel genre d'ouvrages trouve-t-on d'ordinaire de telles descriptions? Est-on gêné par leur peu de vraisemblance? Par quoi est-on attiré?

② Ces descriptions conduisent à un effet d'art : les chevaux immobiles; les chevaux galopant; les chevaux entourant leur maître (l. 457-472). Relevez et étudiez les comparaisons qui font comprendre les qualités des chevaux ; les marques de leur intelligence et de leur sensibilité. Appréciez le relief qui est donné à leur représentation. Comment est-il obtenu? Est-elle colorée? N'y a-t-il pas plutôt un jeu d'éclairages? Pensez-vous à des bas-reliefs ou à des toiles? Faites l'étude détaillée du dernier groupe.

- **De « Salammbô » à « Hérodias ».** — Flaubert avait décrit de la même façon les richesses des caves d'Hamilcar (*Salammbô*, VII), et Sainte-Beuve se demandait alors s'il était bien nécessaire de nous présenter de longs catalogues de mots et d'objets barbares. On peut poser la question ici.

③ On y répondra (comme Flaubert le faisait à l'époque de *Salammbô*) en soulignant la liaison étroite entre les hommes et les choses :
La méfiance des Romains à l'égard d'Antipas n'est-elle pas la plus grave des menaces qui pèsent sur lui? N'est-elle pas augmentée par ce qu'ils voient, et qu'on voulait leur cacher?
La crainte qu'en éprouve le Tétrarque ne le pousse-t-elle pas à se rapprocher d'Hérodias qui, elle, a des amis à Rome? La vie du Baptiste ne sera-t-elle pas le prix de son appui?

④ Mais ne faut-il pas aussi voir, dans ces descriptions, une porte ouverte devant les rêves du lecteur? Commentez ce passage d'une lettre à Mme Roger, écrite en 1866 :

Ce qui importe, c'est que l'image du passé et celle du lieu saisissent par leur force et leur étrangeté, c'est qu'elles parviennent à nous dépayser pour nous introduire dans un monde de splendeur qui fasse rêver; elles auront dès lors atteint au but de l'art, qui est l'exaltation vague.

---

490 Cependant, qu'y avait-il là-dessous?

— Rien! un homme, un prisonnier.

— Montre-le! dit Vitellius.

Le Tétrarque n'obéit pas; les Juifs auraient connu son secret. Sa répugnance à ouvrir la rondelle impatientait Vitellius.

495 — Enfoncez-la! cria-t-il aux licteurs [1].

Mannaëi avait deviné [2] ce qui les occupait. Il crut, en voyant une hache [3], qu'on allait décapiter Iaokanann; et il arrêta le licteur au premier coup sur la plaque, insinua entre elle et les pavés une manière de crochet [4], puis, roidissant [5] ses longs bras maigres, la souleva 500 doucement, elle s'abattit; tous admirèrent la force de ce vieillard. Sous le couvercle doublé de bois, s'étendait une trappe de même dimension. D'un coup de poing, elle se replia [6] en deux panneaux; on vit alors un trou, une fosse énorme que contournait un escalier sans rampe; et ceux qui se penchèrent sur le bord aperçurent au fond 505 quelque chose de vague et d'effrayant.

Un être humain était couché par terre sous de longs cheveux se confondant avec les poils de bête qui garnissaient son dos. Il se leva. Son front touchait à une grille horizontalement scellée; et, de temps à autre, il disparaissait dans les profondeurs de son antre.

510 Le soleil faisait briller la pointe des tiares [7], le pommeau des glaives, chauffait à outrance les dalles; et des colombes, s'envolant des frises [8], tournoyaient au-dessus de la cour. C'était l'heure où Mannaëi, ordinairement, leur jetait du grain. Il se tenait accroupi devant le Tétrarque, qui était debout près de Vitellius. Les Galiléens, 515 les prêtres, les soldats, formaient un cercle par derrière; tous se taisaient, dans l'angoisse de ce qui allait arriver.

Ce fut d'abord un grand soupir, poussé d'une voix caverneuse.

Hérodias l'entendit à l'autre bout du palais. Vaincue par une fascination [9], elle traversa la foule; et elle écoutait, une main sur l'épaule 520 de Mannaëi, le corps incliné.

La voix s'éleva :

— Malheur à vous, Pharisiens et Sadducéens [10], race de vipères [11], outres gonflées, cymbales retentissantes [12]!

---

1. Voir p. 155, n. 5. — 2. Tout ce qui précède s'est dit en latin. — 3. Celle du licteur. — 4. Un levier ainsi appelé par analogie avec l'instrument des serruriers (et des cambrioleurs). — 5. Voir p. 102, n. 8. — 6. Étudier la construction de ce début de phrase. — 7. Voir p. 157, n. 1. — 8. Voir p. 153, n. 4. — 9. Un « charme », émanant d'un sorcier. — 10. Début, et mouvement, de la grande malédiction du Christ contre les Pharisiens (*Matthieu*, XXIII, 13). — 11. L'injure se trouve dans cette malédiction (XXIII, 33), mais elle avait été déjà dite par Jean-Baptiste (*Luc*, III, 7). — 12. Deux images (la première est la plus usuelle) qui disent le vide de l'âme et de l'esprit sous les belles apparences.

On avait reconnu Iaokanann. Son nom circulait. D'autres accou-
525 rurent.

— Malheur à toi, ô peuple ! et aux traîtres de Juda [1], aux ivrognes d'Éphraïm [2], à ceux qui habitent la vallée grasse [3], et que les vapeurs [4] du vin font chanceler !

» Qu'ils se dissipent comme l'eau qui s'écoule, comme la limace qui
530 se fond en marchant, comme l'avorton [5] d'une femme qui ne voit pas le soleil.

» Il faudra, Moab [6], te réfugier dans les cyprès comme les passereaux, dans les cavernes comme les gerboises [7]. Les portes des forteresses seront plus vite brisées que des écailles de noix, les murs crouleront,
535 les villes brûleront; et le fléau de l'Éternel ne s'arrêtera pas. Il retournera vos membres dans votre sang, comme de la laine dans la cuve d'un teinturier. Il vous déchirera [8] comme une herse neuve; il répandra sur les montagnes tous les morceaux de votre chair ! »

De quel conquérant parlait-il? Était-ce de Vitellius? Les Romains
540 seuls pouvaient produire cette extermination. Des plaintes s'échappaient :

— Assez ! Assez ! qu'il finisse !

Il continua, plus haut :

— Auprès du cadavre de leurs mères, les petits enfants se traîne-
545 ront sur les cendres. On ira, la nuit, chercher son pain à travers les décombres, au hasard des épées [9]. Les chacals s'arracheront des ossements sur les places publiques, où le soir les vieillards causaient. Tes vierges, en avalant leurs pleurs, joueront de la cithare [10] dans les festins de l'étranger, et tes fils les plus braves baisseront leur échine,
550 écorchée par des fardeaux trop lourds !

Le peuple revoyait les jours de son exil [11], toutes les catastrophes de son histoire. C'étaient les paroles des anciens prophètes [12]. Iaokanann les envoyait, comme de grands coups, l'une après l'autre.

Mais la voix se fit douce, harmonieuse, chantante. Il annonçait un
555 affranchissement [13], des splendeurs au ciel, le nouveau-né un bras dans la caverne du dragon [14], l'or à la place de l'argile, le désert

---

1. La principale tribu juive, à l'ouest de la mer Morte. — 2. Tribu du nord-ouest de la mer Morte. — 3. Fertile; celle du Jourdain, dans une partie de son cours. — 4. Au sens classique : « humeur subtile » qui monte du corps au cerveau. — 5. Enfant né avant terme. — 6. Pays situé à l'est de la mer Morte, et parfois occupé par les Juifs. — 7. Petit rongeur qu'on trouve particulièrement en Arabie et en Syrie; il vit dans des terriers. — 8. *Var. : « ... un teinturier.* Il vous pilera comme du grain, *il vous déchirera...* » — 9. Au risque de périr par l'épée; expression classique. — 10. Instrument ancien, dont on joue avec le « plectre », qui frappe la corde. — 11. Voir p. 135. — 12. Flaubert indique l'origine du ton et des expressions les plus fortes de cette malédiction : il les a trouvés dans les livres des *Prophètes* de la Bible. — 13. *Var.* : « *il annonçait* une ère de justice et de prospérité, *un affranchissement* ». — 14. Ce monstre fabuleux, identifié parfois au serpent qui tenta Ève, est le symbole du mal.

s'épanouissant [1] comme une rose :

— Ce qui maintenant vaut soixante kiccars [2] ne coûtera pas une obole [3]. Des fontaines [4] de lait jailliront des rochers [5]; on s'endormira
560 dans les pressoirs le ventre plein! Quand viendras-tu, toi que j'espère? D'avance, tous les peuples s'agenouillent, et ta domination sera éternelle, Fils de David [6]!

Le Tétrarque se rejeta en arrière, l'existence d'un Fils de David l'outrageant comme une menace.

565 Iaokanann l'invectiva [7] pour sa royauté.

— Il n'y a pas d'autre roi que l'Éternel! et pour ses jardins, pour ses statues, pour ses meubles d'ivoire, comme l'impie Achab [8]!

Antipas brisa la cordelette du cachet suspendu à sa poitrine, et le lança dans la fosse, en lui [9] commandant de se taire.

570 La voix répondit :

— Je crierai comme un ours, comme un âne sauvage, comme une femme qui enfante!

» Le châtiment est déjà dans ton inceste [10], Dieu t'afflige de la stérilité du mulet [11]! »

575 Et des rires s'élevèrent, pareil au clapotement des flots.

Vitellius s'obstinait à rester. L'interprète, d'un ton impassible, redisait, dans la langue des Romains, toutes les injures que Iaokanann rugissait dans la sienne. Le Tétrarque et Hérodias étaient forcés de les subir deux fois. Il haletait, pendant qu'elle observait béante [12]
580 le fond du puits.

L'homme effroyable se renversa la tête; et, empoignant les barreaux, y colla son visage, qui avait l'air d'une broussaille, où étincelaient deux charbons :

— Ah! c'est toi, Iézabel [13]!

585 » Tu as pris son cœur avec le craquement de ta chaussure. Tu hennissais comme une cavale. Tu as dressé ta couche sur les monts [14], pour accomplir tes sacrifices!

» Le Seigneur arrachera tes pendants d'oreilles, tes robes de pourpre, tes voiles de lin, les anneaux de tes bras, les bagues de tes pieds, et les
590 petits croissants d'or qui tremblent sur ton front, tes miroirs d'argent, tes éventails en plumes d'autruche, les patins [15] de nacre [16] qui

---

1. S'ouvrant à la vie. — 2. Pièces d'or. — 3. Petite pièce d'argent. — 4. Sources; sens latin, conservé au XVIe s. — 5. Moïse frappa de sa baguette le rocher d'Horeb pour en faire jaillir de l'eau. — 6. Le Messie, dont les prophètes disaient qu'il serait un descendant de David. — 7. Invectiver « contre » quelqu'un est le seul tour reconnu correct par Littré. — 8. Roi d'Israël (907-888), époux de Jézabel et père d'Athalie. Pour Racine aussi, il est *l'impie Achab*. — 9. A Jean. — 10. Voir p. 151, n. 2. — 11. Produit de croisement, le mulet ne reproduit pas. — 12. Voir p. 117, n. 9. — 13. Voir la n. 8. — 14. Image de l'orgueil. — 15. Sandales à semelles épaisses. — 16. Couverts *de nacre* (substance brillante tirée d'un coquillage et utilisée comme ornement).

haussent ta taille, l'orgueil [1] de tes diamants, les senteurs de tes cheveux, la peinture de tes ongles, tous les artifices de ta mollesse [2]; et les cailloux manqueront pour lapider l'adultère [3]! »

595 Elle chercha du regard une défense autour d'elle. Les Pharisiens baissaient hypocritement leurs yeux. Les Sadducéens tournaient la tête, craignant d'offenser le Proconsul. Antipas paraissait mourir.

La voix grossissait, se développait, roulait avec des déchirements de tonnerre, et, l'écho dans la montagne la répétant, elle foudroyait 600 Machærous d'éclats multipliés.

— Étale-toi dans la poussière, fille de Babylone [4]! Fais moudre la farine! Ote ta ceinture, détache ton soulier, trousse-toi, passe les fleuves! ta honte sera découverte, ton opprobre sera vu! tes sanglots te briseront les dents! L'Éternel exècre la puanteur de tes crimes! 605 Maudite! maudite! Crève comme une chienne!

La trappe se ferma, le couvercle se rabattit. Mannaëi voulait étrangler Iaokanann.

Hérodias disparut. Les Pharisiens étaient scandalisés. Antipas, au milieu d'eux, se justifiait.

610 — Sans doute, reprit Éléazar, il faut épouser la femme de son frère, mais Hérodias n'était pas veuve, et de plus elle avait un enfant, ce qui constituait l'abomination [5].

— Erreur! erreur! objecta le Sadducéen Jonathas. La Loi condamne ces mariages, sans les proscrire [6] absolument.

615 — N'importe! On est pour moi bien injuste! disait Antipas, car, enfin, Absalon a couché avec les femmes de son père, Juda avec sa bru, Ammon avec sa sœur, Loth avec ses filles [7].

Aulus, qui venait de dormir, reparut à ce moment-là. Quand il fut instruit de l'affaire, il approuva le Tétrarque. On ne devait point se 620 gêner pour de pareilles sottises; et il riait beaucoup du blâme des prêtres, et de la fureur de Iaokanann.

Hérodias, au milieu du perron, se retourna vers lui.

— Tu as tort, mon maître! Il ordonne au peuple de refuser l'impôt.

— Est-ce vrai? demanda tout de suite le publicain.

625 Les réponses furent généralement affirmatives. Le Tétrarque les renforçait.

---

1. Apprécier le tour : *Le Seigneur arrachera... l'orgueil de tes diamants.* — 2. Délicatesse féminine. — 3. Les Juifs châtiaient la femme adultère en la tuant à coups de pierres. — 4. La ville du luxe et du mal, maudite par les prophètes. Hérodias n'est *fille de Babylone* qu'en ce sens. — 5. Le *Deutéronome* (XXV) recommande d'*épouser la* veuve *de son frère.* Mais nous ne savons pas comment le texte était appliqué, et d'ailleurs Hérodias n'est pas veuve. — 6. Apprécier la distinction entre « condamner » et « proscrire ». — 7. Antipas a lu la Bible (et Flaubert a lu Voltaire).

Vitellius songea que le prisonnier pouvait s'enfuir; et comme la conduite d'Antipas lui semblait douteuse, il établit des sentinelles aux portes, le long des murs et dans la cour.

630 Ensuite, il alla vers son appartement. Les députations des prêtres l'accompagnèrent.

Sans aborder la question de la sacrificature [1], chacune émettait ses griefs.

Tous l'obsédaient [2]. Il les congédia.

635 Jonathas le quittait, quand il aperçut, dans un créneau, Antipas causant avec un homme à longs cheveux et en robe blanche, un Essénien; et il regretta de l'avoir soutenu.

Une réflexion avait consolé le Tétrarque. Iaokanann ne dépendait plus de lui; les Romains s'en chargeaient. Quel soulagement! Pha-
640 nuel se promenait alors sur le chemin de ronde.

Il l'appela, et, désignant les soldats :

— Ils sont les plus forts ! je ne peux le délivrer ! ce n'est pas ma faute !

1. Voir p. 156, n. 13. — 2. L'importunaient par leurs demandes répétées.

- **Jean-Baptiste.** — Quelque intérêt que nous prenions à la visite des Romains à Machærous, et même si nous en devinons d'importantes conséquences pour l'action, elle nous a pourtant détournés du drame, tel qu'il se formait à la fin de la première partie, et qui menaçait le Baptiste.
  ① Pour y ramener, c'est-à-dire pour passer de la citadelle à la prison, la transition imaginée par Flaubert (l. 483-495) ne paraît-elle pas fragile?
  ② Comment et pourquoi le prophète est-il rendu inhumain?
- **Les paroles des anciens prophètes**
  ③ Distinguez les deux parties du discours de Jean (l. 522-605), et les subdivisions de chacune d'elles :
  — la première ne nous dit-elle pas les raisons profondes du drame qui se joue dans le conte?
  — la seconde ne rappelle-t-elle pas le drame lui-même?
  ④ L'admirable poésie qui jaillit de la bouche de Jean est directement empruntée par Flaubert à la Bible (surtout aux livres des *Prophètes* et aux *Psaumes*). Son rôle a été de rechercher, d'assembler et de compléter les pierres de la mosaïque.
  — Étudiez un verset comme vous feriez pour un poème en prose.
  ⑤ Suivez les effets de l'apparition et des paroles du Baptiste sur les assistants. Étudiez particulièrement les attitudes et le jeu de Mannaëi.
- **Le mouvement dramatique.** — Quand le Prophète a disparu (l. 606), chacun réagit selon sa nature : Pharisiens et Sadducéens ont trouvé un sujet de controverse théologique; Mannaëi veut tuer; Aulus s'amuse.
  Mais certains fils de l'intrigue ont été resserrés et l'on a fait un grand pas vers le dénouement : Hérodias a eu l'adresse d'associer l'injure qu'on lui a faite à une menace contre l'autorité romaine (l. 623); les Romains se méfient davantage d'Antipas, donc s'assurent du prisonnier; et Antipas fait le geste de Ponce-Pilate : l. 642.

La cour était vide. Les esclaves se reposaient. Sur la rougeur du ciel, qui enflammait l'horizon, les moindres objets perpendiculaires se déta- 645 chaient en noir. Antipas distingua les salines à l'autre bout de la mer Morte[1], et ne voyait plus les tentes des Arabes[2]. Sans doute ils étaient partis? La lune se levait; un apaisement descendait dans son cœur.

Phanuel, accablé, restait le menton sur la poitrine.

Enfin il révéla ce qu'il avait à dire.

650 Depuis le commencement du mois, il étudiait le ciel[3] avant l'aube, la constellation[4] de Persée[5] se trouvant[6] au zénith[7]. Agalah[8] se montrait à peine, Algol[9] brillait moins, Mira-Cœti[10] avait disparu; d'où il augurait la mort d'un homme considérable, cette nuit même, dans Machærous.

655 Lequel? Vitellius était trop bien entouré. On n'exécuterait pas Iaokanann. « C'est donc moi! » pensa le Tétrarque.

Peut-être que les Arabes allaient revenir? Le Proconsul découvrirait ses relations avec les Parthes[11]! Des sicaires[12] de Jérusalem escortaient les prêtres; ils avaient sous leurs vêtements des poignards; 660 et le Tétrarque ne doutait pas de la science de Phanuel.

Il eut l'idée de recourir à Hérodias. Il la haïssait pourtant. Mais elle lui donnerait du courage; et tous les liens n'étaient pas rompus de l'ensorcellement qu'il avait autrefois subi.

Quand il entra dans sa chambre, du cinnamome[13] fumait sur une 665 vasque de porphyre[14], et des poudres, des onguents[15], des étoffes pareilles à des nuages, des broderies plus légères que des plumes, étaient dispersés.

Il ne dit pas la prédiction de Phanuel, ni sa peur des Juifs et des Arabes; elle l'eût accusé d'être lâche. Il parla seulement des Romains; 670 Vitellius ne lui avait rien confié de ses projets militaires[16]. Il le supposait ami de Caïus, que fréquentait Agrippa; et il serait envoyé en exil, ou peut-être on l'égorgerait.

Hérodias, avec une indulgence dédaigneuse, tâcha de le rassurer. Enfin, elle tira d'un petit coffre une médaille bizarre, ornée du profil de

1. Au sud. — 2. Voir p. 144, n. 16. — 3. Les Esséniens s'adonnaient à l'astrologie. — 4. Assemblage d'étoiles. Les anciens les assimilaient à des figures d'hommes ou d'animaux, à des objets, et les nommaient en conséquence. — 5. L'une des quarante-huit constellations connues au temps d'Hérode. — 6. Participe à valeur temporelle. — 7. A la verticale de l'observateur. — 8. La constellation de la Grande Ourse. — 9. Une des étoiles de la constellation de Persée. — 10. Une des étoiles de la constellation de la Baleine; Flaubert n'a pu connaître son nom arabe et hébreu, comme pour les deux précédentes. — 11. Voir p. 145, n. 2. — 12. Porteurs de poignards (en latin : *sica*); il existait une secte de *sicaires*, qui tuaient quiconque manquait à la Loi. — 13. Substance aromatique que l'on pense être de la myrrhe ou de la cannelle. — 14. Roche d'un rouge foncé taché de blanc et que l'on peut polir comme du marbre. — 15. Corps gras qu'on applique sur la peau comme remèdes ou, comme ici, pour les soins de beauté. — 16. Contre les Arabes, leurs ennemis communs.

675 Tibère[1]. Cela suffisait à faire pâlir les licteurs et fondre les accusations.

Antipas, ému de reconnaissance, lui demanda comment elle l'avait.

— On me l'a donnée, reprit-elle.

Sous une portière en face, un bras nu s'avança, un bras jeune, charmant et comme tourné dans l'ivoire par Polyclète[2]. D'une façon 680 un peu gauche, et cependant gracieuse, il ramait dans l'air, pour saisir une tunique oubliée sur une escabelle[3] près de la muraille. Une vieille femme la passa doucement, en écartant le rideau. Le Tétrarque eut un souvenir, qu'il ne pouvait préciser.

— Cette esclave est-elle à toi?

685 — Que t'importe? répondit Hérodias.

---

1. Signe de reconnaissance dans le goût du mélodrame. — 2. Un des grands sculpteurs grecs du Ve s.; on admirait, dans ses statues, le type même de la beauté grecque. — 3. Un petit escabeau.

- **Le sort d'Antipas.** — Au soir d'une journée commencée dans l'inquiétude, passée dans le trouble, le Tétrarque sent venir une sorte d'apaisement, comme si le destin, une fois encore, l'avait épargné (l. 643-685).

① Ce calme avant la tempête n'est-il pas d'un effet éprouvé? Analysez-le. Cherchez-en des exemples dans le roman ou au théâtre : ainsi dans *le Père Goriot* (chap. 5), dans *Britannicus* (acte V), etc.

② Comparez la fin du second chapitre à celle du premier, et montrez la symétrie des constructions. Étudiez la position des principaux personnages et la manière dont elle a évolué :
Phanuel laisse deviner de plus en plus clairement le dénouement. Comment l'intérêt est-il pourtant ménagé?
Salomé éveille à nouveau la passion du Tétrarque. Ici encore, Antipas se trouve placé entre les puissances démoniaques et celles du ciel.
Hérodias rassemble dans ses mains les fils de l'intrigue. Lesquels?

③ Reprenez et précisez l'image du vieux couple que nous avons déjà vue : l. 155-156.
Quels traits nouveaux apercevons-nous? Antipas ne se trouve-t-il pas entièrement dans la dépendance d'Hérodias? Appréciez la fusion — de goût racinien — entre le tragique du destin et celui de la nature humaine.

- **Le second chapitre du conte** est d'un dessin moins net que le premier. On y trouve des mouvements dramatiques, lyriques et d'un romanesque épique, juxtaposés plutôt que fondus. Le développement y est moins continu et moins clair. Les tableaux, plus variés, sont moins équilibrés.

④ Accepteriez-vous pourtant de sacrifier les deux grands morceaux du début (alors que Flaubert a refusé de le faire)? Que gagne un roman à la multiplication des personnages et des figurants, à la peinture d'un environnement non immédiat?

⑤ Êtes-vous sensible à sa valeur historique? Flaubert ne nous fait-il pas voir et comprendre? Quoi? Comment? Le sujet qu'il traitait ne lui imposait-il pas une telle étude?

3

Les convives emplissaient la salle du festin.

Elle avait trois nefs [1], comme une basilique [2], et [3] que séparaient des colonnes en bois d'algumim [4], avec des chapiteaux de bronze couverts de sculptures. Deux galeries à claire-voie s'appuyaient
690 dessus; et une troisième en filigrane [5] d'or se bombait [6] au fond, vis-à-vis d'un cintre [7] énorme, qui s'ouvrait à l'autre bout.

Des candélabres, brûlant sur les tables alignées dans toute la longueur du vaisseau [8], faisaient des buissons de feux, entre les coupes de terre peinte et les plats de cuivre, les cubes de neige, les
695 monceaux de raisin; mais ces clartés rouges se perdaient progressivement, à cause de la hauteur du plafond, et des points lumineux brillaient [9], comme des étoiles, la nuit, à travers des branches. Par l'ouverture de la grande baie, on apercevait des flambeaux sur les terrasses des maisons; car Antipas fêtait ses amis, son peuple, et
700 tous ceux qui s'étaient présentés.

Des esclaves, alertes comme des chiens et les orteils dans des sandales de feutre, circulaient, en portant des plateaux.

La table proconsulaire occupait, sous la tribune dorée, une estrade en planches de sycomore [10]. Des tapis de Babylone [11] l'enfermaient
705 dans une espèce de pavillon [12].

Trois lits [13] d'ivoire, un en face et deux sur les flancs, contenaient [14] Vitellius, son fils et Antipas; le Proconsul étant près de la porte, à gauche, Aulus à droite, le Tétrarque au milieu.

---

1. Voir p. 60, n. 1. — 2. Édifice public qui, chez les Romains, servait de lieu de réunion; il a été le modèle des églises chrétiennes. — 3. Voir p. 52, n. 2. — 4. Nom arabe d'un acacia. — 5. Au sens propre, le *filigrane* est un ouvrage d'orfèvrerie fait de fils d'or, d'argent ou de verre entrelacés pour représenter des fleurs, des oiseaux, etc. Il s'agit ici d'un grillage *d'or* comparable à un filigrane. — 6. La forme pronominale est rare. *Bomber* signifie : être convexe. — 7. Une arcade ouverte sur l'extérieur. — 8. La « nef », au sens étymologique. — 9. *Var. :* « *brillaient* dans les tribunes ». — 10. Voir p. 143, n. 7. — 11. Les plus appréciés des tapis d'Orient. — 12. Au sens initial de tente. — 13. Autour de la table, on plaçait trois lits inclinés, à la mode orientale adoptée par les Romains à la fin du IIe s. av. J.-C. On y mangeait étendu, le coude appuyé sur un coussin. — 14. Supportaient.

Il avait un lourd manteau noir, dont la trame disparaissait sous
710 des applications de couleur, du fard aux pommettes, la barbe en éventail, et de la poudre d'azur dans ses cheveux, serrés par un diadème de pierreries. Vitellius gardait son baudrier[1] de pourpre, qui descendait en diagonale sur une toge de lin. Aulus s'était fait nouer dans le dos les manches de sa robe en soie violette[2], lamée[3] d'argent.
715 Les boudins de sa chevelure formaient des étages, et un collier de saphirs[4] étincelait à sa poitrine, grasse et blanche comme celle d'une femme. Près de lui, sur une natte et jambes croisées, se tenait un enfant très beau, qui souriait toujours. Il l'avait vu dans les cuisines, ne pouvait plus s'en passer, et, ayant peine à retenir son nom chal-
720 déen[5], l'appelait simplement : « l'Asiatique ». De temps à autre, il s'étalait sur le triclinium[6]. Alors, ses pieds nus[7] dominaient l'assemblée.

De ce côté-là, il y avait les prêtres et les officiers d'Antipas, des habitants de Jérusalem, les principaux des villes grecques[8], et, sous
725 le Proconsul : Marcellus[9] avec les publicains, des amis du Tétrarque, les personnages de Kana[10], Ptolémaïde[11], Jéricho[12]; puis, pêle-mêle, des montagnards du Liban, et les vieux soldats d'Hérode : douze Thraces[13], un Gaulois, deux Germains, des chasseurs de gazelles, des pâtres de l'Idumée[14], le sultan de Palmyre[15], des marins d'Ézion-
730 gaber[16]. Chacun avait devant soi une galette de pâte molle, pour s'essuyer les doigts[17], et les bras, s'allongeant comme des cous de vautour, prenaient des olives, des pistaches, des amandes[18]. Toutes les figures étaient joyeuses, sous des couronnes de fleurs.

Les Pharisiens les avaient repoussées comme indécence romaine[19].
735 Ils frissonnèrent quand on les aspergea de galbanum et d'encens[20], composition réservée aux usages du Temple.

---

1. Vitellius a gardé l'épée et la toge. Or on ne mangeait pas en vêtement de « ville », ni avec ses armes. — 2. Aulus est habillé « à l'asiatique », d'une tunique large à manches amples, dont il a fait glisser la partie supérieure pour être à l'aise. — 3. Le nom de « lame » est donné aux fils d'or ou d'argent qu'on tisse dans certaines étoffes. — 4. Pierres dures, d'un beau bleu. — 5. La Chaldée était située au sud-est de la Mésopotamie — 6. Lit de table pour trois personnes, qu'Aulus occupe seul. — 7. On se déchaussait pour manger. — 8. Fondées en Asie et en Afrique par les héritiers d'Alexandre ou leurs vassaux. — 9. Lieutenant de Vitellius. — 10. Ville de Galilée. — 11. Ou Ptolémaïs (Saint-Jean-d'Acre), port de Phénicie. — 12. Voir p. 144, l. 27. — 13. Les anciens situaient la *Thrace* entre le Danube et la mer Égée, à l'est. — 14. Au sud de la mer Morte. Hérode le Grand était un Iduméen. — 15. Oasis et ville autrefois florissantes dans le désert syrien, entre Damas et l'Euphrate. — 16. Ville située au nord du port d'Élath, donc du golfe d'Akaba, que parcouraient déjà les navires de Salomon. — 17. Les Grecs mangeaient avec leurs doigts, qu'ils essuyaient sur une pâte; mais les Romains de l'époque impériale avaient des serviettes. — 18. Les hors-d'œuvre habituels. — 19. La couronne avait, initialement, une signification religieuse; mais, pour *les Pharisiens*, le sentiment d'*indécence* (inconvenance) était plus général. — 20. Le parfum brûlé dans le *Temple* de Jérusalem était une composition où entraient le *galbanum* et l'*encens*, gommes pulvérisées.

Aulus en frotta son aisselle; et Antipas lui en promit tout un chargement, avec trois couffes[1] de ce véritable baume[2], qui avait fait convoiter la Palestine à Cléopâtre.

---

1. Paniers utilisés dans le Levant. — 2. Voir p. 150, n. 8.

- **La salle du festin** est progressivement animée d'une vie qui deviendra tumultueuse (l. 686-739).

  ① Elle apparaît lentement. Suivez, à partir de la description de la salle elle-même (l. 687 et suiv.), la naissance des mouvements et des bruits. Cette composition paraît-elle vraisemblable? Quelles facilités offre-t-elle à l'auteur?

  ② Le tableau parle à l'esprit :
  — Par son ordre qui est très clair dans les grandes lignes (la salle, la table proconsulaire, l'assemblée). Mais certains détails ne corrigent-ils pas ce qu'il aurait de trop schématique?
  — Par la façon dont les éléments importants sont détachés (voyez l'utilisation des éclairages, la manière dont les personnages perdent leur existence individuelle à mesure qu'ils s'éloignent, l'importance particulière d'Aulus Vitellius, etc.).

  ③ Le tableau s'adresse surtout à l'imagination et à l'oreille, comme on peut s'en convaincre par l'étude détaillée des lignes 692-700.
  Lisez-le à haute voix, en marquant les arrêts demandés par la ponctuation. Comment est-il organisé? Distinguez les mouvements continus (de celui dont l'œil parcourt tel élément du tableau) des images (où il s'arrête). Quel est le rôle de la dernière phrase?
  La comparaison attendue de la nef (avec ses colonnes) et d'une forêt, des flambeaux et des étoiles, est bien faite. Mais a-t-elle la forme habituelle? Quel caractère donne-t-elle à la scène qui va se jouer?

- **Histoire et symbole.** — Les Évangiles nous disent seulement qu'Antipas a offert un festin pour son anniversaire. Le reste, cadre et personnages, est imaginé par Flaubert. Il s'appuie sur une archéologie consciencieuse pour recréer un milieu plausible, et surtout caractéristique, seul moyen de « faire vrai ». Mais il élargit la vérité en symbole.

  ④ Les trois occupants de la table proconsulaire ne semblent-ils pas chargés d'incarner chacun un des mondes qui se rencontrent à Machærous?
  Vitellius n'est-il pas le Romain, citoyen et soldat? Cela n'explique-t-il pas une tenue historiquement improbable (voir p. 171, n. 1)?
  Aulus n'est-il pas l'Asiatique, ami du luxe et de la débauche? Pourquoi est-il ici le personnage le plus visible?
  Antipas n'est-il pas le plus pittoresque et le plus intéressant? Comparez-le à Salammbô (chap. I). Que symbolise-t-il?

---

740 Un capitaine de sa garnison de Tibériade[1], survenu tout à l'heure[2], s'était placé derrière lui, pour l'entretenir d'événements extraordinaires[3]. Mais son attention était partagée entre le Proconsul et ce qu'on disait aux tables voisines.

On y causait de Iaokanann et des gens de son espèce; Simon de 745 Gittoï[4] lavait les péchés avec du feu. Un certain Jésus...

— Le pire de tous, s'écria Éléazar[5]. Quel infâme bateleur[6] !

Derrière le Tétrarque, un homme se leva[7], pâle comme la bordure de sa chlamyde[8]. Il descendit l'estrade, et, interpellant les Pharisiens :

— Mensonge ! Jésus fait des miracles !

750 Antipas désirait en voir.

— Tu aurais dû l'amener ! Renseigne-nous !

Alors il conta que lui, Jacob, ayant une fille malade, s'était rendu à Capharnaüm[9], pour supplier le Maître[10] de vouloir la guérir. Le Maître avait répondu : « Retourne chez toi, elle est guérie[11] ! » Et il 755 l'avait trouvée sur le seuil, étant sortie de sa couche quand le gnomon[12] du palais marquait la troisième heure[13], l'instant même où il abordait Jésus.

Certainement, objectèrent les Pharisiens, il existait des pratiques, des herbes puissantes ! Ici même, à Machærous, quelquefois on trou- 760 vait le baaras[14] qui rend invulnérable; mais guérir sans voir ni toucher était une chose impossible, à moins que Jésus n'employât les démons.

Et les amis d'Antipas, les principaux de la Galilée, reprirent, en hochant la tête :

— Les démons, évidemment.

765 Jacob, debout entre leur table et celle des prêtres, se taisait d'une manière hautaine et douce.

Ils le sommaient de parler :

— Justifie son pouvoir !

Il courba les épaules, et à voix basse, lentement, comme effrayé 770 de lui-même :

— Vous ne savez donc pas que c'est le Messie?

Tous les prêtres se regardèrent; et Vitellius demanda l'explication du mot. Son interprète fut une minute avant de répondre.

---

1. Voir p. 144, n. 12. — 2. Il n'y avait qu'un moment. — 3. *Jésus* (l. 745) se trouvait alors près de Tibériade. — 4. Sans doute celui que les *Actes des Apôtres* (VIII, 9 et suiv.) appellent Simon le Magicien, et qui se convertit. — 5. Un Pharisien : voir la ligne 369. — 6. Comédien. — 7. Le capitaine de Tibériade. — 8. Manteau militaire court, d'origine grecque. — 9. Voir p. 144, l. 28. — 10. Titre donné à Jésus dans les Évangiles. — 11. Ce miracle est rapporté par les Évangiles de *Matthieu* (VIII, 5 et suiv.) et de *Luc* (VII, 1 et suiv.). Mais le malade y est un esclave, et l'officier n'est pas Juif. — 12. Cadran solaire de type primitif, où l'heure est mesurée à la longueur de l'ombre portée par une pointe. — 13. A Rome, le jour (c'est-à-dire la période comprise entre le lever et le coucher du soleil) était divisé en douze heures. Leur durée était donc variable, selon la saison. — 14. La plante qui annulait les sortilèges.

Ils appelaient ainsi un libérateur qui leur apporterait la jouissance
775 de tous les biens et la domination de tous les peuples. Quelques-uns même soutenaient qu'il fallait compter sur deux. Le premier serait vaincu par Gog et Magog [1], des démons du Nord; mais l'autre exterminerait le Prince du Mal [2]; et, depuis des siècles, ils l'attendaient à chaque minute.

780 Les prêtres s'étant concertés, Éléazar prit la parole.

D'abord le Messie serait enfant de David [3], et non d'un charpentier [4]; il confirmerait la Loi [5]. Ce Nazaréen [6] l'attaquait; et, argument plus fort, il devait être précédé de la venue d'Élie [7].

Jacob répliqua :

785 — Mais il est venu, Élie!

— Élie! Élie! répéta la foule, jusqu'à l'autre bout de la salle.

Tous, par l'imagination, apercevaient un vieillard sous un vol de corbeaux, la foudre allumant un autel, des pontifes idolâtres jetés aux torrents; et les femmes, dans les tribunes, songeaient à la veuve
790 de Sarepta [8].

Jacob s'épuisait à redire qu'il le connaissait! Il l'avait vu! et le peuple aussi!

— Son nom?

Alors, il cria de toutes ses forces :

795 — Iaokanann! [9]

Antipas se renversa comme frappé en pleine poitrine. Les Sadducéens avaient bondi sur Jacob. Éléazar pérorait [10], pour se faire écouter.

Quand le silence fut établi, il drapa son manteau, et comme un
800 juge posa des questions.

— Puisque le prophète est mort...

Des murmures l'interrompirent. On croyait Élie disparu seulement.

Il s'emporta contre la foule, et, continuant son enquête :

— Tu penses qu'il est ressuscité?

805 — Pourquoi pas? dit Jacob.

---

1. Les esprits du mal, persécuteurs d'Israël, précurseurs de l'Antéchrist. — 2. Lucifer est appelé le « Prince des Ténèbres ». — 3. Les prophètes l'annonçaient comme descendant de *David*. — 4. Joseph l'était en effet, et on le reprochait à Jésus. — 5. Par excellence : *la loi* donnée par Dieu à Moïse sur le Sinaï, loi que le Messie devait rendre plus solide (confirmer). — 6. Jésus est de Nazareth, donc un Galiléen. — 7. Le plus grand des prophètes, dont on disait qu'il avait été enlevé au ciel, et qu'il reviendrait pour restaurer Israël. — 8. Rappel des grands miracles d'Élie : il avait été ravitaillé par des *corbeaux*; il avait obtenu de Dieu qu'il mît lui-même le feu au sacrifice de son *autel*, et comme les prêtres de Baal n'avaient pu le faire, ils avaient été mis à mort; réfugié à *Sarepta*, chez une veuve, il avait multiplié ses provisions et sauvé son fils. — 9. Le peuple voulait retrouver Élie dans les nouveaux prophètes (Jean-Baptiste entre autres), qui, eux-mêmes, cherchaient à l'imiter. — 10. Discourait longuement et prétentieusement.

Les Sadducéens haussèrent les épaules [1]; Jonathas, écarquillant ses petits yeux, s'efforçait de rire comme un bouffon. Rien de plus sot que la prétention du corps [2] à la vie éternelle; et il déclama, pour le Proconsul, ce vers d'un poète contemporain [3] :

810 *Nec crescit, nec post mortem durare videtur* [4].

Mais Aulus était penché au bord du triclinium [5], le front en sueur, le visage vert, les poings sur l'estomac.

Les Sadducéens feignirent un grand émoi; — le lendemain, la sacrificature [6] leur fut rendue; — Antipas étalait du désespoir [7];
815 Vitellius demeurait impassible. Ses angoisses étaient pourtant violentes; avec son fils il perdait sa fortune.

Aulus n'avait pas fini de se faire vomir, qu'il voulut remanger [8].

— Qu'on me donne de la râpure de marbre, du schiste de Naxos, de l'eau de mer [9], n'importe quoi! Si je prenais un bain?

820 Il croqua de la neige [10], puis, ayant balancé entre une terrine de Commagène [11] et des merles roses, se décida pour des courges au miel [12]. L'Asiatique le contemplait, cette faculté d'engloutissement dénotant un être prodigieux et d'une race supérieure.

On servit des rognons de taureau, des loirs [13], des rossignols, des
825 hachis dans des feuilles de pampre [14], et les prêtres discutaient sur la résurrection [15]. Ammonius, élève de Philon le Platonicien [16], les jugeait stupides, et le disait à des Grecs qui se moquaient des oracles [17]. Marcellus et Jacob s'étaient joints. Le premier narrait au second le bonheur qu'il avait ressenti sous le baptême de Mithra [18], et Jacob
830 l'engageait à suivre Jésus. Les vins de palme [19] et de tamaris [20], ceux de Safet et de Byblos [21], coulaient des amphores [22] dans les cratères, des

---

1. Ils sont présentés comme plus sensibles aux influences de la philosophie grecque. — 2. Et non de l'âme : Jonathas connaît Lucrèce, mais ne le suit pas jusqu'au bout. — 3. Lucrèce, mort en 55 av. J.-C. — 4. Citation fâcheusement incomplète. Lucrèce a écrit (*De Natura Rerum* III, v. 338-9, trad.) :

En outre, jamais, de lui-même, le corps ne naît,
Ni ne grandit, et il ne se conserve manifestement pas au-delà de la mort.

— 5. Voir p. 171, n. 6. — 6. Voir p. 156, n. 13. En réalité, le Grand-Prêtre alors en fonction, Caïphe, garda exceptionnellement sa charge une dizaine d'années. — 7. *Var.* : « *du désespoir*, pendant que *Vitellius* »... — 8. Trait de gloutonnerie qu'on a présenté, avec beaucoup d'exagération, comme habituel aux Romains. — 9. Trois remèdes contre les aigreurs ou les embarras d'estomac! — 10. Les Romains l'utilisaient comme sorbet. — 11. Graisse fondue et recouverte de neige. — 12. Les Romains demandaient aux pays tributaires leurs mets les plus rares. Flaubert en énumère, dans ce passage, plusieurs qui sont effectivement mentionnés par Pétrone, Pline l'Ancien et Suétone. — 13. Rongeur dont la chair aurait la saveur de celle du cochon d'Inde. Les Romains l'appréciaient beaucoup et en pratiquaient l'élevage. — 14. Voir p. 69, n. 8. — 15. A propos d'Élie. — 16. Philosophe juif qui vécut surtout à Alexandrie, au début de l'ère chrétienne. — 17. Donc il y a là un groupe de sceptiques. A côté d'eux, deux âmes religieuses : *Jacob* et *Marcellus*. — 18. Le culte du dieu perse *Mithra* commençait à se répandre parmi les Romains. — 19. Boisson obtenue par fermentation de la sève des dattiers à fruits non comestibles. — 20. Le *tamaris* servait, comme le houblon, à fabriquer une sorte de bière. — 21. Vins de Phénicie. — 22. Le vin était conservé dans de grands vases de terre, les *amphores*. Les esclaves y puisaient pour remplir les *cratères*, vases plus petits où le vin était mêlé à l'eau. Les coupes étaient remplies avec des louches, et apportées aux convives.

cratères dans les coupes, des coupes dans les gosiers; on bavardait, les cœurs s'épanchaient. Iaçim, bien que Juif [1], ne cachait plus son adoration des planètes [2]. Un marchand d'Aphaka [3] ébahissait des
835 nomades, en détaillant les merveilles du temple d'Hiérapolis [4]; et ils demandaient combien coûterait le pèlerinage. D'autres tenaient à leur religion natale. Un Germain presque aveugle chantait un hymne célébrant ce promontoire de la Scandinavie, où les dieux apparaissent avec les rayons de leurs figures [5]; et des gens de Si-
840 chem [6] ne mangèrent pas de tourterelles, par déférence pour la colombe Azima [7].

1. Voir p. 153, n. 2. — 2. L'astrologie est d'origine chaldéenne. — 3. En Syrie. — 4. Ville de Phrygie; son temple, dédié à Apollon et à Diane, est célèbre. — 5. Pourquoi cet hymne nordique dans une fête méditerranéenne? — 6. Voir p. 146, n. 7. — 7. Les Juifs accusaient les Samaritains d'adorer une colombe.

• **Le carrefour des religions.** — Il y avait dans ce conte une « scène à faire », celle où le Baptiste apparaîtrait entre les forces du mal, qu'il est venu combattre, et le jeune Dieu qu'il annonce (l. 740-841).

① Voyez comment elle est dessinée dans ces pages, et comment les éléments s'en regroupent dans un paragraphe plus complexe (l. 824-841).

② Le problème religieux est traité dramatiquement :
Étudiez le personnage de Jacob, le *capitaine de Tibériade* (l. 740). Montrez comment, en lui, se mêlent l'orgueil de l'initié, la violence du soldat, la confiance d'un cœur simple. Précisez et nuancez ce portrait. Faites celui d'Éléazar, le Pharisien (l. 780 et suiv.). N'est-il pas d'abord « l'homme de peu de foi »? Semble-t-il au reste très éloigné de Jacob? Pourquoi n'est-il pas sympathique?

Jonathas et les Sadducéens n'interviennent guère. Quand le font-ils? Pourquoi? En quoi sont-ils proches d'Aulus? Leur matérialisme n'est-il pas caricatural?

③ Sur quel point s'opposent-ils? N'est-ce pas de ce point que va partir un monde nouveau? Quelle est l'attitude d'Antipas? Sent-il bien lui-même ce qui la motive? Voyez comment la maladie d'Aulus interrompt (l. 811) un mouvement dangereux pour lui.

④ Faites l'étude détaillée des lignes 824-841 :
Discernez-en les deux parties. Comment chacune est-elle organisée? Étudiez le pittoresque verbal. N'a-t-il pas pour effet de nous éloigner à nouveau de la basilique et des questions qui s'y traitent? Le sentiment religieux qui animait toute la scène ne se dégrade-t-il pas finalement? Les hommes ne se regroupent-ils pas selon leurs affinités?

Plusieurs causaient debout, au milieu de la salle; et la vapeur des haleines avec les fumées des candélabres faisait un brouillard dans l'air. Phanuel passa le long des murs. Il venait encore d'étudier le
845 firmament [1], mais n'avançait pas jusqu'au Tétrarque, redoutant les taches d'huile qui, pour les Esséniens, étaient une grande souillure [2].

Des coups retentirent contre la porte du château.

On savait maintenant que Iaokanann s'y trouvait détenu. Des hommes avec des torches grimpaient le sentier; une masse noire
850 fourmillait dans le ravin; et ils hurlaient de temps à autre :

— Iaokanann! Iaokanann!

— Il dérange tout! dit Jonathas.

— On n'aura plus d'argent, s'il continue! ajoutèrent les Pharisiens.

Et des récriminations partaient :

855 — Protège-nous!

— Qu'on en finisse!

— Tu abandonnes la religion!

— Impie comme les Hérode!

— Moins que vous! répliqua Antipas. C'est mon père qui a édifié
860 votre temple [3]!

Alors, les Pharisiens, les fils des proscrits, les partisans des Matathias [4], accusèrent le Tétrarque des crimes de sa famille.

Ils avaient des crânes pointus, la barbe hérissée, des mains faibles et méchantes, ou la face camuse [5], de gros yeux ronds, l'air de boule-
865 dogues. Une douzaine, scribes [6] et valets des prêtres, nourris par le rebut des holocaustes [7], s'élancèrent jusqu'au bas de l'estrade; et avec des couteaux ils menaçaient Antipas, qui les haranguait, pendant que les Sadducéens le défendaient mollement. Il aperçut Mannaëi [8], et lui fit signe de s'en aller, Vitellius indiquant par sa contenance
870 que ces choses ne le regardaient pas.

Les Pharisiens, restés sur leur triclinium [9], se mirent dans une fureur démoniaque. Ils brisèrent les plats devant eux. On leur avait servi le ragoût chéri de Mécène [10], de l'âne sauvage, une viande immonde [11].

---

1. Pour les astronomes anciens, c'était la partie supérieure du ciel : la voûte qui supporte les étoiles. — 2. Pureté morale et pureté physique sont traditionnellement identifiées. — 3. Il y a eu trois temples : celui de Salomon (xe s. av. J.-C.), détruit en 586 par Nabuchodonosor; celui de Zorobabel (536); celui d'Hérode le Grand, commencé en 18 av. J.-C., remaniement et agrandissement du précédent. — 4. Un *Matathias* enleva, aidé de quarante-deux de ses amis, les aigles placées par les Romains sur les grilles du Temple, et Hérode le Grand le fit brûler vif. Mais il doit s'agir ici des descendants de ce Matathias (**A**) qui souleva les Juifs contre les rois de Syrie en 167. Les partisans des Matathias (c'est-à-dire des Asmonéens) seraient donc des « légitimistes », hostiles aux Hérodes. — 5. Au nez court et plat. — 6. Secrétaires. — 7. Dans les sacrifices, la victime pouvait être totalement brûlée (on parlait alors d'*holocauste*), ou partiellement (le reste étant alors donné aux prêtres et aux fidèles). — 8. Qui attendait pour exécuter Jean. — 9. Voir p. 171, n. 6. — 10. Ministre d'Auguste, protecteur des écrivains; il passait pour aimer la bonne chère. — 11. Impure selon la Loi.

875 Aulus les railla à propos de la tête d'âne, qu'ils honoraient, disait-on, et débita d'autres sarcasmes sur leur antipathie du pourceau. C'était sans doute parce que cette grosse bête avait tué leur Bacchus; et ils aimaient trop le vin, puisqu'on avait découvert dans le Temple une vigne d'or [1].

880 Les prêtres ne comprenaient pas ses paroles. Phinées, Galiléen d'origine, refusa de les traduire. Alors sa colère fut démesurée, d'autant plus que l'Asiatique, pris de peur, avait disparu; et le repas lui déplaisait, les mets étant vulgaires, point déguisés suffisamment [2] ! Il se calma, en voyant des queues de brebis syriennes, qui sont des 885 paquets de graisse.

Le caractère des Juifs semblait hideux à Vitellius. Leur dieu pouvait bien être Moloch [3], dont il avait rencontré des autels sur la route; et les sacrifices d'enfants lui revinrent à l'esprit, avec l'histoire de l'homme qu'ils engraissaient mystérieusement [4]. Son cœur de 890 Latin était soulevé de dégoût par leur intolérance, leur rage iconoclaste [5], leur achoppement [6] de brute. Le Proconsul voulait partir. Aulus s'y refusa.

La robe abaissée jusqu'aux hanches, il gisait derrière un monceau de victuailles, trop repu pour en prendre, mais s'obstinant à ne point 895 les quitter.

L'exaltation du peuple grandit. Ils s'abandonnèrent à des projets d'indépendance. On rappelait la gloire d'Israël. Tous les conquérants avaient été châtiés : Antigone [7], Crassus [8], Varus [9]...

— Misérables ! dit le Proconsul.

900 Car il entendait le syriaque [10]; son interprète ne servait qu'à lui donner du loisir pour répondre.

Antipas, bien vite, tira la médaille de l'Empereur [11], et, l'observant avec tremblement, il la présentait du côté de l'image.

Les panneaux de la tribune d'or [12] se déployèrent [13] tout à coup; et à 905 la splendeur des cierges, entre ses esclaves et des festons [14] d'anémone,

---

1. Flaubert s'inspire ici de Tacite (*Histoire*, V, 2 et suiv.) : les Juifs adoraient l'âne qui avait permis à Moïse de découvrir de l'eau dans le désert; la *vigne d'or* peut faire croire à l'adoration de Bacchus, etc. — 2. Les Romains aimaient une cuisine savante. — 3. Dieu phénicien. Voir *Salammbô*, XIII. — 4. Accusations courantes. — 5. De briseurs d'images : voir l. 377-380. — 6. Entêtement; emploi anormal, *achoppement* signifiant : obstacle qu'on heurte du pied en marchant. — 7. Plusieurs rois ont porté ce nom. Le plus célèbre est le général d'Alexandre qui, après la mort de son maître, a longtemps lutté pour reconstituer son empire. Il allait y parvenir quand il fut tué à la bataille d'Ipsos (301 av. J.-C.). Ses armées avaient souvent traversé la Palestine. — 8. Le triumvir, maître de la Syrie, donc de la Palestine, vaincu et tué par les Parthes en 53 av. J.-C. — 9. Gouverneur de la Syrie, il réprima les troubles qui suivirent la mort d'Hérode. Il périt en Germanie avec son armée en 9. — 10. Parlé en Palestine. — 11. Voir p. 169, n. 1. — 12. Voir p. 170, n. 5. — 13. S'ouvrirent largement; sens exceptionnel. — 14. Guirlandes de fleurs ou de feuillage.

Hérodias apparut, — coiffée d'une mitre[1] assyrienne qu'une mentonnière attachait à son front; ses cheveux en spirales s'épandaient sur un péplos[2] d'écarlate[3], fendu dans la longueur des manches. Deux monstres en pierre, pareils à ceux du trésor des Atrides[4], se
910 dressant contre la porte, elle ressemblait à Cybèle[5] accotée[6] de ses lions; et du haut de la balustrade qui dominait Antipas, avec une patère[7] à la main, elle cria :

— Longue vie à César!

Cet hommage fut répété par Vitellius, Antipas et les prêtres.
915 Mais il arriva du fond de la salle un bourdonnement de surprise et d'admiration. Une jeune fille venait d'entrer.

Sous un voile bleuâtre lui cachant la poitrine et la tête, on distinguait les arcs de ses yeux, les calcédoines[8] de ses oreilles, la blancheur de sa peau. Un carré de soie gorge-pigeon[9], en couvrant ses épaules,
920 tenait aux reins par une ceinture d'orfèvrerie. Ses caleçons noirs étaient semés de mandragores[10], et d'une manière indolente elle faisait claquer de petites pantoufles en duvet de colibri[11].

Sur le haut de l'estrade, elle retira son voile. C'était Hérodias, comme autrefois dans sa jeunesse. Puis, elle se mit à danser.
925 Ses pieds passaient l'un devant l'autre, au rythme de la flûte et d'une paire de crotales[12]. Ses bras arrondis appelaient quelqu'un, qui s'enfuyait toujours. Elle le poursuivait, plus légère qu'un papillon, comme une Psyché[13] curieuse, comme une âme vagabonde, et semblait prête à s'envoler.
930 Les sons funèbres de la gingras[14] remplacèrent les crotales. L'accablement avait suivi l'espoir. Ses attitudes exprimaient des soupirs[15], et toute sa personne une telle langueur qu'on ne savait pas si elle pleurait un dieu, ou se mourait dans sa caresse. Les paupières entre-closes[16], elle se tordait la taille, balançait son ventre avec des
935 ondulations de houle, faisait trembler ses deux seins, et son visage demeurait immobile, et ses pieds n'arrêtaient pas.

---

1. Bonnet conique. — 2. Voir p. 152, n. 2. — 3. Voir p. 122, n. 1. — 4. On appelle *trésor* une tombe à coupole. La reconstitution donnée en 1833 par Blouet représente ce trésor orné du groupe des lions de la porte de Mycènes. — 5. Déesse phrygienne qu'on représente souvent au milieu de *lions*. — 6. Ayant de chaque côté... — 7. Coupe ou bol servant aux libations. — 8. Pierres laiteuses auxquelles ses oreilles font penser. — 9. Ou « gorge de pigeon » : d'une couleur qui change avec l'éclairage. — 10. Brodés *de mandragores*, dont la fleur ressemble à une clochette. La mandragore passait pour avoir des propriétés merveilleuses et entrait dans la composition des « philtres ». — 11. Petit oiseau des régions tropicales, dont les élégantes du XIXe s. appréciaient fort le plumage aux riches couleurs. — 12. Instrument à percussion, fait de deux pièces de métal concave dont on jouait comme de cymbales. — 13. La Fontaine a raconté cette légende de *Psyché* qui, par sa curiosité, perdit son divin amant. — 14. Grosse flûte phénicienne. — 15. Regrets causés par la passion ou par le chagrin; sens classique. — 16. Closes à demi; locution rare, mais expressive.

Vitellius la compara à Mnester [1], le pantomime [2]. Aulus vomissait encore. Le Tétrarque se perdait dans un rêve, et ne songeait plus à Hérodias. Il crut la voir près des Sadducéens. La vision s'éloigna.
940 Ce n'était pas une vision. Elle avait fait instruire, loin de Machærous, Salomé sa fille, que le Tétrarque aimerait; et l'idée était bonne. Elle en était sûre, maintenant!

Puis, ce fut l'emportement de l'amour qui veut être assouvi. Elle dansa comme les prêtresses des Indes, comme les Nubiennes des
945 cataractes [3], comme les bacchantes [4] de Lydie [5]. Elle se renversait de tous les côtés, pareille à une fleur que la tempête agite. Les brillants de ses oreilles sautaient, l'étoffe de son dos chatoyait; de ses bras, de ses pieds, de ses vêtements jaillissaient d'invisibles étincelles qui enflammaient les hommes. Une harpe chanta; la multitude y répondit
950 par des acclamations. Sans fléchir ses genoux en écartant les jambes, elle se courba si bien que son menton frôlait le plancher; et les nomades habitués à l'abstinence, les soldats de Rome experts en débauches, les avares publicains, les vieux prêtres aigris par les disputes, tous, dilatant leurs narines, palpitaient de convoitise.
955 Ensuite elle tourna autour de la table d'Antipas, frénétiquement, comme le rhombe [6] des sorcières; et d'une voix que des sanglots de volupté entrecoupaient, il lui disait :

— Viens! viens!

Elle tournait toujours; les tympanons [7] sonnaient à éclater, la
960 foule hurlait.

Mais le Tétrarque criait plus fort :

— Viens! viens! Tu auras Capharnaüm [8]! la plaine de Tibérias [9]! mes citadelles! la moitié de mon royaume!

Elle se jeta sur les mains, les talons en l'air, parcourut ainsi l'estrade
965 comme un grand scarabée; et s'arrêta, brusquement.

Sa nuque et ses vertèbres faisaient un angle droit. Les fourreaux de couleur qui enveloppaient ses jambes, lui passant par-dessus l'épaule, comme des arcs-en-ciel, accompagnaient sa figure, à une coudée du sol. Ses lèvres étaient peintes, ses sourcils très noirs, ses yeux presque

---

1. Il fut le comédien le plus célèbre de son temps, favori de Caligula. — 2. *Le pantomime* était l'acteur chargé de la mimique dans la pantomime, pendant qu'un autre acteur chantait, et qu'on jouait de la musique. Comme il portait un masque, son jeu consistait en mouvements de la tête, des épaules et des mains. — 3. *Cataractes* du Nil, donc dans l'Égypte méridionale. — 4. Le culte de Bacchus se faisait dans l'extase ou dans l'ivresse. Les *bacchantes* dansaient jusqu'à la folie. — 5. Euripide, dans *les Bacchantes*, fait de Dionysos (Bacchus) un Lydien. La *Lydie* était une province d'Asie Mineure. — 6. Fuseau ou rouet d'airain qui servait dans les enchantements. — 7. Tambourins dont se servaient en particulier les prêtres de Cybèle. — 8. Voir p. 144, l. 28. — 9. Voir p. 144, n. 12.

970 terribles, et des gouttelettes à son front semblaient une vapeur sur du marbre blanc.

Elle ne parlait pas. Ils se regardaient.

Un claquement de doigts se fit dans la tribune.

Elle y monta, reparut; et, en zézayant un peu, prononça ces mots, 975 d'un air enfantin :

— Je veux que tu me donnes dans un plat, la tête...

Elle avait oublié le nom, mais reprit en souriant :

— La tête de Iaokanann!

Le Tétrarque s'affaissa sur lui-même, écrasé.

- **La danse de Salomé** devait être la pièce maîtresse du conte, comme elle l'est du récit évangélique. C'est elle du reste que l'on retrouve à l'origine de l'inspiration de Flaubert, qu'elle soit née devant le tableau de G. Moreau ou le tympan de Rouen (l. 904-979).

  ① La composition est bien équilibrée :
  Distinguez, de la danse, l'apparition initiale (l. 904-924) d'Hérodias (et d'une fille qui est encore elle), et la manifestation finale de leur volonté. La danse est faite de trois groupes de « figures ». Caractérisez chacun d'eux. Comment sont-ils liés?

  ② La valeur dramatique est grande :
  Elle est préparée par les apparitions successives de Salomé (l. 230 et 678), comme par ce que nous savons du caractère d'Antipas et de sa situation. Précisez ces deux points.
  Mais l'effet en est-il moins fort? Pourquoi? Étudiez l'entrée d'Hérodias; les dernières minutes de la scène dans leur extrême tension; l'opposition entre le caractère enfantin donné à Salomé et son rôle.

- **L'art de Flaubert.** — Voici l'esquisse dont l'écrivain est parti :

  > Salomé danse. 1° légère, insaisissable, capricieuse comme un papillon avec accompagnement d'une petite flûte qui imite de petits cris d'oiseaux. Effet sur la foule. 2° puis c'est une danse langoureuse, voluptueuse, au son d'une grosse flûte, la gingras. La danse... a un caractère presque farouche. 3° une danse désordonnée, avec flûte, tambourin et harpe. Effets sur la foule. Hérodias oberve les trois hommes de la tribune royale. Vitellius reste impassible. Aulus mange. Mais Antipas s'enflamme progressivement...

  ③ Étudiez les transformations que Flaubert a fait subir à cette esquisse.

  ④ De quelle façon, par la description, les images, et surtout le contour des phrases, Flaubert nous donne-t-il l'illusion de la danse?

  ⑤ Montrez la valeur particulière de la dernière figure (celle du *scarabée* immobile devant le Tétrarque) : effet esthétique, psychologique, dramatique.

- **Flaubert.** — Ceux qui recherchent l'âme de l'écrivain dans son œuvre auront ici une belle matière. Notons simplement l'importance du thème du festin et la recherche de l'ivresse dans les moments décisifs; la présence de figures féminines irritantes; l'association, chère à Maurice Barrès, « du sang, de la volupté et de la mort. »

---

980 Il était contraint par sa parole, et le peuple attendait. Mais la mort qu'on lui avait prédite[1], en s'appliquant à un autre, peut-être détournerait la sienne? Si Iaokanann était véritablement Élie[2], il pourrait s'y soustraire; s'il ne l'était pas, le meurtre n'avait plus d'importance.

985 Mannaëi était à ses côtés, et comprit son intention.

Vitellius le rappela pour lui confier le mot d'ordre, des sentinelles gardant la fosse.

Ce fut un soulagement. Dans une minute, tout serait fini!

Cependant, Mannaëi n'était guère prompt en besogne.

990 Il rentra, mais bouleversé.

Depuis quarante ans il exerçait la fonction de bourreau. C'était lui qui avait noyé Aristobule, étranglé Alexandre, brûlé vif Matathias, décapité Sosime, Pappus, Joseph et Antipater[3]; et il n'osait tuer Iaokanann! Ses dents claquaient, tout son corps tremblait.

995 Il avait aperçu devant la fosse le Grand Ange des Samaritains[4], tout couvert d'yeux et brandissant un immense glaive, rouge, et dentelé comme une flamme. Deux soldats amenés en témoignage pouvaient le dire.

Il n'avaient rien vu, sauf un capitaine juif[5], qui s'était précipité 1000 sur eux, et qui n'existait plus.

La fureur d'Hérodias[6] dégorgea en un torrent d'injures populacières et sanglantes. Elle se cassa les ongles au grillage de la tribune, et les deux lions sculptés semblaient mordre ses épaules et rugir comme elle.

1005 Antipas l'imita, les prêtres, les soldats, les Pharisiens, tous réclamant une vengeance, et les autres, indignés qu'on retardât leur plaisir.

Mannaëi sortit, en se cachant la face.

Les convives trouvèrent le temps encore plus long que la première fois. On s'ennuyait.

1010 Tout à coup, un bruit de pas se répercuta dans les couloirs. Le malaise devenait intolérable.

La tête entra; — et Mannaëi la tenait par les cheveux, au bout de son bras, fier des applaudissements.

Quand il l'eut mise sur un plat, il l'offrit à Salomé.

---

1. Voir p. 168, l. 650 et suiv. — 2. Voir p. 174, n. 9. — 3. Des victimes d'Hérode le Grand : son beau-frère, *Aristobule* (**H**), noyé en 33, et son oncle Joseph (**L**), décapité la même année; ses fils *Alexandre* (**U**), étranglé en 6, et Antipater (**O**), décapité en 4, juste avant la mort de son père; pour *Matathias*, voir p. 177, n. 4; *Pappus*, général d'Antigone (**K**), fut tué au combat, mais Hérode fit décapiter son cadavre; *Sosime* n'est pas nommé par les historiens, mais Flaubert peut penser à ce Sohémus que l'on décapita en 30. — 4. Les anges, dans la croyance juive, sont les innombrables serviteurs de Dieu. A leur tête, il y a les Grands Anges(ou archanges). Chaque peuple, chaque individu a « son » ange. Que celui des Samaritains protège un Juif, cela peut bouleverser Mannaëi. — 5. Celui de Tibériade qui a voulu protéger Jean et s'est fait tuer. — 6. *Var. : « La* colère *d'Hérodias* ».

1015 Elle monta lestement dans la tribune; plusieurs minutes après, la tête fut rapportée par cette vieille femme que le Tétrarque avait distinguée le matin sur la plate-forme d'une maison, et tantôt dans la chambre d'Hérodias.

Il se reculait pour ne pas la voir. Vitellius y jeta un regard indiffé-
1020 rent.

Mannaëi descendit l'estrade, et l'exhiba aux capitaines romains, puis à tous ceux qui mangeaient de ce côté.

Ils l'examinèrent.

La lame aiguë de l'instrument, glissant du haut en bas, avait
1025 entamé la mâchoire. Une convulsion tirait les coins de la bouche. Du sang, caillé déjà, parsemait la barbe. Les paupières closes étaient blêmes comme des coquilles; et les candélabres à l'entour envoyaient des rayons.

Elle arriva à la table des prêtres. Un Pharisien la retourna curieu-
1030 sement; et Mannaëi, l'ayant remise d'aplomb, la posa devant Aulus, qui en fut réveillé. Par l'ouverture de leurs cils, les prunelles mortes et les prunelles éteintes semblaient se dire quelque chose.

Ensuite Mannaëi, la présenta à Antipas. Des pleurs coulèrent sur les joues du Tétrarque.

1035 Les flambeaux s'éteignaient. Les convives partirent; et il ne resta plus dans la salle qu'Antipas, les mains contre ses tempes, et regardant toujours la tête coupée, tandis que Phanuel, debout au milieu de la grande nef, murmurait des prières, les bras étendus.

- **La mort de Jean.** — Antipas, pris au piège, laisse tuer le Baptiste, dont la tête est présentée à tous les assistants (l. 980-1038).

① L'exécution est retardée de deux façons, par un dernier débat du Tétrarque (l. 980-984) et par la peur de Mannaëi (l. 990-1007). Quelle est l'utilité de cette suspension?

② Étudiez la place et le rôle de la foule : l. 1005-1011.

③ Rapprochez la mort de Jean et celle de Jésus : le fidèle qui sort son épée (*Matthieu*, XXVI, 51), la possibilité pour la victime d'échapper à la mort (*ibid.*, 53-54), l'hésitation du juge, l'appel à Élie (*Matthieu*, XXVII, 47). Quel sens pouvez-vous donner à cette comparaison?

④ Retrouvez dans les lignes 1019-1038 :
— le mélange du réalisme et du mystère;
— les trois groupes symboliques du début de la troisième partie.

⑤ Arrêtez-vous aux deux dernières images :
La rencontre d'Aulus et de Jean.
Phanuel en prières devant la tête de Jean que regarde Antipas. Appréciez le tableau (disposition des personnages, expressions, éclairages).

A l'instant où se levait le soleil, deux hommes[1], expédiés autrefois
1040 par Iaokanann, survinrent, avec la réponse si longtemps espérée[2].
Ils la confièrent à Phanuel, qui en eut un ravissement[3].

Puis il leur montra l'objet lugubre, sur le plateau, entre les débris du festin. Un des hommes lui dit :

— Console-toi ! Il est descendu chez les morts annoncer le Christ[4] !
1045 L'Essénien[5] comprenait maintenant ces paroles : « Pour qu'il croisse, il faut que je diminue[6]. »

Et tous les trois, ayant pris la tête de Iaokanann[7], s'en allèrent du côté de la Galilée[8].

Comme elle était très lourde, ils la portaient alternativement.

---

1. Voir p. 146, n. 4. — 2. Dans laquelle Jésus se fait connaître à Jean : voir l'Évangile selon *saint Matthieu*, XI, 4-6. — 3. Transport de joie; et, au sens mystique : extase. — 4. Dont on dira qu'il est Jean ressuscité : voir *Luc*, IX, 8. — 5. Phanuel. — 6. Voir p. 147, n. 6. — 7. Les Évangiles disent seulement que ses disciples l'enterrèrent. — 8. Où est Jésus.

• **Jean annonce Jésus.** — Le Baptiste mort, les personnages épisodiques, et même Hérode et Hérodias, disparaissent. Ils ont joué leur rôle. Seuls importent encore ceux pour qui l'exécution a payé le prix de l'espérance.
① L'épilogue se place au lever d'un nouveau jour. Cherchez les différents sens du symbole.
L'histoire des origines du christianisme y est résumée d'une façon qui est belle, mais arbitraire.
Les disciples de Jean, et Phanuel, représentant des Esséniens, partent ensemble pour rejoindre le Messie. Ainsi les différents courants se réunissent pour porter la barque de l'Église. Mais la secte essénienne ne paraît pas avoir été immédiatement touchée par la prédiction lointaine du Nazaréen, le baptême de Jean a longtemps existé à côté de celui de Jésus, et les rapports des uns et des autres n'ont pas dû être toujours faciles.
② Pourtant, la version du romancier n'est-elle pas aussi vraie que celle des historiens? En quel sens?
Le récit merveilleux est fait, jusqu'au bout, pour donner une impression de vérité.
③ Si Flaubert avait arrêté son œuvre au tableau précédent, l'unité, au sens classique du terme, n'aurait-elle pas été plus nette? Quel est l'effet produit par la naissance d'une nouvelle histoire après celle qui a été le sujet du conte? N'est-il pas corrigé par l'image des trois hommes qui s'éloignent?
④ Appréciez le ton du dernier paragraphe. La vie quotidienne et la légende s'unissaient. Pourquoi laisser, pour finir, l'impression que l'une efface l'autre?
⑤ Commentez cette phrase d'Albert Thibaudet : « Dans *Hérodias*, une des grandes légendes humaines est ramenée à de l'histoire nue, à du détail archéologique et politique aussi vrai que possible. »

ÉTUDE DES TROIS CONTES

1. L'accueil du public et de la critique

Les *Trois Contes* furent publiés en feuilleton dans *le Messager russe*, dans *le Moniteur universel* et dans *le Bien public*. Le volume fut mis en vente le 24 avril 1877, dans la collection Charpentier où, deux mois plus tôt, avait paru *l'Assommoir* de Zola. Dès le 26, une conférence de FRANCISQUE SARCEY laissait prévoir la réaction du lecteur moyen : Flaubert, chef de file de la jeune école, avait cependant écrit un ouvrage qu'on pouvait lire et recommander. Si *Hérodias* rappelait fâcheusement *la Tentation de saint Antoine, la Légende de saint Julien* était belle, et *Un Cœur simple* toucherait les âmes sensibles.

L'auteur d'abord se montra satisfait. Était-ce l'heureuse surprise d'avoir déjà tiré d'un petit ouvrage plus d'argent qu'il n'en avait jamais reçu? Était-ce l'annonce d'articles favorables ou les lettres chaleureuses de ses amis? En tous cas, il eut l'impression de tenir enfin le grand succès qu'il n'avait jamais connu pleinement.

La première quinzaine de mai fut bonne. La vente marchait bien. Les critiques commençaient à se manifester. Si celui du *Gaulois* était réservé, celui de *la Patrie* se livrait à une analyse intelligente dont l'émotion toucha Flaubert, et, dans *le National*, Banville éclatait en éloges dithyrambiques. Le 16 mai interrompit tout : *Cet idiot de Mac-Mahon nuit beaucoup au débit des* Trois Contes! Des critiques renoncèrent à leurs articles. Ceux qui persévérèrent firent alterner l'éloge et le blâme. A la fin de mai, l'enthousiasme de Drumont, dans *La Liberté*, répondit aux sarcasmes de *l'Union;* en juin, la sévérité de Brunetière dans la *Revue des Deux-Mondes* fut mal compensée par les éloges de Mme Daudet dans le *Journal officiel* et par l'approbation nuancée du *XIXe siècle*. Cependant le public manifestait au livre un intérêt modéré. En deux ans, Charpentier fit cinq éditions des *Trois Contes*, et cinquante éditions de *l'Assommoir!* Il promit un tirage de luxe de *Saint Julien l'Hospitalier* pour le 1er janvier 1878, puis pour le 1er janvier 1879. Enfin il renonça à une affaire qui aurait été mauvaise. Et Flaubert de conclure : *J'ignore si je rencontre des lauriers, mais le côté truffes manque de plus en plus dans ma carrière!*

Il a fallu attendre l'éveil des études flaubertiennes au XXe siècle pour que les *Trois Contes* reçoivent la place qui leur est due. En 1899, Faguet pouvait écrire un *Flaubert* sans les analyser; en 1961, René Dumesnil, dans *La Vocation de Flaubert*, en fait l'aboutissement d'une vie et d'un art.

2. « Un Cœur simple »

La donnée d'*Un Cœur simple*, la vie d'une servante à qui il n'arrive rien que de bien ordinaire, est très pauvre.

① « Confiez un tel sujet à beaucoup, même parmi ceux qui savent tenir une plume, et je crois qu'ils n'y verront pas grand chose!... Ce conte nous intéresse prodigieusement en nous présentant une ménagère coiffée d'un bonnet et tenant un trousseau de clefs » (Drumont).

② « Avec cette donnée d'une si correcte banalité, M. Flaubert a fait un chef-d'œuvre de vie, d'émotion, et j'ajoute d'élévation morale » (G. de Saint-Valry dans *la Patrie*).

Flaubert s'est expliqué sur ce point devant Maupassant (préface de *Pierre et Jean*) :

③ « Il s'agit de regarder tout ce qu'on veut exprimer assez longtemps et avec assez d'attention pour en découvrir un aspect qui n'ait été vu et dit par personne. Il y a dans tout de l'inexploré, parce que nous sommes habitués à ne nous servir de nos yeux qu'avec le souvenir de ce qu'on a pensé avant nous sur ce que nous contemplons.

« La moindre chose contient un peu d'inconnu. Trouvons-le. »

On s'est interrogé sur la signification du conte. George Sand avait pourtant recommandé à Flaubert (lettre du 19 janvier 1876) de s'expliquer plus clairement, de dire en somme ce que lui-même souhaitait qu'on comprît :

④ « Il faut écrire pour tous ceux qui ont soif de lire et peuvent profiter d'une bonne lecture. Donc il faut aller tout droit à la moralité la plus élevée qu'on ait en soi-même et ne pas faire mystère du sens moral et profitable de son œuvre. »

Mais il s'y refusait (lettre du 6 novembre 1876) :

⑤ « Quant à laisser voir mon opinion personnelle sur les gens que je mets en scène, non, non, mille fois non! Je ne m'en reconnais pas le droit. Si le lecteur ne tire pas d'un livre la moralité qui doit s'y trouver, c'est que le lecteur est un imbécile ou que le livre est *faux* au point de vue de l'exactitude. Car, du moment qu'une chose est vraie, elle est bonne. »

Brunetière qui, hostile aux nouveautés n'était tout de même pas un imbécile, ne voulait y reconnaître (*Revue des Deux-Mondes*, 1er juin 1877) que l'éternelle colère des naturalistes contre la société de leur temps :

⑥ « ... ce même accent d'irritation sourde contre la bêtise humaine et les vertus bourgeoises; ce même et profond mépris du romancier pour ses personnages et pour l'homme; cette même dérision, cette même rudesse, et cette même brutalité comique dont les boutades soulèvent parfois un rire plus triste que les larmes. »

Jules Lemaître se plaignait un peu d'une retenue dont il voyait qu'elle faisait tort à son maître, mais il en comprenait les mérites (*Revue Bleue*, 11-18 octobre 1879) :

① « Nulle part la manière de Flaubert n'est plus serrée; on dirait qu'il craint de verser dans l'émotion. On lui reprochera d'avoir fait la bonté idiote; on lui dira que c'est rabaisser la vertu d'en faire un produit naturel du tempérament, de la rendre futile et inconsciente [...]. Peut-être aimerais-je mieux que Félicité fût un peu plus intelligente; mais je ne voudrais pas qu'elle le fût trop, car elle ne pourrait plus avec vraisemblance être aussi merveilleusement bonne; elle saurait qu'elle l'est, et ce ne serait plus la même chose. »
On peut regretter, de nos jours encore, que Flaubert n'ait pas suivi les conseils et l'exemple de la Bonne Dame de Nohant. Mais on est généralement sensible à l'humanité, à la bonté même de Flaubert :

② « On aurait pu se confier à un homme d'une telle ouverture de cœur » (JULIEN GREEN, *Journal*, I, p. 53).
Quand on a mieux connu sa personne et sa vie, après la publication de sa correspondance, on a voulu le retrouver dans ses livres :

③ « Dès que l'œuvre littéraire est pénétrée par le sentiment, c'est-à dire par ce qu'il y a de plus personnel en nous, de plus irréductible, elle en prend, quoi que veuille l'auteur, le caractère même, et tous les efforts de Flaubert pour se retirer de ses livres n'ont pu faire qu'il n'y apparaisse embusqué derrière chaque mot, chaque phrase, chaque épisode » (REMY DE GOURMONT, *Promenades littéraires*).
On a reconnu ensuite que, si intéressantes que soient les recherches biographiques, elles n'atteignent que l'accessoire, lors même que le récit paraît tiré des souvenirs les plus profonds, ceux de l'enfance :

④ « Ces jolies pages rapides, où le vieux romancier évoque ses premières années, restent tout extérieures. Flaubert n'a voulu y mettre ni son profond amour pour sa sœur, ni ses rêves enfantins. Tout se passe comme si, dans les paysages qu'il a tant aimés, il ait voulu se contenter de situer deux ombres qui « passent » à travers les lieux les plus sacrés de son enfance et à qui il n'a pas voulu donner la vie » (JEAN BRUNEAU, *les Débuts littéraires de Flaubert*).
Puis on en est venu à considérer *Un Cœur simple* beaucoup moins dans son objet émouvant ou édifiant, comme un tableau qui vaudrait par sa ressemblance ou comme l'évocation de chers fantômes, mais pour son thème, celui de l'accomplissement, dans une vie quiète et limitée, dans un repliement progressif. CHARLES DU BOS l'avait déjà senti :

⑤ « Ce que Flaubert demande à la vie intime, c'est le battement même de la continuité, l'exclusion de l'accidentel, la monotonie d'une longue et lourde tâche et le calorique qui se dégage de son graduel accomplissement. »
J.-P. RICHARD *(Littérature et Sensation)* arrive à des idées comparables :

① « L'immobilité [...] et la conscience de certaines bornes feront apparaître la vie comme pleine et profonde, illimitée, riche de toutes les possibilités [...]. Aucun au-delà à toutes les choses familières; mais en elles-mêmes, chacune à sa place, bien posées sur la main, elles répondent pleinement à son attente. Sur elles, la vie peut se reposer enfin. En elles, les lointains s'oublient, car le rétrécissement progressif du cadre engage à se recroqueviller davantage en soi-même, à s'isoler dans une surdité au monde que Flaubert a parfois considérée comme la condition nécessaire du salut. »

3. Saint Julien l'Hospitalier

② « *La Légende de saint Julien* est un bijou gothique d'une rare perfection [...]. Chaque page évoque l'idée d'un vitrail ou d'une enluminure de missel. Ceci est du Moyen Age cuit patiemment avec une lampe d'émailleur, non barbouillé avec fougue, comme on faisait vers 1830 » (JULES LEMAÎTRE, *Revue bleue*, 1879).
Tous les critiques, frappés sans doute par la dernière phrase du conte où Flaubert dit avoir trouvé son sujet sur le vitrail d'une église normande, l'ont ainsi comparé à une œuvre de l'art médiéval, miniature, émail ou vitrail. Ils y voyaient une preuve de sa vérité. TAINE les corrige subtilement (lettre du 4 mai 1877) :

③ « *Julien* est très vrai, mais c'est le monde *imaginé* par le Moyen Age, et non le Moyen Age lui-même; ce que vous souhaitiez, puisque vous vouliez produire l'effet d'un vitrail. »
Et THIBAUDET notera de même l'impression qu'il éprouve d'être dans un monde où l'histoire se mêle à la légende, la narration à l'épopée.
Ne raconte pourtant pas qui veut une belle légende. Dans le monde du merveilleux, il faut, pour pénétrer soi-même et faire entrer les autres, une âme pieusement crédule. Qu'un naturaliste s'y présente, c'est scandale ou au moins dérision :

④ « Et voilà ce qu'on appelle aujourd'hui le dernier mot de l'art! Le Moyen Age était un peu usé, il avait tant servi! Je doute que *la Légende de saint Julien l'Hospitalier* le rajeunisse et le mette en faveur. Il faut croire à l'histoire du bienheureux Labre pour la raconter. Si vraiment M. Flaubert n'a pas voulu railler ou soutenir quelque gageure, c'est bien ici la plus singulière erreur d'artiste qu'il eût encore commise » (BRUNETIÈRE, *op. cit.*).
MAURIAC, qui admire *Saint Julien l'Hospitalier*, n'y trouve pas pleine satisfaction *(Trois Hommes devant Dieu)*. L'auteur a été sensible à l'aspiration spirituelle, mais il n'a pas pénétré dans la cathédrale :

⑤ « Certes l'esthétique aurait pu ouvrir, devant Flaubert, ce portique sur le ciel inconnu, par où Huysmans, son débile disciple, pénétra dans l'Église. Nous solliciterions en vain certains textes : nous ne voyons à aucun moment Flaubert près de tomber à genoux. »

Mais HENRI GUILLEMIN le reconnaît dans l'ombre, auprès de ses héros, tendu vers le Sauveur, désespéré cependant *(Flaubert devant la vie et devant Dieu) :*

① « Nul ne sait, autour de lui, ce qu'il a mis d'emportement secret, de douleur, d'impossible espoir dans ces récits dont les personnages, un saint Julien, une Félicité, sont des créatures, à ses yeux, exemplaires, des êtres brûlés de passion et de foi, des âmes tout en élan vers l'infini, des cœurs purs et qui voyaient Dieu. »

S'ils se perdent dans le secret des âmes, les critiques se retrouvent généralement pour admirer la qualité de l'exécution. En 1877, on se contentait d'une appréciation sommaire, parfois hésitante :

② « Ses tableaux sont tellement saisissants, chaque trait est si juste, la fantaisie et le merveilleux se marient si heureusement avec l'observation exacte de la réalité que l'on finit même par oublier ce qu'il y a de trop rigoureusement voulu et dans la composition et dans le style de l'écrivain » (BIGOT, *le XIX*e *siècle*, **13** juin 1877).

On va, de nos jours, vers une étude plus détaillée de ce merveilleux équilibre entre les divers éléments d'un art parvenu à sa pleine maturité :

— La fusion du passé (qui a fourni le cadre et le sujet) avec le présent, équilibre que notait déjà MARCEL SCHWOB dans *Spicilège :*

③ « Flaubert a réussi à fondre et à unir dans un miraculeux émail littéraire tout l'appareil de la chevalerie avec le plus simple des contes pieux du peuple. Et parmi cette éblouissante fusion, nous voyons se dessiner les attitudes d'un Julien cruellement passionné, dont l'âme est tout près de la nôtre. »

— L'union des mouvements dramatiques, tragiques et psychologiques :

④ « La fusion est parfaite entre l'action dramatique et ce déroulement d'une existence dont l'unité profonde est assurée par l'action continue de Dieu. Par cette merveilleuse réussite l'histoire de saint Julien, en ce qu'elle a d'essentiel et d'élémentaire, nous devient présente » (CL. DIGEON, *le Dernier Visage de Flaubert*).

— Le parfait accord de l'art et de la nature :

⑤ « On y admire un équilibre parfait entre la spontanéité et l'ampleur de la narration d'une part, et la perfection des phrases, la pureté pittoresque du détail d'autre part, entre ce qu'on pourrait appeler le mouvement de translation et le mouvement de rotation d'un livre » (THIBAUDET, *Flaubert*).

4. Hérodias

Des trois contes, *Hérodias* a été le moins bien accueilli. SARCEY le trouvait « trop fort pour lui »; le critique de *l'Union*, « disposé à l'indulgence », préférait n'en point parler. Celui de la *Revue suisse* commettait cet à-peu-près : « Quant à Hérodias... hélas! »

Ce qui y gênait, ce qui y gêne encore bien des lecteurs, c'est la restitution détaillée, érudite, d'un passé trop éloigné. Non qu'ils refusent le roman historique dans son principe, mais ils lui demandent un coloris léger, un dépaysement, un amusement de la curiosité. Ici, il faut visiter le musée, lentement, scrupuleusement, ce que TAINE se plaisait, lui, à faire en compagnie de son ami Flaubert (lettre du 4 mai 1877) :

① « A mon avis, le chef-d'œuvre est *Hérodias* [...]. *Hérodias* est la Judée 30 ans après J.-C., la Judée réelle, et bien plus difficile à rendre, parce qu'il s'agit d'une autre race, d'une autre civilisation, d'un autre climat. Vous aviez bien raison de me dire qu'à présent l'histoire et le roman ne peuvent plus se distinguer. — Oui, à condition de faire du roman comme vous. »

On a évidemment comparé *Hérodias* à *Salammbô* (JULES LEMAÎTRE, *Revue bleue*, 11-18 octobre 1879) :

② « *Hérodias* est dans les mêmes teintes [l'expression est exacte] que *Salammbô* [...]. Mais ici un effort excessif se fait sentir dans cette brièveté; les personnages et les actions ne sont pas assez expliqués; il y a trop de laconisme dans ce papillotage asiatique, et cela ne peut plaire qu'aux fidèles de M. Flaubert, à ceux qui l'aiment, même et surtout dans l'outrance de ses partis pris. »

Cette concentration, ce souci du raccourci, peut sembler au contraire faire le mérite du conte et le rendre préférable au roman :

③ « Flaubert s'est complu [...] à la reconstitution éclatante d'un passé lointain. Son livre le plus caractéristique en ce genre est *Salammbô*. Mais ce défilé de tableaux « barbares » d'une civilisation qui nous est étrangère [...], l'orgie de couleur dans un roman long [...] finissent par créer une impression de factice qui lasse le lecteur [...]. Ce genre d'art nous paraît mieux s'adapter à la forme ramassée du court récit » (J. BOUDOUT, *Morceaux choisis*).

Et il y a, indéniable, un art de la composition dramatique et de la fresque qui donnent à l'histoire de la force, de la présence, même si la tension est extrême, la vibration trop aiguë :

④ « Il a ramassé dans un seul jour et dans un seul lieu des scènes qui languissaient éparses, et fait dans un cadre étroit une grande peinture [... Il] a su rendre aux vagues ombres de l'histoire la forme et la couleur, et [...] son conte est un merveilleux poème » (ANATOLE FRANCE, Préface d'*Hérodias*).

5. Le recueil

⑤ « Entre les trois récits qui forment les *Trois Contes*, il paraît d'abord difficile d'établir un lien, si l'on s'en tient à l'extérieur du sujet » (MAYNIAL, *Flaubert : « Trois Contes »*).

Mais il est possible, tout en considérant les thèmes et les manières dans leur diversité, de reconnaître l'œuvre d'art, c'est-à-dire l'unité :

① « Les *Trois Contes* représentent trois manières différentes, les trois seules manières peut-être, non d'écrire l'histoire, mais de l'utiliser pour en faire de l'art [...]. *Un Cœur simple* raconte l'histoire quotidienne dans laquelle nous vivons et qui pour cela ne se laisse pas saisir comme histoire. Au contraire, dans *Saint Julien* un recul infini transforme l'histoire en légende. *Un Cœur simple* et *Saint Julien* sont placés aux deux extrémités où il n'y a pas encore et où il n'y a plus d'histoire et où pourtant la figure de l'histoire rôde, ici comme un pressentiment et là comme un souvenir [...]. Ces deux formes de ce qui est en deçà et au-delà de l'histoire mettent d'autant mieux en valeur les réalités historiques d'*Hérodias*, le récit taillé à même le plein et le vif de l'histoire » (THIBAUDET, *op. cit.*).

② « Les *Trois Contes* ne sont pas des contes détachés; ils sont unis au contraire par un lien étroit, qui est l'exaltation de la charité, de la bonté inconsciente et surnaturelle » (BANVILLE, *op. cit.*).

③ « N'y a-t-il pas, dans ce triptyque aux volets si étrangement disparates, une même volonté de dominer la réalité pour en faire de l'art? » (MAYNIAL, *op. cit.*).
Le style de Flaubert est admirable, presque tout le monde en demeure d'accord. Notons seulement ici les réserves :

④ « Dans la forme [...] c'est toujours la même habileté d'exécution, trop vantée d'ailleurs; — le même scrupule, ou plutôt la même religion d'artiste; mais aussi la même préoccupation de l'effet, trop peu dissimulée; — la même tension du style, pénible, fatigante, importune, les mêmes procédés obstinément matérialistes » (BRUNETIÈRE).

⑤ « Il était convaincu qu'il n'existe pour une idée qu'une seule forme, qu'il s'agit de la trouver ou de la construire, et qu'il faut peiner jusque-là. Cette belle doctrine n'a malheureusement aucun sens » (PAUL VALÉRY).

⑥ « Son style est la plus singulière fontaine pétrifiante de notre littérature » (JEAN PRÉVOST).
Laissons la parole, pour finir, à trois admirateurs de Flaubert :

⑦ « Ces *Trois Contes* qui paraissent au premier abord un hors-d'œuvre un peu secondaire dans la production de Flaubert, on peut, à la réflexion, les regarder comme un de ses livres les plus représentatifs, les plus clairs » (THIBAUDET, *op. cit.*).

⑧ « Ce petit volume est peut-être, au fond, le plus représentatif de toute l'œuvre de Flaubert et peut-être même de toute son époque » (J. SUFFEL, *Flaubert*).

⑨ « Il semble que dans les *Trois Contes*, il ait dépensé tout ce qui subsistait en lui, malgré lui, de sa jeunesse et de son amour. Maintenant, rien ne lui reste que de mourir sur une farce laborieuse et funèbre, et que de s'incarner dans deux imbéciles que son génie a rendus immortels » (MAURIAC, *op. cit.*).

Table des matières

La vie de Flaubert et son époque 4
Flaubert : l'homme 26
Flaubert : son art. 29
Flaubert : son œuvre 34
Bibliographie 35
Les « Trois Contes » : le milieu; l'art et l'argent; de *Saint Julien* à *Hérodias;* trois contes; le panneau central; l'auteur et l'œuvre . 37
Un Cœur simple : dossier et sources; second scénario du conte. . . 44
Chapitre I 47
Chapitre II. 50
Chapitre III 60
Chapitre IV 76
Chapitre V. 86
La Légende de saint Julien l'Hospitalier : dossier et sources; la vie de saint Julien, par Langlois; scénario du conte 90
Chapitre I 97
Chapitre II. 111
Chapitre III 124
Hérodias : le dossier d'*Hérodias;* les sources; la Palestine au début de l'ère chrétienne (les origines, les Asmonéens, les Hérodes, la province romaine, les révoltes, le temple d'Hérode le Grand); Jean-Baptiste et les Évangiles; les autres personnages; scénario du conte. 131
Carte de la Palestine 134
Chapitre I 143
Chapitre II. 155
Chapitre III 170
Étude des *Trois Contes :* l'accueil du public et de la critique; *Un Cœur simple; Saint Julien l'Hospitalier; Hérodias;* le recueil . . 185
ILLUSTRATIONS 3, 27, 43, 46, 89, 94-95, 115, 142

G 75/2494 – MAURY-IMPRIMEUR S.A. – 45330 Malesherbes
Imprimé en France – Dépôt légal : 3e trimestre 1975